合格のLEC《れっく》

これだけ覚える

# 教員採用試験
# 一般教養

’26年版

LEC《れっく》東京リーガルマインド 著



成美堂出版

一般教養

# 出題傾向と対策

## ●過去問分析でムダのない効率学習をめざす

ここでいう**出題機会とは、独自の一般教養試験を実施する45自治体が、過去５年間にそれぞれの項目（内容）について何回出題したか、その頻度のこと**をいいます。各項目の出題機会の算出方法は、「出題機会＝出題回数÷（45自治体×5年間）×100」。その結果が次ページ以降の表になります。

## ●出題機会20％以上に要注意

「過去問による出題傾向分析」という観点から考えた場合には、**出題機会が20％を超えたものを要注意と考えてよい**でしょう。しかし、注意をしなければならないのは、これまでの過去５年間、あなたが受験しようとする自治体ではもちろん、どの自治体でも一度も出題していなかった項目（内容）――つまり、出題機会は０％であったものが、その受験年にかぎって２題も３題も出題された、ということがないとはいえないということです。そのため、毎年、どこかの自治体で必ず出題されている項目（内容）については、あなたが受験する自治体でその受験年に出題されるかもしれない、という姿勢で学習しておくことが必要になります。ましてや、40％、50％の出題機会ということになると、もはや、絶対に出題される、というくらいの覚悟で学習しておいても無駄にはならないでしょう。なお、**本書では現役の講師陣がこのデータを分析し、それに出題予想を吟味して、各項目の頻出度を作成しているので、より効率的な学習**ができます。

## ●自治体独自の傾向を踏まえた学習が大切

以上の記事は全国的にみた傾向を踏まえたものであり、**自治体ごとの出題傾向がある**ことはいうまでもありません。人文・社会・自然の３分野の出題比率についても、３分野均等の出題となっている自治体もあれば、人文科学分野あるいは自然科学分野が５割以上の出題比率となっているような自治体もあります。そうした比率の中でも、３ページの表にあるように、23.6％の出題機会を示している「国語」の「漢字／読み取り・書き取り」であっても、過去５年間、一度も出題していない自治体が24、毎年必ず出題している自治体が4でばらつきがあります。こうした、**自治体独自の傾向を踏まえた学習が重要**となります。

## 【出題機会表】2020(令和2)年度～ 2024(令和6)年度試験

原則として主要な項目を掲載。20%以上は重要、40%以上は必須。

| 項目 | | | 主な内容 | 出題機会(%) |
|---|---|---|---|---|
| 人文科学 | 国語 | 漢字 | 読み取り・書き取り | 23.6 |
| | | | 四字熟語 | 25.3 |
| | | | その他 | 30.7 |
| | | ことば | ことわざ・格言・慣用句 | 24.3 |
| | | | 文法・敬語 | 29.8 |
| | | 文章読解 | 要旨・総合読解(古文読解:13.8%) | 42.7 |
| | | 鑑賞 | 詩・短歌・俳句(漢詩・漢文:7.1%) | 27.6 |
| | | 文学史 | 古典文学(作者・作品・内容・冒頭文) | 21.8 |
| | | | 近現代文学(作者・作品・内容・冒頭文) | 19.6 |
| | | | 外国文学 | 5.3 |
| | | その他 | ―――― | 8.9 |
| | 英語 | 単語 | 意味、アクセント、活用 | 40.9 |
| | | 文法 | 完了形、仮定法、関係代名詞、話法、不定詞、など | 25.8 |
| | | 熟語・書き換え | 適語選択・空欄補充・書き換え、など(略語含む) | 24.9 |
| | | ことわざ | ことわざ・名言 | 9.8 |
| | | 読解 | 英会話文(会話の整序・応答文・空欄補充、など) | 47.5 |
| | | | 英文読解(要約・内容把握・文章整序・和訳、など) | 47.1 |
| | 日本史 | 古代 | 先土器・縄文・弥生・飛鳥・奈良・平安(9.8%) | 24.0 |
| | | 中世 | 鎌倉・室町 | 25.8 |
| | | 近世 | 安土桃山・江戸(27.6%) | 32.9 |
| | | 近代 | 明治(22.2%)・大正 | 26.7 |
| | | 現代 | 昭和・平成・令和 | 16.0 |
| | 世界史 | 古代 | 四大文明・古代ギリシャ・ローマ、など | 3.6 |
| | | アジア | 中国・イスラム・オスマン | 6.2 |
| | | 欧米 | 封建時代～アジア進出・帝国主義時代 | 24.0 |
| | | 1次大戦時 | 辛亥革命・1次大戦・ロシア革命・ベルサイユ条約 | 4.0 |
| | | 2次大戦時 | 世界恐慌・2次大戦前後・国連・戦後改革 | 3.6 |
| | | 現代 | 冷戦・中東問題・ヨーロッパ統合、など | 11.1 |
| | | その他 | 人物と業績、など | 12.9 |
| | 地理 | 図法と読解 | メルカトル図法・距離と面積の測定、など | 13.3 |
| | | 地形・気候 | 山地・平野、陸水・海水、ケッペンの気候分布、など | 14.2 |

| | | | | |
|---|---|---|---|---|
| 人文科学 | 地理 | 人口 | 人口分布・人口問題、など | 8.0 |
| | | 産業・資源 | 農牧業(8.0%)・林業・水産業・鉱工業・貿易 | 18.7 |
| | | 日本地誌 | 日本諸地域の自然・産業・資源等の特徴、国土利用、気候 | 34.7 |
| | | 世界地誌 | 頻度：アジア→欧州→南北米、自然・産業・資源・首都 | 26.2 |
| | | その他 | 世界遺産・地域開発、など | 8.4 |
| | 倫理 | 西洋思想 | 英国経験論、社会契約説、観念論、実存主義、など | 12.4 |
| | | 東洋思想 | 儒家(孔子・孟子)、墨家、道家(老子・荘子)、など | 3.6 |
| | | 日本思想 | 日本仏教、日本の儒学、近代日本の思想家、など | 9.1 |
| | 芸術 | 音楽 | 音楽の基礎 | 12.4 |
| | | | 西洋音楽史(ロマン派 7.6%) | 10.2 |
| | | | 日本音楽史 | 12.0 |
| | | | その他 | 4.0 |
| | | 美術 | 美術の基礎 | 7.6 |
| | | | 西洋美術史(19世紀 5.3%) | 12.9 |
| | | | 日本美術史 | 12.9 |
| | | | その他(祭、伝統芸能、書道など) | 1.8 |
| 社会科学 | 政治 | 民主政治 | 人権思想・政治思想・政治体制 | 12.0 |
| | | 日本国憲法 | 三大原則・基本的人権・三大義務、など | 17.8 |
| | | 国会 | 国会の地位・二院制・衆議院の優越、など | 10.7 |
| | | 内閣 | 行政権・衆議院の解散・総辞職、など | 8.0 |
| | | 裁判所 | 司法権の独立・三審制・違憲立法審査権、など | 5.8 |
| | | 地方自治 | 住民の権利・財源、など | 6.2 |
| | | 福祉 | 社会保障・消費者保護・児童福祉、など | 13.8 |
| | | 国際政治 | 国連関連、集団安全保障、など | 13.8 |
| | | その他 | NGO・NPO・PKO・非核三原則、など | 10.2 |
| | 経済 | 市場経済 | 流通・価格・物価・景気変動、など | 16.4 |
| | | 金融 | 金融政策・日銀・貨幣、など | 4.4 |
| | | 財政・税 | 国家財政・租税・財政政策、など | 8.0 |
| | | 国際経済 | 国際経済機構・国際通貨、など | 6.7 |
| | | その他 | 労働・失業率・リストラ、経済用語、など | 7.1 |
| | 時事 | 国際社会 | サミット・TPP・アラブ情勢、ウクライナ情勢、など | 23.1 |
| | | 文化 | オリンピック、ノーベル賞、ロケット打ち上げ、など | 29.3 |
| | | ローカル | 各自治体の情勢、地誌、など | 16.4 |
| | | その他 | 法令、教育事情、時事用語、など | 24.0 |
| | 数学 | 数の計算 | 約数と倍数・記数法・無理数、など | 26.7 |

| | | | | |
|---|---|---|---|---|
| 自然科学 | 数学 | 式の計算 | 整式の四則・因数分解・式の値・分数式、など | 36.4 |
| | | 方程式・不等式 | 方程式・高次方程式・解と係数、不等式の計算、など | 36.4 |
| | | 関数 | 1次関数とグラフ、2次関数とグラフ(20.9%) | 30.7 |
| | | 図形 平面 | 角・辺・面積 | 47.5 |
| | | 図形 空間 | 表面積・体積・切り口・展開図 | 26.7 |
| | | 確率統計 | 場合の数・順列・組合せ・確率、など | 36.4 |
| | | その他 | 集合・微分積分・命題と論理、など | 27.6 |
| | 物理 | 力 | つり合い・重力・圧力・浮力、など | 19.1 |
| | | 運動 | 運動方程式・力と運動、など | 6.2 |
| | | エネルギー | 仕事・仕事率・力学的エネルギー、熱と温度、など | 13.3 |
| | | 波動 | ドップラー効果・音・光、など | 19.1 |
| | | 電流と磁界 | オームの法則・電力・磁界、など | 18.2 |
| | | その他 | 国際単位系・放射線・著名な物理学者、など | 5.3 |
| | 化学 | 物質の構造 | 混合物・原子の構造・同位体・化学結合、など | 13.3 |
| | | 物質の状態 | 三態(昇華・凝固・気化)・気体・溶液(濃度)、など | 32.4 |
| | | 物質の変化 | 化学反応と計算、酸・塩基・塩、酸化・還元、など | 24.9 |
| | | 有機物・無機物 | 元素の周期律・化合物・分離精製、発生法と性質、など | 8.9 |
| | | その他 | 有害物質・実験器具、薬品の種類や取扱い、など | 7.6 |
| | 生物 | 生物体の構成 | 細胞・組織・器官、など | 7.6 |
| | | 代謝 | 呼吸・光合成・消化、など | 8.4 |
| | | 遺伝と発生 | 遺伝・細胞分裂・異変・進化説、など | 8.0 |
| | | 恒常性と調節 | 刺激と反応・ホルモン・循環系・免疫・自律神経、など | 15.6 |
| | | 生物の集団 | 食物連鎖・生態系・系統と分布、など | 4.4 |
| | | 生物の種類 | 動植物の種類・特徴 | 27.3 |
| | | その他 | 観察器具、著名な生物学者、など | 6.7 |
| | 地学 | 地球の構造 | 内部構造・大気の構造・プレート、など | 4.0 |
| | | 地震と火山 | 震度・地震波、火山活動・火山岩・変成岩、など | 12.9 |
| | | 大気 | 気温・湿度・気圧・気団・気象・天気図、など | 24.9 |
| | | 海洋 | 海流・波・エルニーニョ、など | 0.9 |
| | | 地球の歴史 | 堆積作用・地層・地形・地質時代・化石、など | 10.2 |
| | | 地球と宇宙 | 自転・公転・月・太陽・惑星・恒星、など | 21.8 |
| | 時事 | 環境問題 環境汚染 | 温暖化・環境ホルモン・オゾン層破壊、など | 4.9 |
| | | 環境問題 環境保全 | 3R活動・再生エネルギー・環境アセスメント、など | 3.3 |
| | | 環境問題 条約法律 | 野生動植物保護や環境に関する条約・法律、SDGs、など | 17.3 |
| | | 情報通信 | 情報技術(IT) | 19.6 |

※このほかに保健体育、技術・家庭から出題する自治体もある。

# 科目ごとの出題傾向と対策

## 国　語

### ◎漢字の読み書きは必須

出題機会表からも、漢字――特に、**書き取りについては絶対に落とすことのできない学習項目**であることは一目瞭然。この漢字も、常用漢字音訓表掲載のものだけではないので、さらに注意が必要になります。ただ、択一方式を採用している自治体では、実際には書けなくても選択はできるということも多くあります。とはいえ、教壇に立って漢字を間違えるようでは困るので、試験対策としてだけではなく、**漢字は確実に読み書きできるように**しておきましょう。また、**四字熟語**の読み、書き、意味もよく出題されます。確実に覚えましょう。

### ◎読解はとにかく数をこなしておく

**現代文の読解問題が頻出**です。長文読解での要旨･内容把握や下線部解釈、空欄補充など、素早く読んで内容を理解し、問題を解いてゆくテクニックが求められます。ある程度の分量のある評論文や論説文を読み慣れておきましょう。読解と関連させての出題形式も多い文学史は、**作品と作者の組合せを確実に覚える**ところからはじめましょう。それに、**古典では時代、近現代では派や主義などの文芸思潮をからめてゆく**とよいでしょう。ここは完全に暗記物と心得ること。外国文学関連も、主要事項はおさえておくべきです。

### ◎頻出ではないが、おさえておくべき項目

意外と出題が少ないのが、文法やことわざ、そして短歌･俳句などの鑑賞に関する問題。ただ、ことわざ･慣用句、敬語法などのほか、**国語常識**は身につけておきましょう。

## 英　語

### ◎会話文に関わる読解が頻出

英語は出題機会表に掲げたものに、**スペル･発音･同義語など単語に関する事項とリスニング**を加えれば、出題形式のすべてを網羅しているともいえます(リスニングは過去5年間で1回のみ)。その中でも、国語と同様に**読解が中心**となります。近年特に増えているのが**会話文を用いた読解問題**です。適切な応答や会話文の整序、空欄補充、内容真偽などが問われます。場面を思い浮かべながら読み進める練習が大切です。通常の読解問題は国語と同様です。ただ、下線部解釈などとして同意表現(言い換え表現)なども問われているので注意しましょう。時事に関連する略語に関わる知識も大切。

### ◎基本的な単語はとにかく覚える

文法や熟語の知識、それを用いての作文や成句の完成などは基本的な問題です。単語力も同様に重要になります。空欄補充などは空欄前後の単語から推測できるものも少なくないので、**基本的な単語はやはりしっかりと覚えておく**ようにしましょう。

## 日本史

### ◎時代ごとの特徴をとらえる

おさえどころは、**第一に江戸時代、次に明治時代、そして太平洋戦争後の諸改革を含む現代**

となります。それに、**文化は鎌倉時代、産業は室町時代**、という定説はやはりはずせません。**江戸時代は、幕藩体制の確立期から鎖国まで、元禄・化政文化、幕政改革(3大改革＋2政治)、後期外交から開国を中心に、明治時代は、明治維新と諸改革、日清・日露戦争、条約改正を中心に**おさえましょう。**現代史は、内閣ごとに**(つまり、首相ごとに)重要事項を整理する――例えば「第3次吉田茂内閣の時は～」というような――ことが大切。

### ◎他分野とリンクした問題に注意

近年、**世界史とリンクさせた出題**も出てきています。「平安時代に起こった(世界史的な)出来事は次のうちどれ？」「世界史的な出来事が日本に及ぼした影響」というような問題です。対応できるように、**年表などで世界史との時間軸を合わせながら学習**しましょう。

## 世界史

### ◎各世紀で起こった出来事を順番に暗記

教員採用試験における世界史の出題は、日本史などに比べるときわめて少なくなっています。そのために「世界史は勉強しない」という受験生もいます。しかし、易問中心なので、それで点が取れないというのはもったいないことです。年代が直接に問われることはありませんので(日本史も同様)、**どこの国の何世紀かという枠の中で、出来事を起こった順に、そして、それに関連する人物をまとめて**いきましょう。中国王朝史、戦争史、革命史、などというように、とにかく細かなことよりも、**流れがわかるようにすること**が大切です。

## 地　理

### ◎データに惑わされないように

細かな内容が多く、加えて数的なデータも伴っていて「覚えにくい」とよくいわれます。それは学習方法を間違えているからで、**細かな内容ではなく概要を覚えればいいし、データは詳細な数値ではなく傾向(「1位はどこ」というような)をおさえればよい**のです。産業でも、過去5年間、林業と水産業の出題は非常にまれであり、**産業は農業中心で、と絞り込む**ことが可能です。**地図記号などの基本**は忘れずに。

### ◎現代に特有の問題もおさえておこう

**地形・気候の特色、日本地誌**、首都を中心とする**世界の都市の特色**を中心に、現代的な問題であるエルニーニョやドーナツ化現象といった**用語の説明**、さらには**世界自然・文化遺産**などについてもおさえましょう。なお、**統計資料は最新のもの**を用意すること。

## 思　想

### ◎他の分野とリンクさせて学習すると理解しやすい

出題頻度は高くはなく、しかも出題自治体での傾向が明確な分野なので、過去問中心の学習が効果的。**西洋近代思想**(デカルト・ルソー・カント、など)と、**ルネサンス、宗教改革**、現代に入っての**実存主義**をおさえておきましょう。それに、**中国の儒教・道教、日本近世の儒学・国学**などを中心に学習しましょう。**思想家とその主張、著書との組合せが基本**。

## 芸　術

### ◎音楽分野で歴史や人物を中心に学習すると効率的

音楽分野では**楽典・声楽・器楽などといった音楽の基礎知識や音楽理論**のほか、**西洋音楽史からの出題**が中心となります。これは美術史でもいえることですが、史的な部分については世界史や日本史の文化史と関連させて覚えるとよいでしょう。かつて主流を占めていたモーツァルトやベートーヴェンなどの古典派にかわって、今は**ロマン派、その中でも国民楽派についての問題**が多くなってきています。日本の音楽（史）に関する出題はさほど多くはないですが、学習指導要領で重点的指導分野としている日本の伝統･文化との関連で、古典芸能や、関連する音楽などについての出題が増えてきているので要注意です（美術も）。

### ◎美術分野に関しては技法と歴史をおさえておく

美術分野では19世紀の**印象主義や後期印象主義**、それ以前の**ルネサンス美術**などの**西洋美術史が出題の大半**を占めています。これに色彩や彫刻･版画などの技法といった基礎的な問題が加わります。**日本美術史**も含めて、それぞれの派（主義）や時代ごとの特徴や代表的な芸術家とその作品を確実におさえること。絵画や彫刻の**写真を用いた問題**も増えています。

## 政　治

### ◎国際政治・福祉は頻出なので、確実に答えられるように

国際･福祉が現代教育のキャッチフレーズのようにいわれていますが、それを反映してか、この分野でもこの２項目が突出して出題されています。**国際政治では国連に関わる問題や安全保障関連、福祉では社会保障関連が中心**となります。そのほか、用語として、NGO･NPO･PKOなどは、確実に説明できるようにしておきましょう。また、**日本国憲法や国会、内閣に関わる事項も頻出**で、確かな知識が必要となります。

## 経　済

### ◎国際的な経済問題が出題の半数以上

やはり、**国際的な観点からの国際経済機構、国際通貨（円高・円安などといった問題を含む）というような国際経済関連の出題が最も多い**のが特徴です。それに国家財政や税制といった**財政・租税・財政対策関連**が加わって、出題事項の半数以上を占めています。これらの事項については確実に説明できようにしましょう。また、いわゆる**経済用語**についての知識を問われることも多くなってきているので、こうした点への対応も必要になります。

## 時　事

### ◎日頃からニュースなどをチェック

国際･国内の時事関連については、**出題していない自治体の方がまれ**です。今を知り、過去を顧み、未来に対応する、ということを考えれば、重要視されるのも当然です。新聞、TVなどに頼るだけでなく、各種の**白書**に目を通したり（官公省庁のHPで閲覧可能）、時事についての**解説本**なども活用したりしたいものです。

また、いわゆる**ローカル時事**対策も忘れてはなりません。受けようとする自治体の現状、政策、地誌などついては、自治体のHPやパンフレットなどで確実におさえておくこと。

## 環境・科学

### ◎広範囲のため、要点を整理しておこう

ある意味で、今、最も注目されている分野であり、それだけに出題頻度も高く、また範囲も広がっているといえます。特に環境関連では、**地球温暖化問題やそれに関わる国際会議(COP、環境サミットなど)、環境破壊、環境保全については重要**です。また、情報化時代を反映しての**IT関連や情報通信**、あるいは**宇宙開発**などにも目配りをしておきましょう。

## 数　学

### ◎実際に問題を解いて、慣れておく

**数と式の計算、方程式・不等式、図形(特に平面)、確率、関数など、基本的な問題はほぼすべての自治体で出題**されています。出題形式と難易度も、近年、大きな変更はありません。応用問題も含めて、高校(前半程度)までの知識を確実にしておきましょう。

## 物　理

### ◎電流と磁界が頻出、加えて力・運動

オームの法則など、**電流と磁界に関する問題**が最も多く扱われています。これに、力、運動、音・光などの波動といった物理の基本的な分野からの出題が、例年、多く見られるのが特徴です。**計算問題としての出題が多い**ので、慣れておくことが大切です。

## 化　学

### ◎物質の変化に関する暗記と計算問題をしっかり理解

**物質の変化(化学反応や酸化など)**が最も多く扱われています。これに、混合物や化学結合などといった**物質の構造**や、物質の状態、周期律や化合物といった**物質の性質**とで、出題事項のほぼすべてとなります。化学に関する各法則とその提唱者、具体的内容の理解も必要となります。計算を確実にこなすことが、物理同様、大切になります。

## 生　物

### ◎最低限、高校の教科書に載っていることは暗記しておく

生物学の基本中の基本という分野である、食物連鎖などの**生物の集団**、細胞・組織・器官といった**生物体の構成**に関する問題が出題の半数を占めます。ついで、呼吸・光合成といった**代謝**に関わる問題が多くなります。顕微鏡などの器具の取り扱いに関する問題を含めて、基本的な問題が中心となるので、**高校の教科書で再確認**をしておきましょう。

## 地　学

### ◎天文分野を中心に学習する

**天文分野が最頻出**となるので、地球の自転・公転、太陽との関連、月、惑星・恒星などについての知識は確実にしておきましょう。そのほか、**気象関連、地震と火山、地層・地形などの地球の歴史**についても、おさえておきましょう。

# 本書の見方・使い方

**タイトル**

教科名と教科内の項目を示しています。学習した日付を書く欄もあるので、活用しましょう。

**出題ポイント**

出題されている内容を具体的に示しています。

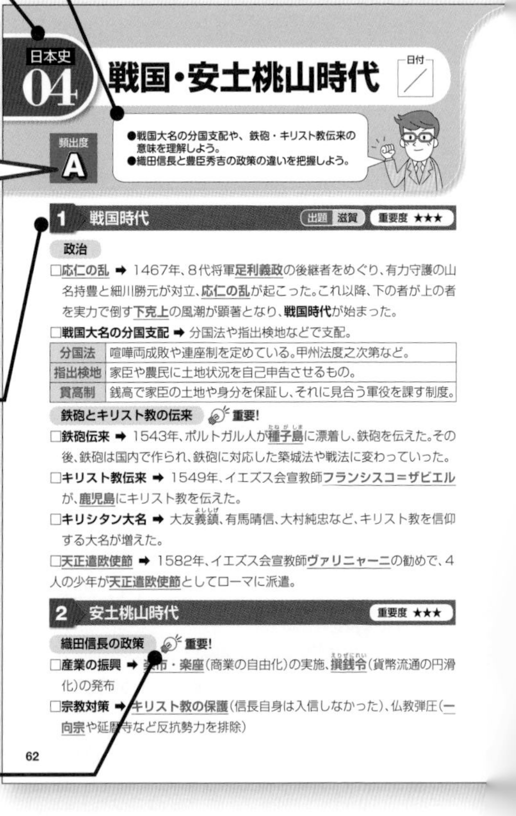

日本史 04

## 戦国・安土桃山時代

日付 ／

頻出度 A

●戦国大名の分国支配や、鉄砲・キリスト教伝来の意味を理解しよう。
●織田信長と豊臣秀吉の政策の違いを把握しよう。

### 1 戦国時代

出題 滋賀　重要度 ★★★

**政治**

□**応仁の乱** ➡ 1467年、8代将軍**足利義政**の後継者をめぐり、有力守護の山名持豊と細川勝元が対立、**応仁の乱**が起こった。これ以降、下の者が上の者を実力で倒す**下克上**の風潮が顕著となり、**戦国時代**が始まった。

□**戦国大名の分国支配** ➡ 分国法や指出検地などで支配。

| | |
|---|---|
| 分国法 | 喧嘩両成敗や連座制を定めている。甲州法度之次第など。 |
| 指出検地 | 家臣や農民に土地状況を自己申告させるもの。 |
| 貫高制 | 銭高で家臣の土地や身分を保証し、それに見合う軍役を課す制度。 |

**鉄砲とキリスト教の伝来** 重要!

□**鉄砲伝来** ➡ 1543年、ポルトガル人が**種子島**《たねがしま》に漂着し、鉄砲を伝えた。その後、鉄砲は国内で作られ、鉄砲に対応した築城法や戦法に変わっていった。

□**キリスト教伝来** ➡ 1549年、イエズス会宣教師**フランシスコ=ザビエル**が、**鹿児島**にキリスト教を伝えた。

□**キリシタン大名** ➡ 大友義鎮《よししげ》、有馬晴信、大村純忠など、キリスト教を信仰する大名が増えた。

□**天正遣欧使節** ➡ 1582年、イエズス会宣教師**ヴァリニャーニ**の勧めで、4人の少年が**天正遣欧使節**としてローマに派遣。

### 2 安土桃山時代

重要度 ★★★

**織田信長の政策** 重要!

□**産業の振興** ➡ **楽市・楽座**（商業の自由化）の実施、**撰銭令**《えりぜにれい》（貨幣流通の円滑化）の発布

□**宗教対策** ➡ **キリスト教の保護**（信長自身は入信しなかった）、仏教弾圧（**一向宗**や延暦寺など反抗勢力を排除）

62

**各テーマの頻出度がわかる!**

過去の出題機会をもとに、現役講師による出題予想を加えて出された頻出度です。各項目ごとにA～Cであらわし、**Aが高、Bが中、Cが低**に該当します。

**各項目と重要度、出題自治体**

項目を分けたもので、重要度を★１～３であらわし、★３つが高、★２つが中、★１つが低ですが押さえておきたい内容です。特によく出題される自治体名を示すとともに、多くの自治体で出題されている場合は ★超頻出★ のアイコンを入れています。

**重要!**

重要な項目を示しているので、確実に理解しましょう。

本書は、広範囲な教員採用試験「一般教養」の内容を確実に理解し、問題に対応できるようにまとめた一冊です。この一冊を確実にマスターし、試験合格をめざしましょう。

## チェック欄

きちんと内容を把握したところが分かるようにチェック欄を用意。すべてのチェック欄が埋まるようにひとつずつ確実に押さえていきましょう。

## 試験に出る単語は隠して覚える!

**赤字は必須単語**

赤シートで隠せる赤字の単語は暗記すべき必須単語。前後の文をよく読んで内容を理解し、どのような問題形式でも答えられるように暗記しましょう。

**黒太字は重要単語**

赤字の次に重要な単語を黒太字にしてあります。赤字のチェックが終わったら、こちらも暗記しましょう。

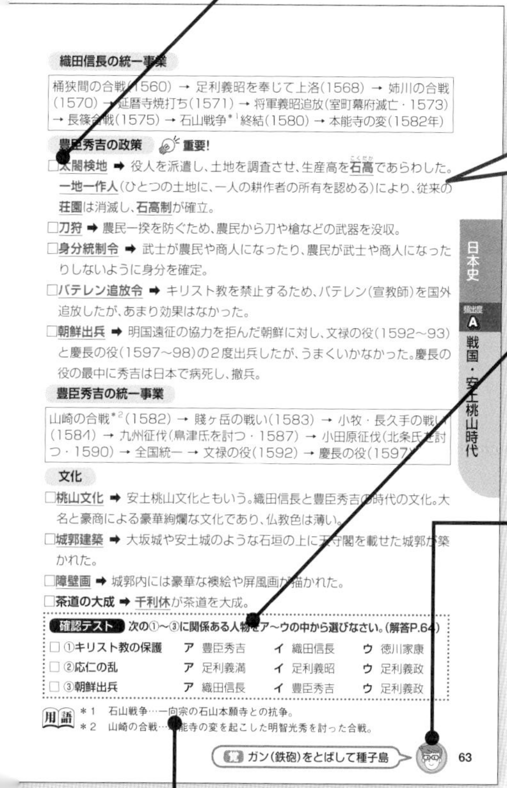

日本史 頻出度A 戦国・安土桃山時代

**織田信長の統一事業**

桶狭間の合戦(1560) → 足利義昭を奉じて上洛(1568) → 姉川の合戦(1570) → 延暦寺焼打ち(1571) → 将軍義昭追放(室町幕府滅亡・1573) → 長篠合戦(1575) → 石山戦争*1終結(1580) → 本能寺の変(1582年)

**豊臣秀吉の政策** 重要!

□**太閤検地** ➡ 役人を派遣し、土地を調査させ、生産高を**石高《こくだか》**であらわした。**一地一作人**(ひとつの土地に、一人の耕作者の所有を認める)により、従来の**荘園**は消滅し、**石高制**が確立。

□**刀狩** ➡ 農民一揆を防ぐため、農民から刀や槍などの武器を没収。

□**身分統制令** ➡ 武士が農民や商人になったり、農民が武士や商人になったりしないように身分を確定。

□**バテレン追放令** ➡ キリスト教を禁止するため、バテレン(宣教師)を国外追放したが、あまり効果はなかった。

□**朝鮮出兵** ➡ 明国遠征の協力を拒んだ朝鮮に対し、文禄の役(1592〜93)と慶長の役(1597〜98)の2度出兵したが、うまくいかなかった。慶長の役の最中に秀吉は日本で病死し、撤兵。

**豊臣秀吉の統一事業**

山崎の合戦*2(1582) → 賤ヶ岳の戦い(1583) → 小牧・長久手の戦い(1584) → 九州征伐(島津氏を討つ・1587) → 小田原征伐(北条氏を討つ・1590) → 全国統一 → 文禄の役(1592) → 慶長の役(1597)

**文化**

□**桃山文化** ➡ 安土桃山文化ともいう。織田信長と豊臣秀吉の時代の文化。大名と豪商による豪華絢爛な文化であり、仏教色は薄い。

□**城郭建築** ➡ 大坂城や安土城のような石垣の上に天守閣を載せた城郭が築かれた。

□**障壁画** ➡ 城郭内には豪華な襖絵や屏風画が描かれた。

□**茶道の大成** ➡ **千利休**が茶道を大成。

**確認テスト** 次の①〜③に関係ある人物をア〜ウの中から選びなさい。(解答P.64)

| | | | |
|---|---|---|---|
| □ ①キリスト教の保護 | ア 豊臣秀吉 | イ 織田信長 | ウ 徳川家康 |
| □ ②応仁の乱 | ア 足利義満 | イ 足利義昭 | ウ 足利義政 |
| □ ③朝鮮出兵 | ア 織田信長 | イ 豊臣秀吉 | ウ 足利義政 |

用語 *1 石山戦争…一向宗の石山本願寺との抗争。
*2 山崎の合戦…本能寺の変を起こした明智光秀を討った合戦。

覚 ガン(鉄砲)をとばして種子島

63

## 確認テスト

項目内のことをきちんと理解したら、最後に問題を解いて、確実に理解できたか確認をしましょう。

## ワンポイント

語呂合わせや要点を覚えるポイントを紹介。使いやすいものはどんどん利用していきましょう。

ポイント …ポイント

ゴロ …語呂合わせ

マメ …豆知識

覚 …覚え方

## 用語 用語解説

本文中に出てきた難しい用語の解説をしています。分からない単語は必ずチェックしましょう。

### ●一問一答 チェック!

各ジャンルの最後に一問一答形式の問題を用意しました。覚えたものに抜けがないか、ここで確認をしましょう。

### ●本試験対策　実力チェック問題

一番最後に本試験対策のために、本書オリジナルの厳選した実力チェック問題を用意。四択問題、穴埋め問題、記述問題、計算問題など、さまざまなパターンの問題があるので、どのような形式で問われても答えられるように内容をしっかり理解しましょう。また、間違えてしまった部分に関しては、繰り返し問題を解いて暗記し、しっかり身につけましょう。何度も繰り返し行うことで、確実な知識に結びつくので、頑張ってください。

これだけ覚える 教員採用試験 一般教養 '26年版

# 目次


出題傾向と対策……………………………………………… 2

本書の見方・使い方………………………………………… 10

## 人文科学 ▶▶▶ 15

### 国語 16

01漢字①…………………… 16

02漢字②…………………… 18

03対義語・四字熟語……… 20

04慣用句・ことわざ……… 22

05国文法…………………… 24

06国語常識………………… 26

07古文・漢文……………… 28

08日本文学史①…………… 30

09日本文学史②…………… 32

10日本文学史③…………… 34

11日本文学史④…………… 36

12日本文学史⑤…………… 38

13日本文学史⑥…………… 40

14西洋文学史①…………… 42

15西洋文学史②…………… 44

### 英語 46

01単語・熟語……………… 46

02文法……………………… 48

03ことわざ・名言………… 50

04会話……………………… 52

05長文読解………………… 54

### 日本史 56

01原始・大和時代………… 56

02奈良・平安時代………… 58

03鎌倉・室町時代………… 60

04戦国・安土桃山時代…… 62

05江戸時代………………… 64

06明治時代………………… 66

07大正・昭和時代初期…… 68

08戦後史…………………… 70

### 世界史 72

01文明のあけぼの………… 72

02東アジアの世界………… 74

03中世ヨーロッパの世界… 76

04ルネサンス・絶対王政… 78

05市民革命………………… 80

06帝国主義時代…………… 82

07第1次世界大戦後の現代世界 … 84

### 地理 86

01世界の国家……………… 86

02地球の地形……………… 88

03世界の気候…… 90
04世界の土壌・農業…… 92
05世界のエネルギー・資源…… 94
06日本の自然・気候…… 96
07日本の産業…… 98
08日本の人口・文化…… 100
09地図…… 102
10環境問題…… 104
11アジアとアフリカの国々…… 106
12ヨーロッパと旧ソ連の国々… 108
13南北アメリカ大陸・オセアニアの国々…… 110
14国の結びつき…… 112
15地理関連用語…… 114

**思想** **116**

01西洋思想史①…… 116
02西洋思想史②…… 118
03西洋思想史③…… 120
04中国の思想…… 122
05日本の思想…… 124

**芸術** **126**

01西洋美術史①…… 126
02西洋美術史②…… 128
03日本美術史…… 130
04西洋音楽史…… 132

人文科学
一問一答 チェック！ …… 134


## 社会科学 ▶▶▶141

**政治** **142**

01社会契約説…… 142
02民主政治と選挙…… 144
03権力分立…… 146
04基本的人権①…… 148
05基本的人権②…… 150
06統治機構①…… 152
07統治機構②…… 154
08国際連合…… 156

**経済** **158**

01市場機構…… 158
02寡占市場と市場原理の限界… 160
03国民所得と景気…… 162
04財政…… 164
05金融…… 166
06国際経済…… 168
07日本経済史…… 170

**時事** **172**

01労働問題…… 172
02社会保障と少子高齢化問題… 174
03環境問題…… 176

社会科学
一問一答 チェック！ …… 178

## 自然科学 ▶▶▶183


### 環境・科学 184
01科学技術①…………………… 184
02科学技術②・環境問題……… 186

### 数学 188
01数と式の計算………………… 188
02方程式・不等式①…………… 190
03方程式・不等式②…………… 192
04関数…………………………… 194
05図形①………………………… 196
06図形②………………………… 198
07場合の数・確率①…………… 200
08場合の数・確率②…………… 202

### 物理 204
01力①…………………………… 204
02力②…………………………… 206
03エネルギー…………………… 208
04波動…………………………… 210
05電磁気………………………… 212

### 化学 214
01物質の構造…………………… 214
02物質の状態…………………… 216
03物質の変化①………………… 218
04物質の変化②………………… 220
05物質の性質…………………… 222

### 生物 224
01細胞の構造①………………… 224
02細胞の構造②………………… 226
03代謝…………………………… 228
04ヒトの体①…………………… 230
05ヒトの体②・遺伝…………… 232

### 地学 234
01地球の内部構造・地震……… 234
02岩石・火山…………………… 236
03地球の歴史…………………… 238
04大気…………………………… 240
05地球と宇宙…………………… 242

**自然科学**
**一問一答 チェック！** ………… 244

**本試験対策 実力チェック問題…………………… 249**
**本試験対策 実力チェック問題 解答 ………… 277**

索引…………………………………………………………… 281



● 編集協力：有限会社ヴュー企画　● 本文イラスト：高橋なおみ、宮本千弘
● デザイン・DTP：有限会社プッシュ
● 企画・編集：成美堂出版編集部（原田洋介・芳賀篤史）




※1　本書は原則2024年6月1日時点の情報に基づいています。
※2　P86～115の情報は2024年1月刊行『データブック オブ・ザ・ワールド』（二宮書店）等に基づいています。

# 人文科学

- 国語
- 英語
- 日本史
- 世界史
- 地理
- 思想
- 芸術

国語 01

# 漢字①

日付 ／

頻出度 A

●一般教養試験が実施される自治体では、漢字は必ず出題される。
●常用漢字を中心に読み書きを練習しよう。

## 1 漢字の読み

出題 青森・富山・山梨・香川・佐賀　重要度 ★★★

### 音と訓[*1]

□**音** ⇨ 中国での読み方（発音）に忠実であろうとする読み方。
**呉音**（行列〈ギョウ〉）・**漢音**（行動〈コウ〉・**唐音**（行脚〈アン〉）

□**訓** ⇨ 漢字のもつ意味を日本語にあてはめた翻訳式の読み方。

### 熟語の読み方　①・②が一般的

□４種類 ⇨ ❶ 訓・訓読み（例：綿雲）／❷ 音・音読み（例：試験）／❸ 音・訓読み＝**重箱《じゅうばこ》読み**（例：楽屋）／❹ 訓・音読み＝**湯桶《ゆとう》読み**（例：身分）

### 注意が必要な読み方

□呉音には**仏教**に関係する言葉が多く、特殊な読み方をするものがある。
❶希有（**けう**）❷奢侈（**しゃし**）❸柔和（**にゅうわ**）❹嚆矢（**こうし**）
❺建立（**こんりゅう**）❻懸念（**けねん**）❼杜撰（**ずさん**）❽陶冶（**とうや**）
❾感応（**かんのう**）❿奥義（**おうぎ**）⓫伝播（**でんぱ**）⓬成就（**じょうじゅ**）

### 特別な読み方

□**熟字訓** ⇨ 熟字・熟語を訓読みすること。
【常用漢字表付表にある主な熟字訓】
明日（**あす**）小豆（**あずき**）硫黄（**いおう**）意気地（**いくじ**）息吹（**いぶき**）
海原（**うなばら**）乙女（**おとめ**）お神酒（**おみき**）母屋（**おもや**）
風邪（**かぜ**）仮名（**かな**）為替（**かわせ**）玄人（**くろうと**）心地（**ここち**）
雑魚（**ざこ**）早苗（**さなえ**）時雨（**しぐれ**）砂利（**じゃり**）数珠（**じゅず**）
素人（**しろうと**）数寄屋（**すきや**）山車（**だし**）足袋（**たび**）稚児（**ちご**）
凸凹（**でこぼこ**）投網（**とあみ**）十重二十重（**とえはたえ**）読経（**どきょう**）
仲人（**なこうど**）祝詞（**のりと**）日和（**ひより**）土産（**みやげ**）猛者（**もさ**）
木綿（**もめん**）浴衣（**ゆかた**）行方（**ゆくえ**）寄席（**よせ**）若人（**わこうど**）
＊このほか、草花や魚介などの名前にも多くの熟字訓が用いられている。

## 2 漢字の書き 出題 青森・富山・山梨・香川・佐賀 重要度 ★★★

### 過去の試験に出題された漢字熟語

意向(**いこう**) 依嘱(**いしょく**) 一環(**いっかん**) 一瞬(**いっしゅん**)
氏子(**うじこ**) 回復(**かいふく**) 乖離(**かいり**) 苛烈(**かれつ**)
間隔(**かんかく**) 緩和(**かんわ**) 危険(**きけん**) 凝視(**ぎょうし**) 儀礼(**ぎれい**)
寓話(**ぐうわ**) 屈辱(**くつじょく**) 欠陥(**けっかん**) 建議(**けんぎ**)
検証(**けんしょう**) 梗概(**こうがい**) 抗議(**こうぎ**) 滑稽(**こっけい**)
恣意(**しい**) 支度(**したく**) 指摘(**してき**) 首肯(**しゅこう**) 所見(**しょけん**)
衰弱(**すいじゃく**) 出納(**すいとう**) 折衷(**せっちゅう**) 専門(**せんもん**)
相殺(**そうさい**) 態勢(**たいせい**) 嘲笑(**ちょうしょう**) 直轄(**ちょっかつ**)
逃避(**とうひ**) 途方(**とほう**) 敏捷(**びんしょう**) 負荷(**ふか**) 複雑(**ふくざつ**)
忘却(**ぼうきゃく**) 補償(**ほしょう**) 魅力(**みりょく**) 矛盾(**むじゅん**)
容易(**ようい**)余儀(**よぎ**) 余裕(**よゆう**)

### よく出題される書き取り問題

□書き取りでは**常用漢字**が中心となる。もちろん、それ以外の漢字の書き取りも出題される。以下に挙げるような、訓読みの漢字の正解率が低い(送り仮名にも注意)。

❶写真をトル(**撮る**) ❷イサギヨク(**潔く**)認める ❸ネンゴロ(**懇ろ**)に弔う ❹人員をツノル(**募る**) ❺ニガイ(**苦い**)薬 ❻アズカリ(**与り**)知らぬ ❼ヨロコバシイ(**喜ばしい**)出来事 ❽オダヤカ(**穏やか**)な人 ❾心がヤワラグ(**和らぐ**) ❿虫がムラガル(**群がる**) ⓫大軍をヒキイル(**率いる**) ⓬悪事のクワダテ(**企て**) ⓭ご用命をウケタマワル(**承る**) ⓮ミジメ(**惨め**)な結果 ⓯イキドオリ(**憤り**)を感じる

### 注意すべき筆順

□正しい**筆順**はその漢字の正しい画数を知ることにもなるが、何よりも、児童・生徒の前で板書したりする際に正しい筆順で書くことが求められる。次に掲げる漢字(○内の数字は間違いやすい筆順)などは比較的簡単な漢字ではあるが筆順を間違えやすいので、必ず正しい筆順を確認しておきたい。

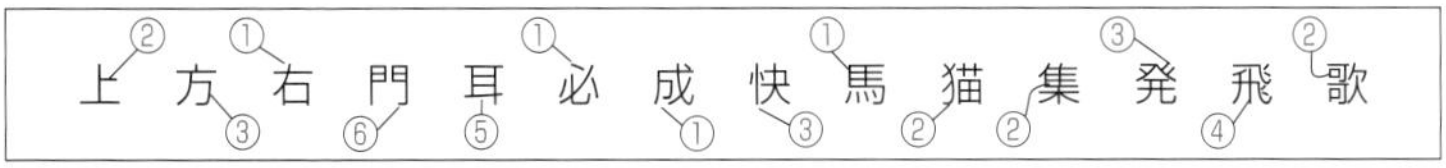


用語 ＊1　音と訓…漢字には漢語と国語の区別が困難なほどに音訓が融合されたものがある。「菊」「茶」「蘭」「豹」「象」「銅」などは、音が国語化した例。

ポイント 択一試験では実際には漢字を書かないが、確実に覚えよう

国語

# 02 漢字②

日付 ／

頻出度 A

●ここに取り上げる同音異義語・同訓異義語はほんの一部なので、すべて覚えよう。
●同音異義語・同訓異義語は言葉の意味を考えながら覚えるとよい。

## 1 同音異義語

出題 北海道・群馬・和歌山　重要度 ★★★

❶ 故人のイギョウ(**遺業**)を引き継ぐ
先人のイギョウ(**偉業**)を讃える

❷ 賛成のイシ(**意思**)表示
彼のイシ(**意志**)は強い
亡父のイシ(**遺志**)を受け継ぐ

❸ 幼い頃をカイコ(**回顧**)する
彼はカイコ(**懐古**)趣味だ

❹ 門戸カイホウ(**開放**)宣言
人質をカイホウ(**解放**)する
病人をカイホウ(**介抱**)する
カイホウ(**会報**)が届いて嬉しい

❺ 映画のカンショウ(**鑑賞**)会
カンショウ(**観賞**)用の植物
内政カンショウ(**干渉**)

❻ キセイ(**既製**)品を買う
それはキセイ(**既成**)事実だ
通行をキセイ(**規制**)する
連休を利用してキセイ(**帰省**)する

❼ 福利コウセイ(**厚生**)施設
悪からのコウセイ(**更生**)
コウセイ(**公正**)な取引をする
誤字脱字のコウセイ(**校正**)をする

❽ 契約書をサクセイ(**作成**)する
昆虫標本をサクセイ(**作製**)する

❾ 混乱をシュウシュウ(**収拾**)する
趣味は切手のシュウシュウ(**収集**)だ

❿ ジキ(**時機**)に投ずる
まだジキ(**時期**)尚早だ
ジキ(**時季**)はずれの野菜

⓫ 宗教をシンコウ(**信仰**)する
産業シンコウ(**振興**)政策
彼とはシンコウ(**親交**)がある

⓬ 運賃をセイサン(**精算**)する
過去をセイサン(**清算**)する
セイサン(**生産**)者を保護する

⓭ 進歩をソガイ(**阻害**)する
仲間からソガイ(**疎外**)される

⓮ 研究のタイショウ(**対象**)
タイショウ(**対照**)的な二人
左右タイショウ(**対称**)の図形

⓯ 余罪をツイキュウ(**追及**)する
利益をツイキュウ(**追求**)する
真理をツイキュウ(**追究**)する

⓰ テキセイ(**適正**)な価格を設定する
教員としてのテキセイ(**適性**)がある

⓱ 品質をホショウ(**保証**)する
安全ホショウ(**保障**)会議
損害をホショウ(**補償**)する

## 2 同訓異義語

出題 北海道・群馬・和歌山　重要度 ★★★

❶ 計算があう(**合う**)
知人とあう(**会う**)
被害にあう(**遭う**)

❷ 方法をあやまる(**誤る**)
無礼をあやまる(**謝る**)

❸ あらい(**粗い**)つくりの作品
彼の気性はあらい(**荒い**)

❹ 姿をあらわす(**現す**)
図にあらわす(**表す**)
回想記をあらわす(**著す**)

❺ 傷がいたむ(**痛む**)
壁がいたむ(**傷む**)
故人をいたむ(**悼む**)

❻ 釘をうつ(**打つ**)
銃でうつ(**撃つ**)
仇をうつ(**討つ**)

❼ 税金をおさめる(**納める**)
学問をおさめる(**修める**)
成功をおさめる(**収める**)
国をおさめる(**治める**)

❽ 家庭をかえりみる(**顧みる**)余裕がない
自らの行いをかえりみる(**省みる**)

❾ 洗濯物がかわく(**乾く**)
喉がかわく(**渇く**)

❿ 都合をきく(**聞く**)
気がきく(**利く**)
噂をきく(**聞く**)
薬がきく(**効く**)

⓫ 気にさわる(**障る**)
手にさわる(**触る**)

⓬ 災害にそなえる(**備える**)
お墓に花をそなえる(**供える**)

⓭ 計画をすすめる(**進める**)
加入をすすめる(**勧める**)
彼を委員にすすめる(**薦める**)

⓮ 苦痛にたえる(**耐える**)
鑑賞にたえる(**堪える**)
音信がたえる(**絶える**)

⓯ 消息をたつ(**絶つ**)
退路をたつ(**断つ**)
布地をたつ(**裁つ**)
建物がたつ(**建つ**)

⓰ 会長職につく(**就く**)
よくつく(**付く**)糊
意表をつく(**衝く**)
目的地につく(**着く**)

⓱ 司会をつとめる(**務める**)
会社につとめる(**勤める**)
看護につとめる(**努める**)

⓲ 教えをとく(**説く**)
問題をとく(**解く**)
卵をとく(**溶く**)

⓳ 政務をとる(**執る**)
社員をとる(**採る**)
写真をとる(**撮る**)
ねずみをとる(**捕る**)
栄養をとる(**摂る**)

⓴ 夕日にはえる(**映える**)山
庭に草がはえる(**生える**)

㉑ 時間をはかる(**計る**)
悪事をはかる(**謀る**)
会議にはかる(**諮る**)

㉒ 難病をわずらう(**患う**)
将来を思いわずらう(**煩う**)

**ポイント** 意味を理解しながら覚えると間違いにくい

国語 03

# 対義語・四字熟語

日付 ／

頻出度 A

●否定の語をつければ対義語になるとは限らないので、注意すること。
●四字熟語は故事成語としてよく出題される。出典となった故事を知らないための誤認が多いので、出典を確認しよう。

## 1 対義語

重要度 ★★

| | | | |
|---|---|---|---|
| 曖昧 ⇔ **明瞭** | 安全 ⇔ **危険** | 遺失 ⇔ **拾得** | 一致 ⇔ **矛盾** |
| 一般 ⇔ **特殊** | 韻文 ⇔ **散文** | 演繹 ⇔ **帰納** | 穏健 ⇔ **過激** |
| 解放 ⇔ **束縛** | 革新 ⇔ **保守** | 拡大 ⇔ **縮小** | 可決 ⇔ **否決** |
| 感情 ⇔ **理性** | 起工 ⇔ **竣工** | 供給 ⇔ **需要** | 許可 ⇔ **禁止** |
| 空間 ⇔ **時間** | 偶然 ⇔ **必然** | 具体 ⇔ **抽象** | 形式 ⇔ **内容** |
| 結果 ⇔ **原因** | 建設 ⇔ **破壊** | 権利 ⇔ **義務** | 賛成 ⇔ **反対** |
| 収入 ⇔ **支出** | 主観 ⇔ **客観** | 饒舌 ⇔ **寡黙**《かもく》 | 慎重 ⇔ **軽率** |
| 重厚 ⇔ **軽薄** | 受理 ⇔ **却下** | 順境 ⇔ **逆境** | 人工 ⇔ **自然** |
| 積極 ⇔ **消極** | 拙速 ⇔ **巧遅** | 絶対 ⇔ **相対** | 前進 ⇔ **後退** |
| 創造 ⇔ **模倣** | 率直 ⇔ **婉曲** | 増加 ⇔ **減少** | 怠惰 ⇔ **勤勉** |
| 多作 ⇔ **寡作**《かさく》 | 直接 ⇔ **間接** | 鈍感 ⇔ **敏感** | 肉体 ⇔ **精神** |
| 能動 ⇔ **受動** | 暴露 ⇔ **隠蔽**《いんぺい》 | 悲観 ⇔ **楽観** | 否定 ⇔ **肯定** |
| 複雑 ⇔ **単純** | 服従 ⇔ **反抗** | 部分 ⇔ **全体** | 分析 ⇔ **総合** |
| 未来 ⇔ **過去** | 名誉 ⇔ **恥辱** | 容易 ⇔ **困難** | 理想 ⇔ **現実** |
| 理論 ⇔ **実践** | 浪費 ⇔ **倹約** | | |

否定の対義語を作る場合の、未・非・否・不の使い方に注意しよう

＊熟語の意味を確実につかんでおくことが必要である。熟語の書き取りの練習をする際に、その意味を辞書で調べながら学習しよう。

## 2 四字熟語

出題 長野・兵庫・和歌山　重要度 ★★★

四字熟語は**故事成語**（昔、実際にあった出来事や、昔の人の書いた詩や文章の中にある言葉などを基にして作られ、広くいいならわされるようになった言葉）であるものが多い。そのもともとの由来を知ると同時に、漢字の正誤・空欄補充・正しい読み・意味、などの問題に対応できるように、十分に慣れておこう。また、できるだけたくさんの言葉も覚えよう。

□韋《い》編三絶：本のとじ糸が3度も切れるほど1冊の本を繰り返し読むこと。
□温故知新：昔のことを研究して、新しい知識や現代的意義を得ること。
□臥《が》薪《しん》嘗《しょう》胆《たん》：仇討ちのために苦心・苦労を重ねること。
□隔《かっ》靴《か》搔《そう》痒《よう》：はがゆく、もどかしいこと。物足りないこと。
□画《が》竜《りょう》点《てん》睛《せい》：物事を完成するために、最後の仕上げとして加えるべき眼目となるもののこと。「を欠く」をつけて、全体を苦心して作り上げながら最後のわずかなところが仕上がっていないこと、肝要なところを欠くことをあらわす。
□換《かん》骨《こつ》奪《だっ》胎《たい》：人の詩文に筆を加えて自分の作品とすること。
□危機一髪：非常に危ないこと。大変な危険が髪の毛1本ほどの幅の間近に迫っていること。
□曲学阿世：真理を曲げ、権力者や世間におもねって人気を得ること。
□鶏《けい》鳴《めい》狗《く》盗《とう》：小さい才知を弄ぶ小人。また、くだらない技能でも役にたつことのたとえ。
□月《げっ》下《か》氷《ひょう》人《じん》：男女の縁を取りもつ人。仲人。媒酌人。
□捲《けん》土《ど》重《ちょう》来《らい》：敗者が再び勢力を盛り返すこと(「じゅうらい」とも読む)。
□巧言令色：口先だけうまいことを言ったり、こびへつらったりすること。
□呉越同舟：仲の悪い者同士が何らかの事情でたまたま一緒にいること。
□五里霧中：霧が五里四方に立ち込めてまったく方角が分からないような状態になること。または物事に迷って思案に暮れること(「夢中」ではない)。
□左《さ》顧《こ》右《う》眄《べん》：世間の評判や思惑を気にして意見・態度を決めかねること。
□切《せっ》磋《さ》琢《たく》磨《ま》：学問や人格の修業向上に励むこと。
□先憂後楽：国の支配者は人民に先立って苦しみ、人民に後れて楽しむべきだという、政治家の心得を示した言葉。
□大器晩成：大人物は晩年になってから大成するということ。
□朝三暮四：目先の違いにとらわれ、同じ結果であることに気づかないこと。
□朝令暮改：法令の改変が激しく拠りどころとならないこと。
□暴《ぼう》虎《こ》馮《ひょう》河《が》：虎を素手で打ち大河を歩いて渡るような無謀な冒険。命知らずの行動のこと。
□傍若無人：(傍に人がいないかのように)勝手気ままにふるまうこと。
□門前雀《じゃく》羅《ら》：訪れる人もなく、門の前に雀を捕る網を張るほどに寂れた風景。
□羊《よう》頭《とう》狗《く》肉《にく》：見掛けが立派でも内容が伴わないこと。
□竜頭蛇尾：始めは勢いがよいが、終わりは勢いが振るわない様子。

**ポイント** 四字熟語は読めて書けて意味を理解して完成だ

国語

# 04 慣用句・ことわざ

日付 ／

頻出度 A

- ここに挙げた慣用句・ことわざは主要なものばかりなので、しっかり覚えて、的確に使えるようにしよう。
- 著名な人物の名言なども出題されるので、覚えておきたい。

## 1 慣用句

重要度 ★★

**慣用句**とは2語以上が結合して、その全体がまとまって、別の意味をもつような言葉をいう。人間の体の一部分を使った言葉が多い。

□**耳**：**耳**をそろえる・**耳**が早い・**耳**が痛い

□**鼻**：**鼻**を明かす・**鼻**に付く・**鼻**であしらう

□**口**：**口**が軽い・**口**が重い・**口**が滑る・**口**が悪い

□**腰**：**腰**を折る・**腰**が低い・**腰**が砕ける

□**腕**：**腕**を振るう・**腕**が上がる・**腕**が鳴る

□**肩**：**肩**をもつ・**肩**を並べる・**肩**身が狭い

□**舌**：**舌**が回る・**舌**を巻く・**舌**足らず・**舌**が肥える

□**頭**：**頭**が痛い・**頭**が下がる・**頭**をもたげる

□**顔**：**顔**が広い・**顔**が立つ・**顔**を曇らせる

□**目**：**目**が利く・**目**が肥える・**目**が曇る・**目**が早い

□**歯**：**歯**がうく・**歯**を食いしばる・**歯**に衣を着せぬ

□**足**：**足**が出る・**足**がつく・二の**足**を踏む

□**腹**：**腹**を据える・**腹**に一物・**腹**をくくる・**腹**を割る

□**首**：**首**が回らない・**首**を切る・**首**の皮一枚・**首**をすくめる

このほか、人の身体に関係するものでは、手・胸・喉・骨・血を使ったものなどがある

その他 ⇨ 青菜に塩・赤子の手を捻る・一笑に付す・一石を投じる・一杯食わせる・陰で舌を出す・空目を使う・お茶を濁す　　など多数

## 2 ことわざ

出題 青森・和歌山・大分　重要度 ★★★

**ことわざ**は古くから人々にいいならわされた言葉で、教訓や風刺の意味をもつものが多い。慣用句と厳密に区分することは困難である。

□**情けは人の為ならず**：他人に情けをかけておけば、いずれ自分に良い報いがあるということ。

□**紺屋《こうや》の白袴《しろばかま》**：人のことばかり考え、自分のことがおろそかになること。
□**濡れ手で粟《あわ》**：苦労せず多くの利益を得ること。
□**魚心あれば水心**：相手の意向や出方次第で、もう一方もそれに応じようとする様子（通例、あまりいい意味には用いない）。
□**馬が合う**：互いに気が合うこと。
□**窮鼠《きゅうそ》猫をかむ**：絶体絶命の窮地で必死になれば、弱い者も強い者に反撃することがあるということ。
□**雀百まで踊り忘れず**：幼少期の習慣は忘れないということ。特に道楽などは年を取っても直らないということ。
□**鶴の一声**：直ちに皆を従わせる権威者や有力者の一言のこと。
□**捕らぬ狸の皮算用**：まだ確かでないことに期待をかけて計画するたとえ。
□**鳩に三枝の礼あり**：礼儀を重んずべきであるということ。
□**柳に雪折れなし**：柔軟なものの方が強剛なものより耐久性があるということ。
□**豆腐にかすがい**：何の手応えも効果もないこと（類：ぬかに釘）。
□**袖振り合うも他（多）生の縁**：どんなことも前世からの因縁による（「多少」ではない）。
□**二階から目薬**：回りくどくて効果のないこと。思い通りにならずにもどかしいことのたとえ。
□**待てば海路の日和あり**：我慢して待てば良い時節が到来するということ。
□**ごまめの歯ぎしり**：微力なものが憤慨しても大きな影響がないこと。
□**気が置ける**：心を許せず、打ち解けられない（通例は「気が置けない」と否定形で親しい意味に用いる）。
□**ない袖は振れぬ**：持ち合わせがなければどうにもならないこと。
□**立て板に水**：弁舌がすらすらとよどみない様子。
□**もとの木阿弥**：いったん良くなったことが、再びもとの状態に戻ること。
□**流れに棹《さお》さす**：棹を水底につきさして舟を進める。転じて、時流に乗ること。
□**餅は餅屋**：物事にはそれぞれ専門家がいるということ。
□**団栗《どんぐり》の背比べ**：どれもこれも平凡で大差のないことのたとえ。
□**馬の耳に念仏**：忠告を聞き流して気にもとめないこと。
□**火中の栗を拾う**：他人の利益のためにあえて危険を冒すこと。
□**仏作って魂入れず**：肝心な部分が欠けていること。
□**亀の甲より年の功**：年長者の意見は参考になるということのたとえ。

**ポイント**「流れに棹さす」などは誤って使わないこと！

国語

# 05 国文法(口語)

日付
／

頻出度 A

●文法の基礎的な内容は正誤問題や文章題の設問としてよく出題される。
●口語文法の基本は例文などと一緒に覚えておこう。

## 1 文と文節

出題 長野・鳥取　重要度 ★★

□**文** ⇨ あるまとまったことがらや思想・感情・意志などをいいあらわし、必ず完結する(その場合、原則として「。」を打つ)ひと続きの言葉。

- 文の内容上の分類＝**平叙文**・**疑問文**・**感動文**(感嘆文)
- 文の構造上の分類＝**単文**・**複文**・**重文**

□**文節** ⇨ 文を実際の言葉として、不自然にならない範囲内で小さく区切ったひと区切り。文節はそれぞれが一定の意味をもち、それ以上小さく区切ると文を形作る単位としての意味をもたなくなる。「国境の／長い／トンネルを／抜けると／雪国で／あった。(川端康成『雪国』)」の ／ が文節の切れ目。

## 2 単語・品詞

出題 長野・鳥取　重要度 ★★★

□**単語** ⇨ 文節をさらに細かく分けた、意味の上での最も小さい単位。

□**品詞** ⇨ 単語を意味や機能、形によって分類したもの。品詞は、それだけでひとつの文節を作ることができる**自立語**と、自立語に付属して初めてひとつの文節を作ることができる**付属語**とに大別できる。

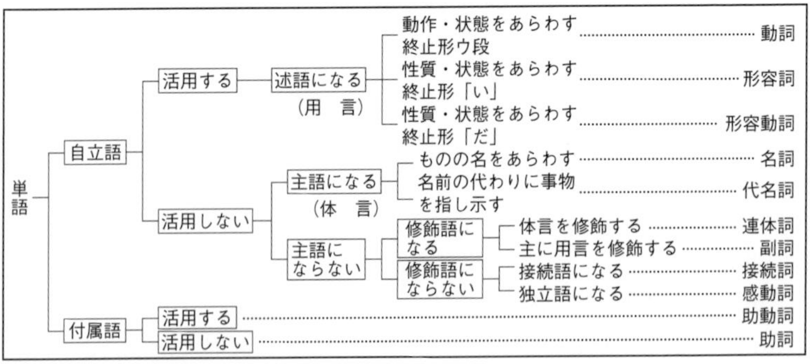

## 3 活用

出題 長野・鳥取　重要度 ★★★

□**活用** ⇨ 自立語の**動詞**・**形容詞**・**形容動詞**、付属語の**助動詞**は、文中でその語の機能や他の語への続き方に応じて、語形が体系的に変化する。これを**活用**という。活用は下表の6活用形に分けられる。

□**動詞の活用** ⇨ その活用が五十音図の何段に及ぶかなどによって、いくつかの活用型に分類できる（助動詞にも活用の型がある）。

| 活用形 | 動詞の後に付く主な言葉 | 意　味 |
|---|---|---|
| **未然形** | ない・う・ぬ・よう・れる・られる・せる・させる　etc… | まだその動作が完了していない様子をあらわす |
| **連用形** | ます・た・て　etc… | 「用言に連なる」という意味 |
| **終止形** | 。・と・らしい　etc… | 文の区切りになる形 |
| **連体形** | とき・もの・の　etc… | 「体言に連なる」という意味 |
| **仮定形** | ば | 「もし〜ば」という仮定をあらわす |
| **命令形** | 。（命令口調で言い切る） | 命令の形 |

- **五段活用**：ア段〜オ段のすべてにわたって活用する。
  （例）書く・話す・立つ・死ぬ・読む・取る・会う・泳ぐ・飛ぶ
- **上一段活用**：中心となるウ段からみて上の一段（イ段）のみで活用する。
  （例）居る・落ちる・着る・見る（イル動詞）＝「－ｉる」
- **下一段活用**：中心となるウ段からみて下の一段（エ段）のみで活用する。
  （例）あげる・寝る・食べる（エル動詞）＝「－ｅる」
- **カ行変格活用**：カ行の段三段で活用する。「来る」（＋複合動詞）。
- **サ行変格活用**：サ行の段三段で活用する。「する」（＋複合動詞）。

□**形容詞** ⇨ 性質・状態をあらわし、終止形が「い」となる。

□**形容動詞** ⇨ 性質・状態をあらわし、終止形が「だ」となる。

□**助動詞** ⇨ 用言、体言、他の助動詞について、一定の意味を添えて叙述を助けたりする。

## 4 紛らわしい単語の識別の例

重要度 ★

〔ない〕・今はお金がない。：形容詞＝主語で文節を作れる
　　　　・本を買わない。：打消の助動詞＝未然形接続、「ぬ」にできる
　　　　・はかない命だ。：形容詞の一部＝前の語と切り離せない

〔が〕　・目がさめたが、まだ眠い。：格助詞＝体言に接続
　　　　・目がさめたが、まだ眠い。：接続助詞＝活用語の終止形に接続

ポイント 助動詞の意味・用法はしっかり覚えよう

国語
06

# 国語常識

日付 ／

●国語の常識は一般常識として知っておかなければならないものも多いので、確認しておこう。
●国語の常識の中には、歴史（日本史）と深いかかわりのあるものも少なくない。日本史の知識としても役立つので、しっかりおさえておこう。

頻出度 **B**

## 1 陰暦月名　重要度 ★★

春
- 1月＝**睦月《むつき》**
- 2月＝**如月《きさらぎ》**
- 3月＝**弥生《やよい》**

夏
- 4月＝**卯月《うづき》**
- 5月＝**皐月《さつき》**
- 6月＝**水無月《みなづき》**

秋
- 7月＝**文月《ふづき》**
- 8月＝**葉月《はづき》**
- 9月＝**長月《ながつき》**

冬
- 10月＝**神無月《かんなづき》**
- 11月＝**霜月《しもつき》**
- 12月＝**師走《しわす》**

＊春夏秋冬の３カ月ごとの、最初の月に「孟」、次の月に「仲(中)」、最後の月に「晩」をつけて呼ぶことがある。つまり、１月は「孟春」、５月は「仲(中)夏」、12月は「晩冬」という類である。したがって、「中秋の名月」とは陰暦８月の満月のことになる。

## 2 月の呼び方　重要度 ★★

1日：**新月**・**朔《さく》** → 2日：**二日月《ふつかづき》**・**繊月《せんげつ》** → 3日：**三日月** ～
8日：**上弦の月**・**弓張月《ゆみはりづき》** ～ 11日：**十日《とおか》余りの月** ～ 13日：**十三夜月《じゅうさんやづき》** →
14日：**待宵月《まつよいづき》**・**小望月《こもちづき》** → 15日：**十五夜**・**満月**・**望月《もちづき》**・**望《ぼう》** →
16日：**十六夜月《いざよいづき》** → 17日：**立待月《たちまちづき》**・**十七夜月** → 18日：**居待月《いまちづき》** →
19日：**臥待月《ふしまちづき》**・**寝待月《づき》** → 20日：**更待月《ふけまちづき》** ～ 23日：**下弦の月**・**弓張月《ゆみはりづき》**・
**二十三夜月** ～ 26日：**二十六夜月** ～ 30日：**三十日月《みそかづき》**

＊旧暦の時代は、月のわずかな形の変化を正確に見分けることによって、その月の形を見ればその日が何日なのかが分かった。

## 3 年齢の異称　重要度 ★★

**還暦**(数え年の61歳)／**喜寿**(77歳：「喜」の字の草書体が七十七に見えるところから)／**傘寿《さんじゅ》**(80歳：「傘」の略字が八十に見えるところから)／**米寿**(88歳：「米」の字を分解すると八十八に見えるところから)／**卒寿**(90歳：「卒」の略字が九十に見えるところから)／**白寿**(99歳：「百」から「一」を引いた字が「白」となるところから)

### その他、中国の古典などに見られるもの

**志学**（15歳：「論語」の「吾十有五而志于学」から）／**弱冠**（20歳：周代に20歳のことを「弱」といい、その歳に元服して冠をつけることから）／**而立**《じりつ》（30歳：「論語」の「三十而立」から）／**不惑**《ふわく》（40歳：「論語」の「四十而不惑」から）／**知命**《ちめい》（50歳：「論語」の「五十而知天命」から）／**耳順**《じじゅん》（60歳：「論語」の「六十而耳順」から）／**古希**《こき》（70歳：杜甫の詩「曲江」中の「人生七十古来稀」による）

## 4 五行・十干・十二支　重要度 ★★

### 五行・十干

| 五行 | 陽（兄＝え） | 陰（弟＝と） |
|---|---|---|
| 木（き） | 甲（きのえ） | 乙（きのと） |
| 火（ひ） | 丙（ひのえ） | 丁（ひのと） |
| 土（つち） | 戊（つちのえ） | 己（つちのと） |
| 金（かね） | 庚（かのえ） | 辛（かのと） |
| 水（みず） | 壬（みずのえ） | 癸（みずのと） |

十干と十二支とを組み合わせたものを**干支**《えと》という。各十二支が十干を一巡すると60通りとなる。これが**還暦**の意味である。

### 十二支

**子**（ね・シ）鼠
**丑**（うし・チュウ）牛
**寅**（とら・イン）虎
**卯**（う・ボウ）兎
**辰**（たつ・シン）竜
**巳**（み・シ）蛇
**午**（うま・ゴ）馬
**未**（ひつじ・ビ（ミ））羊
**申**（さる・シン）猿
**酉**（とり・ユウ）鶏
**戌**（いぬ・ジュツ）犬
**亥**（い・ガイ）猪

## 5 手紙の頭語と結語　重要度 ★★

| 手紙の性格 | 頭　語 | 結　語 |
|---|---|---|
| 一般的な発信 | **拝啓**・拝呈・啓上 | **敬具**・拝具・敬白 |
| 一般的な返信 | **拝復**・復啓・拝誦 | **敬具**・敬答・拝答 |
| 改まった発信 | 謹啓・謹呈・粛啓・恭啓 | 謹言・謹白・再拝 |
| 改まった返信 | 謹復・謹答・敬復・復啓 | 謹言 |
| 急用の場合 | 急啓・急白・急呈 | 不一・不尽・不備 |
| 前文を省略する場合 | **前略**・冠省・略啓 | **草々**・早々・不一・不備 |

マメ　出雲地方（島根県）では10月を「神在月」という

国語

# 07 古文・漢文

日付 ／

頻出度 **B**

●古文についてはしっかりと文法をおさえること。特に助動詞は正確に意味を取らないと文章そのものを誤読することにもなりかねない。
●漢文の出題頻度は高くないが、漢詩については頻出なので確認しておこう。

## 1 古文

出題 山形　重要度 ★★

### 敬語表現

□**敬語表現**とは ⇨ **会話の相手**、あるいは**話題中の人物**に対する**敬意**をあらわす表現法であり、次の3種類に大きく分けられる。

| 種　類 | 説　明　と　用　例 |
| --- | --- |
| **尊敬語** | 話し手が、動作をする人を敬うときに用いる(為手尊敬)<br>例　上も、うち驚かせ給ひて(帝も目をお覚ましになって) |
| **謙譲語** | 話し手が、動作を受ける人を敬うときに用いる(受け手尊敬)<br>例　さ申しつらむ(あんなことを申し上げてしまったのだろう) |
| **丁寧語** | 話し手が、聞き手を敬うときに用いる(聞き手尊敬)<br>例　正月のもちの日生まれて侍れば(1月15日に生まれましたので) |

＊最高敬語：〈尊敬語＋尊敬語〉の形。天皇、皇后、中宮などに使用。

### □覚えておきたい敬語動詞

| | 尊　敬　語 | 謙　譲　語 | 丁　寧　語 |
| --- | --- | --- | --- |
| 言ふ | のたまふ・のたまはす・仰す・仰せらる | きこゆ・きこえさす・申す・奏す・啓す | — |
| 行く<br>来 | おはす・おはします・います・<br>いますがり(いますかり) | まゐる・まかる・まうづ・まかづ | — |
| 聞く | きこす・きこしめす | うけたまはる | — |
| 与ふ | たまふ・つかはす　＊「授く」も同様 | たてまつる・まゐらす | — |
| 思ふ | おぼす・おぼしめす・おもほす | 存ず | — |
| 呼ぶ | 召す＊「食ふ」「着る」も同様 | — | — |
| 見る | 御覧ず | — | — |
| 寝 | 大殿ごもる | — | — |
| 仕ふ | — | はべり・さぶらふ・つかうまつる | — |
| あり | — | — | はべり・さぶらふ |

### 係り結びの法則

□文中に係助詞「**ぞ・なむ・や・か・こそ**」がある ➡ **終止形で終止しない。**

- **ぞ・なむ・や・か** → **連体形終止**
- **こそ** → **已然形終止**

### 副詞の呼応

○**え**〜ず(じ・まじ):〜できない=えまうでず
○**つゆ**〜なし(打消語):まったく〜ない=つゆまどろまれず
○**よも**〜じ:まさか〜ないだろう=よもさようにはあらじ
○**な**〜(動詞)〜そ:〜するな=つらしとな思《おぼ》しそ

## 2 漢文

出題 福井・兵庫　重要度 ★★

### 漢詩の知識

□形式 ⇨ **絶句《ぜっく》**と**律詩《りっし》**

1句の字数が
- 5文字=五言…句の数が
  - 4句=**五言《ごごん》絶句**
  - 8句=**五言律詩**
- 7文字=七言…句の数が
  - 4句=**七言《しちごん》絶句**
  - 8句=**七言律詩**

- 絶句=**起句《きく》**・**承句《しょうく》**・**転句《てんく》**・**結句《けっく》**の4句
- 律詩=2句ずつ**首聯《しゅれん》**・**頷聯《がんれん》**・**頸聯《けいれん》**・**尾聯《びれん》**の8句

□**押韻《おういん》** ⇨ ある一定の箇所の字の韻母をそろえること。

- 五言詩:各偶数句の句末の字
- 七言詩:第1句の句末と各偶数句の句末(原則)

□**対句《ついく》** ⇨ 語の並べ方を同じくし、意味は対になる二つ以上の句を連ねる。

- 律詩:頷聯(3・4句)と頸聯(5・6句)を対句にする(原則)

### 出題頻度の高い漢詩の作者と作品

□**六朝時代** ⇨ **陶潜《とうせん》**(**陶淵明《とうえんめい》**)=**「飲酒二十首」「帰去来辞《ききょらいのじ》」**

□**唐時代** ⇨ 盛唐:**孟浩然《もうこうねん》**(自然詩人)=「**春暁**」/**王維《おうい》**(田園詩人。詩仏)=「鹿《ろく》柴《さい》」「**送元二使安西**」/**李白《りはく》**(詩仙・酒仙)=「**早発白帝城**」「子夜呉歌《しやごか》」/**杜甫《とほ》**(詩聖)=「**春望**」「登岳陽楼」

中唐:**柳宗元《りゅうそうげん》**

晩唐:**白居易《はくきょい》**(**白楽天《はくらくてん》**)=「**長恨歌**」『白氏文集《はくしもんじゅう》』/**杜牧《とぼく》**

**ポイント** 代表的な漢詩は暗誦できるようにしておくとよい

国語

# 08 日本文学史①（古典①）

日付 ／

頻出度 **B**

- 平安時代の文学は頻出。
- 『源氏物語』は世界に誇る文学であり、その内容は確実に知っておきたい。

## 1 上代（奈良時代）　出題 埼玉・長野・和歌山・愛媛　重要度 ★★

| | | |
|---|---|---|
| 『古事記』〈712〉 | **稗田阿礼**《ひえだのあれ》述・**太安万侶**《おおのやすまろ》筆録 | **ヤマト政権の正統性を述べる** |
| 『日本書紀』〈720〉 | **舎人親王**《とねりしんのう》編 | **日本の国威**示顕。**編年体** |
| 『万葉集』〈759以降〉 | **大伴家持**編 | 現存**最古の和歌集**。歌数約4500首（うち約92%が短歌）。**五七調**、**2・4句切れ**。**「ますらをぶり」**。**防人歌**・**東歌** |

## 2 中古（平安時代）　出題 埼玉・長野・和歌山・愛媛　重要度 ★★★

物語

| | |
|---|---|
| 伝奇物語 | **『竹取物語』**〈10C 初頭？〉作者不詳。**現存最古の物語**。**かぐや姫**／**『宇津保物語**《うつほものがたり》**』**〈10C 後半〉作者不詳。琴の曲にまつわる物語 |
| 歌物語 | **『伊勢物語』**〈10C 半ば？〉作者不詳。**最初の歌物語**。**在原業平**がモデルか／『**大和**《やまと》**物語**』〈951？〉作者不詳／『**平中**《へいちゅう》**物語**』〈960頃〉 |
| 写実物語 | 『**落窪**《おちくぼ》**物語**』〈10世紀後半〉作者不詳。継母と継子の物語／『**源氏物語**』〈1008頃までに成立〉**紫式部**《むらさきしきぶ》。**全54帖**（最後の十帖が「**宇治十帖**」）。**光源氏**とその子**薫君**を主人公に帝4代70余年に及ぶ物語。**「もののあはれ」**の情趣／『**夜半**《よわ》**の寝覚**《ねざめ》』〈1057？〉菅原《すがわらの》孝標女《たかすえのむすめ》？／『**堤**《つつみ》**中納言物語**』〈1058？〉作者不詳／『**狭衣**《さごろも》**物語**』〈1065？〉六条斎院禖子《ばいし》内親王家宣旨《せんじ》／『**とりかへばや物語**』〈1055以降〉作者不詳。兄妹の男女の性を入れ替えて育てる物語 |
| 説話集 | 高僧の逸話や仏説にかかわる**仏教説話**とそれ以外の**世俗説話**とがある／『日本霊異記《にほんりょういき》』〈822？〉**景戒**／『**三宝絵詞**《さんぼうえことば》』〈984〉源為《みなもとのため》憲《のり》／『**江談**《ごうだん》**抄**』〈12世紀初〉藤原実兼《ふじわらのさねかね》（異説あり）／『**今昔**《こんじゃく》**物語集**』〈12C 前半〉作者不詳。仏教説話を中心に1000余の説話／『**宝物**《ほうぶつ》**集**』〈平安末期〉平康頼《たいらのやすより》？ |

| | |
|---|---|
| **軍記物語** | 『**将門記**《しょうもんき》』〈940〉作者不詳。将門《まさかど》の乱を題材とする。**初期の軍記物** |
| **歴史物語** | 『**栄華**《えいが》**(花)物語**』〈1107までに成立〉**赤染衛門**《あかぞめえもん》など。道長を賛美／『**大鏡**』〈平安時代末〉作者不詳。**四鏡**《しきょう》の初め／『**今鏡**』〈1170〉 |

## 日記文学

『**土佐日記**』〈935？〉**紀貫之**《きのつらゆき》。**最初の日記文学**。土佐からの帰京の旅日記。**女性に仮託して仮名で書く**／『**蜻蛉**《かげろう》**日記**』〈974以降〉**藤原道綱の母**。21年間の夫とのはかない結婚生活を描く／『**和泉式部日記**』〈1007？〉**和泉式部**（異説あり）／『**紫式部日記**』〈1010？〉**紫式部**／『**更級**《さらしな》**日記**』〈1059以降〉**菅原孝標女**《すがわらのたかすえのむすめ》。物語に憧れる少女時代から夫との死別の40年弱の日記／『**成尋阿闍梨母集**《じょうじんあじゃりのははのしゅう》』〈1073？〉成尋阿闍梨母／『**讃岐典侍**《さぬきのすけ》**日記**』〈1108？〉藤原長子《ふじわらのながこ》

## 随筆

『**枕草子**《まくらのそうし》』〈1001？〉**清少納言**《せいしょうなごん》。中宮定子に仕えていた頃のさまざまなことに関する随想・見聞を、類聚《るいじゅう》・日記回想などとして記す。**「をかし」**の感覚を基調。『源氏物語』と双璧をなす平安女流文学の傑作。**三大随筆**のひとつ

## 歌集

| | |
|---|---|
| **勅撰**《ちょくせん》**和歌集（天皇・上皇などの命による歌集）** | 『**古今和歌集**』〈905〉**紀貫之**ら。**最初の勅撰集**。作者に**六歌仙**＊[1]。貫之の**「仮名序」**。**七五調**、**3句切れ（初句切れは僅か）**。**掛詞・縁語**。**女性的・優美・繊細**＝**「たをやめぶり」**。以後、『新古今和歌集』に至るまでの８つの勅撰集を**八代集**という（P33） |
| **私家集（個人の歌集）** | 『**曽丹**《そたん》**集**』〈平安末期〉曽禰好忠《そねのよしただ》／『**長秋詠藻**』〈1178〉藤原俊成／『**山家集**』〈12C 末〉**西行** |
| **漢詩文** | 『凌雲集《りょううん》』〈814〉小野岑守《みねもり》ら。最初の勅撰漢詩集／『**文華秀麗集**《ぶんかしゅうれい》』〈818〉**藤原冬嗣**《ふゆつぐ》ら。勅撰漢詩集／『本朝文粋《ほんちょうもんずい》』〈？〉藤原明《あき》衡《ひら》。漢詩文集 |
| **歌謡** | 『**和漢朗詠集**《わかんろうえい》』〈1013？〉藤原公任《きんとう》。朗詠に適した漢詩文・和歌を収める／『**梁塵秘抄**《りょうじんひしょう》』〈12世紀後半〉後白河法皇。今様歌謡集 |

## その他

史書『**古語拾遺**』〈807？〉斎部広成《いんべのひろなり》／史書『**日本三代実録**』〈901〉藤原時平《ときひら》ら／辞書『**和名類聚抄**《わみょうるいじゅうしょう》』〈938？〉源 順《みなもとのしたごう》／仏教書『**往生要集**《おうじょうようしゅう》』〈985〉**源信**

**用語** ＊1　六歌仙…在原業平《ありわらのなりひら》・小野小町・僧正遍昭《そうじょうへんじょう》・文屋康秀《ふんやのやすひで》・喜撰《きせん》法師・大伴黒主《おおとものくろぬし》

**ポイント** 各ジャンルの最初の作品は覚えておこう

国語

# 09 日本文学史②（古典②）

日付 ／

頻出度 **B**

●重要な作品として『平家物語』『方丈記』『徒然草』『新古今和歌集』はおさえておこう。
●三代和歌集（万葉集・古今和歌集・新古今和歌集）の特徴の違いを理解しよう。

## 1 中世文学（鎌倉時代・南北朝時代・室町時代） 出題 埼玉・長野・和歌山・愛媛 重要度 ★★

### 物語

| | |
|---|---|
| **擬古物語** | （平安期の王朝物の模倣）『**住吉物語**』〈1221？〉作者不詳／『**松浦《まつらの》宮《みや》物語**』〈鎌倉初期〉藤原定家？ 橘氏忠の唐での活躍を描く |
| **軍記物語** | 『**保元物語**』『**平治物語**』〈13世紀中頃〉作者不詳／『**平家物語**』〈原型は14世紀初？〉**信濃《しなのの》前《ぜん》司《じ》行長《ゆきなが》**？ **仏教的無常観**を基調として平家一門の栄枯を描く。平曲（琵《び》琶《わ》法師）／『**源平《げんぺい》盛《じょう》衰《すい》記《き》**』〈1250？〉作者不詳／『**太平記**』〈1371？〉作者不詳。**南北朝**の動乱を描く。**太平記読み**によって朗読された／『**義経《ぎけい》記**』〈室町初期〉作者不詳。義経の生涯が中心／『**曽我物語**』〈不詳〉作者不詳。曽我兄弟の生い立ちから仇討ちに至る経緯を描く |
| **説話集** | 『**宇治拾遺物語**』〈13C 前半〉作者不詳。仏教的要素の濃いインド・中国・日本の説話を収載。後に**芥川龍之介**が小説の題材にした／『**発心集《ほっしんしゅう》**』〈1215頃〉**鴨長明《かものちょうめい》**？ 発心（仏道を志すこと）説話中心／『**十訓抄《じっきんしょう》**』〈1252〉作者不詳／『**古今著聞集《ここんちょもんじゅう》**』〈1254〉**橘 成季《たちばなのなりすえ》**。日本の説話を題材別に分類収録／『**沙石集《しゃせきしゅう》**』〈1283〉**無住** |
| **歴史物語** | 『**水鏡**』〈1195？〉作者不詳／『**増鏡**』〈1376？〉作者不詳。四鏡 |

### 日記文学

『**明月記**』〈不詳〉**藤原定家**。公武間関係、故事・和歌に関する見聞記／『**十六夜《いざよい》日記**』〈1280？〉**阿仏尼《あぶつに》**。夫の死後の領地相続訴訟のために鎌倉に下る道中の日記／『**とはずがたり**』〈1306？〉**後深草院二条《ごふかくさいんのにじょう》**

### 紀行文

（鎌倉幕府の成立により東海道が整備された➡旅の盛行）『**海道記**』〈1223？〉**源光行**？ 京・鎌倉往復の紀行。仏教思想にあふれ、鴨長明作に擬されたこともある／『**東関紀行**』〈1242〉作者不詳

## 随筆　重要!

| | |
|---|---|
| 『方丈記』〈1212〉 | **鴨長明**[*1]**作**。作者の年来の見聞を書きつづる。大火・大風・遷都・飢饉・大地震などに触れ、ここから人生の無常を嘆き、日野山の**方丈の庵**での閑居のことに及ぶ |
| 『徒然草』〈1330？〉 | **吉田兼好作**。作者の自然や人生に対する観察・批判、朝廷・武家の風俗習慣にかかわる感想、人物評論や逸話、教訓話など種々雑多な内容。『枕草子』とともにわが国**随筆文学の最高峰**に位する |

## 歌集

| | |
|---|---|
| 勅撰《ちょくせん》和歌集 | **『新古今和歌集』**〈1205〉**藤原定家**ら。歌人に**西行**・**慈円**・**藤原俊成**・**式子内親王**・**後鳥羽院**ら。**七五調、初句・3句切れ**。**本歌取り**。表現が洗練され、象徴的・絵画的。**「有心」「幽玄」**。八代集《はちだいしゅう》[*2]の最後 |
| 私家集 | **『金槐《きんかい》和歌集』**〈1213？〉**源実朝**。万葉風の力強い歌風もみられる／**『建礼門院《けんれいもんいん》右《う》京《きょうの》大《だい》夫《ぶ》集《しゅう》』**〈1231？〉藤原伊行女《これゆきのむすめ》 |
| 連歌集 | **『菟玖波集《つくばしゅう》』**〈1356〉**二条良基**ら／**『新撰菟玖波集』**〈1495〉**飯尾《いいお》宗祇《そうぎ》** |
| 歌　謡 | **『閑吟集《かんぎんしゅう》』**〈1518〉編者不詳／**『小倉百人一首』**〈1235〉**藤原定家** |

## その他

評論：**『無名草子《むみょうぞうし》』**〈1201？〉作者不詳。物語の人物や構想の批評など／歌論：**『近代秀歌』**〈1209〉**藤原定家**。近代歌人の秀歌を挙げる／歌論：**『無名抄』**〈1211？〉**鴨長明**。和歌に関する故実、歌人の逸話、詠歌の心得など／史論：**『愚管抄』**〈1220〉**慈円**／史書：**『神皇正統記《じんのうしょうとうき》』**〈1339〉**北畠親房《きたばたけちかふさ》**。南朝の正当性を主張／歌論：**『近来風体抄』**〈1387〉**二条良基**／能楽論：**『風姿花伝』（『花伝書』）**〈1400？〉**世阿弥**。能の修業・演出等の広範囲な内容／歌論：**『正徹物語』**〈1450頃〉**正徹**／連歌論**『ささめごと』**〈1463〉**心敬**

**用語**
＊1　鴨長明…長明や兼好などは**隠者**と呼ばれる、正式に出家しているわけではないが僧体で俗人との交際を絶って庵などに住む生活をした人であった。
＊2　八代集…平安前期から鎌倉初期にかけての、古今・後撰・拾遺・後拾遺・金葉・詞花・千載・新古今の8つの勅撰和歌集のこと。

**ポイント** 中世文学は大切なものが多いので要注意！

国語
10
# 日本文学史③（古典③）
日付
／

頻出度
B

●戯作の各ジャンルの代表作と井原西鶴についてはしっかりと覚えておこう。
●俳句の3人（松尾芭蕉・与謝蕪村・小林一茶）の句の特徴について理解しておこう。

## 1 近世文学（江戸時代） 出題 埼玉・長野・和歌山・愛媛 重要度 ★★

### 戯作

| | |
|---|---|
| **仮名草子** | （仮名書きの平易な啓蒙・教訓・娯楽物語。室町期の**お伽草子**の流れにある）『**醒睡笑**《せいすいしょう》』〈1623？〉安楽庵策伝《あんらくあんさくでん》／『**可笑記**』〈1642〉如儡子《にょらいし》／『**御伽婢子**《おとぎぼうこ》』〈1666〉浅井了意 |
| **浮世草子** | （上方町人・商人の生き様を描く。ほかに武家物なども）『**好色一代男**』〈1682〉『**西鶴諸国ばなし**』〈1685〉『**日本永代蔵**』『**武家義理物語**』〈1688〉『**世間胸算用**』〈1692〉**井原西鶴**／『**世間子息**《せけんむすこ》**気質**《かたぎ》』〈1715〉**江島其磧**《えじまきせき》 |
| **読　本** | （複雑で本格的な筋を展開。**前期読本**〈18C 後半・上方〉→**後期読本**〈化政期・江戸〉）『**雨月物語**』〈1776〉**上田秋成**《うえだあきなり》／『**椿説弓張月**《ちんせつゆみはりづき》』〈1807〉『**南総里見八犬伝**』〈1814～42〉**滝沢馬琴** |
| **黄表紙** | （通俗的な絵入り物語である**草双紙**のうち表紙が黄色のもの〈ほかにジャンル別に赤本・黒本・青本がある〉）『**金々先生栄花夢**《えいがのゆめ》』〈1775〉**恋川春町**／『**江戸**《えど》**生艶気樺焼**《うまれうわきのかばやき》』〈1785〉**山東京伝**《さんとうきょうでん》 |
| **合**《ごう》　**巻**《かん》 | （黄表紙を合冊し長編化）『**偐紫田舎源氏**《にせむらさきいなかげんじ》』〈1829～42〉**柳亭種彦**《りゅうていたねひこ》 |
| **洒落**《しゃれ》**本** | （郭《くるわ》での客と遊女間の通や粋を会話中心に描く。**寛政の改革**で弾圧）『**通言総籬**《つうげんそうまがき》』〈1787〉『**傾城買四十八手**』〈1790〉**山東京伝** |
| **滑稽**《こっけい》**本** | （会話を生かした笑いを中心。平易な文章）『**東海道中膝栗毛**』〈初編1802〉**十返舎一九**／『**浮世風呂**』〈1809〉式亭三馬 |
| **人情本** | （退廃的な恋愛や風俗を描く）『**春色梅児誉美**《うめごよみ》』〈1832〉**為永春水** |

### 人形浄瑠璃

元禄期、竹本義太夫の義太夫節と近松門左衛門の脚本で流行

『**出世景清**《かげきよ》』〈1685〉『**曽根崎心中**』〈1703〉『**冥途**《めいど》**の飛脚**』〈1711〉『**国性爺**《こくせんや》**合戦**《かっせん》』〈1715〉**近松門左衛門**／『**菅原伝授**《ずがわらでんじゅ》**手**《て》**習鑑**《ならいかがみ》』〈1746〉『**仮名手本忠臣蔵**』〈1748〉**竹田出雲**ら

## 歌舞伎

| | |
|---|---|
| **変遷** | **阿国《おくに》歌舞伎**〈江戸初期、男装して踊る阿国が評判に。歌舞伎の元祖〉→ **女歌舞伎**〈遊女が舞台上で踊りを披露。風俗壊乱で禁止〉→ **若衆歌舞伎**〈女性に代わり少年が舞台に。やはり禁止に〉→ **野郎歌舞伎**〈元禄期までにすべて男性が演じる現在の形に〉 |
| **確立** | 元禄期には京に和事（細やかな情を表現）の**坂田藤十郎**、江戸に荒事（猛々しい所作）の**市川団十郎**が登場<br>『伽羅先代萩《めいぼくせんだいはぎ》』〈1777〉奈河亀輔《ながわかめすけ》／**『東海道四谷怪談』**〈1825〉**鶴屋南北** |

## 俳句

| | | |
|---|---|---|
| **芭蕉以前** | **松永貞徳《まつながていとく》（貞門派《ていもんは》）**や**西山宗因《にしやまそういん》（談林派《だんりんは》）**が出たが、言葉遊びの域を脱しきれなかった | |
| **松尾芭蕉（俳聖）** | 貞門派・談林派を経て、風雅を極め芸術性を高めた独自の俳諧の境地を築く**（蕉風・正風）**。閑寂な風致である**「わび」「さび」**、**「しをり」**、**「細み」「軽み」**、**「不易流行《ふえきりゅうこう》」**などを唱えた<br>**俳諧集**：**『俳諧七部集』**（**『冬の日』『春の日』『曠野《あらの》』『ひさご』『猿蓑《さるみの》』『続猿蓑』『炭俵』**）<br>**紀行文**：**『野ざらし紀行』『鹿島紀行』『笈《おい》の小文《こぶみ》』『更科紀行』『おくのほそ道』**〈1702〉<br>**弟子たち**：**河合曽良（『おくのほそ道』の旅に同行）**・**向井去来『去来抄』**・**宝井（榎本）其角《きかく》『虚栗《みなしぐり》』**・**各務支考《かがみしこう》** | |
| **芭蕉以後** | **与謝蕪村** | 天明期に蕉風復興をめざし、古典を題材とした浪漫的・絵画的な俳風の作品。**文人画家**。**『新花摘』** |
| | **小林一茶** | 幕末期に信濃で郷土色の濃い**生活句**、**弱者への同情心**あふれた作品。**俗語**・**方言**を使用。**『おらが春』** |

## その他

注釈書：**『源氏物語湖月抄』**〈1673〉北村季吟／注釈書：**『万葉代匠記』**〈1690〉**契沖**／自伝：**『折たく柴の記』**〈1716〉**新井白石**／川柳：**『誹風柳多《はいふうやなぎだ》留《る》』**〈初編1765〉（柄井川柳）／狂歌：**『万載《まんざい》狂歌集』**〈1783〉**四方赤良《よものあから》**ら／随筆：**『玉勝間《たまかつま》』**〈1795～1812〉／注釈書：**『源氏物語玉の小櫛《おぐし》』**〈1796〉**『古事記伝』**〈1798〉**本居宣長**／叢書：**『群書類従』**〈1819〉**塙保己一《はなわほきいち》**／古語辞書：**『雅言集覧』**〈1826～49〉**石川雅望《まさもち》**

**ポイント** 西鶴・近松・芭蕉を元禄の三大文人という

国語
# 11 日本文学史④（明治期～）

日付 ／

頻出度 **B**

●近代文学は、作家と作品の組み合わせを覚えることが基本。
●次に、その作家の属した派の特質をおさえよう。属した派から、その作家の特徴が見える。

## 1 明治期の文学

出題 長野・兵庫・和歌山　重要度 ★★

**写実主義**　伝統的勧善懲悪文学観を打破、人情・風俗の写実をめざす

| | |
|---|---|
| 坪内逍遥《つぼうちしょうよう》 | 評論『**小説神髄**』〈1885～〉で写実主義を主張。実践小説『**当世書生気質**』〈1885～〉は作品としては未熟 |
| 二葉亭四迷 | 逍遥に師事。『小説神髄』を補完すべく『**小説総論**』〈1886〉を著す。実践小説『**浮雲**』〈1887～＝未完〉は**「ダ調」**の**言文一致体**で書かれた近代文学の先駆的作品 |

**擬古典主義**　元禄期の文学の在り方を拠り所とする

| | |
|---|---|
| 尾崎紅葉 | 文学結社「**硯友社**」を結成、最初の同人雑誌「**我楽多《がらくた》文庫**」を発行。女性描写に傑出。『**二人比丘尼色懺悔**』〈1889＝流行作家に〉『**三人妻**』〈1892〉『**多情多恨**』〈1896＝**「デアル調」**の言文一致体〉『**金色夜叉**』〈1897～未完〉＝お宮と貫一との人間模様を描き、人気を博す |
| 幸田露伴 | 迫力ある文体で理想に燃える男性像を描き出す。紅葉と人気を二分（**紅露時代**）。『**風流仏**』〈1889〉『**五重塔**』〈1891～＝擬古典主義文学の傑作〉 |
| 山田美《び》妙《みょう》 | 『**夏木立**』〈1888＝**「デス調」**の言文一致体を確立〉 |

**浪漫主義**　個人の自由な精神の尊重、あらゆる束縛からの人間解放を志向

| | |
|---|---|
| 森鷗外 | 軍医としてのドイツ留学から帰国し**「しがらみ草紙」**を創刊。逍遥との「**没理想論争**」等で**浪漫主義**を紹介。**ドイツ留学記念3部作**『**舞姫**』〈1890〉『**うたかたの記**』〈1890〉『**文づかひ**』〈1891〉、アンデルセン『**即興詩人**』〈1892～〉の翻訳 |
| 樋口一葉 | 貧苦の中で雅俗折衷体の小説『**大つごもり**』〈1894〉『**たけくらべ**』〈1895〉を書く。24歳で夭折。『**にごりえ**』『**十三夜**』〈1895〉 |

| | |
|---|---|
| 泉《いずみ》鏡《きょう》花《か》 | 社会小説『**夜行巡査**』〈1895〉で注目される。『**照葉狂言**』〈1896＝母性思慕〉『**高野聖**』〈1900＝怪異的〉『**歌行灯**』〈1910＝能の世界に題材〉 |
| その他 | **北村透谷**『**内部生命論**』〈1893〉・**高山樗牛《ちょぎゅう》**『**滝口入道**』〈1894〉・**徳富蘆《ろ》花《か》**『**不如帰《ほととぎす》**』〈1898〜〉・**国木田独歩**『**武蔵野**』〈1898〜〉 |

## 自然主義

人間や現実を分析的・客観的に観察、ありのままを描く

| | |
|---|---|
| 前期自然主義 | 自然主義の提唱者**エミール＝ゾラ**の主張の受容（**ゾライズム**）。**小杉天外**『**はやり唄**』〈1902〉・**永井荷風**『**地獄の花**』〈1902〉 |
| 島崎藤村 | 浪漫主義的詩人として出発（『**若菜集**』1897）、後、作家に転向。『**破戒**』〈1906〉で日本的自然主義の特質である**無理想・無解決**という方向性を示した。その後、自伝的小説『**春**』〈1908〉『**家**』〈1911〉『**新生**』〈1918〜〉、『**夜明け前**』〈1929〜〉を執筆 |
| 田山花《か》袋《たい》 | **私小説**の先駆『**蒲団**』〈1907〉を書く。『**田舎教師**』〈1909〉 |
| 徳田秋声 | 私小説。『**黴**』〈1911〉『**仮装人物**』〈1935〜〉『**縮図**』〈1941〜〉 |

## 余裕派（高踏派）

人生を余裕をもって眺め、描こうとする一派

| | |
|---|---|
| 夏目漱石 | 『**吾輩は猫である**』〈1905〜〉で作家デビュー。『**坊つちやん**』『**草枕**』〈1906〉を経て、**前期三部作**『**三四郎**』〈1908〉『**それから**』〈1909〉『**門**』〈1910〉、**後期三部作**『**彼岸過迄**』〈1912〉『**行人**』〈1912〜〉『**こゝろ**』〈1914〉を書き「**則天去私**」の心境に。『**明暗**』〈1916〉執筆中に死去 |
| 森鷗外 | 軍医として最高位（軍医総監）に登りつめて文壇に復帰。『**ヰタ・セクスアリス**』〈1909〉『**青年**』〈1910〉『**雁**』〈1911〉などの後に、乃木希典の明治天皇への殉死を契機として歴史小説に移り、『**阿部一族**』〈1913〉『**山椒大夫**』〈1915〉『**高瀬舟**』『**寒山拾得《じっとく》**』〈1916〉などの後、晩年は史伝『**渋江抽斎**』『**伊沢蘭軒**』〈1916〉などを発表 |

## 耽美派

美の追求に絶対の価値観を見いだす

| | |
|---|---|
| 永《なが》井《い》荷《か》風《ふう》 | 欧米遊学の後に江戸文化に傾倒、芸者物『**腕くらべ**』〈1916〜〉『**おかめ笹**』〈1918〉など。昭和期には『**つゆのあとさき**』〈1931〉『**濹東《ぼくとう》綺《き》譚《たん》**』〈1937〉などを発表。日記『**断腸亭日乗**』も有名 |
| 谷崎潤一郎 | ボードレールなどの影響、日本の**悪魔主義**と呼ばれた。『**刺青**』『**麒麟**』〈1910〉で荷風に見出され、『**痴人の愛**』〈1924〉『**春琴抄**』〈1933〉『**細雪**』〈1943〜〉『**鍵**』〈1956〉などの傑作を残した |

**ポイント** 漱石の前後期三部作は頻出だ

国語 12

# 日本文学史⑤（大正〜昭和初期）

日付 ／

頻出度 B

●芥川龍之介は近代と現代を分ける大きな足跡を残した作家なので、その業績は十分に知っておきたい。
●近現代の日本文学の派は、同時代の西洋の派と連動していることが多い。西洋文学史あるいは西洋芸術史と関連づけて整理しよう。

## 1 大正〜昭和初期の文学

出題 長野・兵庫・和歌山　重要度 ★★

**白樺派**　**「白樺」**〈1910〉が拠点。**理想主義的人道主義**の立場**（新理想主義）**

| | |
|---|---|
| 武者小路実篤 | トルストイなどの影響を受け、人間の生命力を「人類の意志」とする。**『お目出たき人』**〈1911〉**『幸福者』**〈1919〉**『友情』**〈1919〜〉、昭和期の**『愛と死』**〈1939〉など |
| 志賀直哉 | 短編小説を中心とする簡潔な描写で「**小説の神様**」と呼ばれる。**『網走まで』**〈1910〉**『清兵衛と瓢簞《ひょうたん》』『范の犯罪』**〈1913〉**『和解』**〈1917〉、温泉での療養中の見聞や随想を描いた**『城の崎にて』**〈1917〉、唯一の長編**『暗夜行路』**〈1921〜〉など |
| 有島武郎 | キリスト教的人道主義。**『或る女』**〈1911〜〉**『カインの末裔』**〈1917〉**『生れ出づる悩み』**〈1918〉**『惜みなく愛は奪ふ』**〈1917〉 |

**新現実主義**　理知的・技巧的に現実分析、個人と社会の関係で現実把握

| **「新思潮」派**（雑誌**「新思潮」**を拠点とした一群） | |
|---|---|
| 芥川龍之介 | 心理分析に優れた理知的・技巧的な表現で近代人のエゴイズムを追究した短編小説を多く残す。**『羅生門』**〈1915〉、漱石に激賞された**『鼻』**〈1916〉、**『戯作三昧』**〈1917〉**『地獄変』『蜘蛛《くも》の糸』**〈1918〉**『藪の中』**〈1922〉**『河童』『歯車』**〈1927〉などの作品の後、**『或る阿呆の一生』**〈1927〉を残して睡眠薬自殺。芥川の自殺は**社会的事件**としてとらえられ、**大正文学の終焉＝昭和文学（現代文学）の幕開き**とされる |
| 菊池寛《かん》 | 芥川の友人。戯曲**『父帰る』**〈1917〉、歴史小説**『忠直卿《ただなおきょう》行状記』**〈1918〉**『恩讐の彼方に』**〈1919〉、**『真珠夫人』**〈1920〉。**「文藝春秋」**創刊。**芥川龍之介賞・直木三十五賞**創設 |
| **その他** | **久米正雄『破船』・山本有三『女の一生』『路傍の石』** |

| | |
|---|---|
| **「三田派」**（永井荷風主催の慶応大学系の雑誌**「三田文学」**を拠点とした一群） | |
| **佐藤春夫** | 『**田園の憂鬱**』〈1917～〉『**都会の憂鬱**』〈1922〉、詩集『**殉情詩集**』〈1921〉、評論『**退屈読本**』〈1926〉 |
| **その他** | **久保田万太郎**・**水上瀧太郎**ら |
| **「奇蹟」派**（早稲田大学の雑誌**「奇蹟」**を拠点とした一群） | |
| **広津和郎** | 『**神経病時代**』〈1917〉『**死児を抱いて**』〈1919〉 |
| **葛西善蔵** | 破滅型私小説家の典型。『**哀しき父**』〈1912〉『**子をつれて**』〈1917〉『**湖畔手記**』〈1924〉 |

**プロレタリア文学**　社会主義革命のための意識改革を図る目的の文学（**革命の文学**）。1921年、最初のプロレタリア文学専門雑誌**「種蒔く人」**ができ、本格的な文学運動開始。後、**「文芸戦線」**・**「戦旗」**など、セクトごとの雑誌ができたが、内部対立と弾圧とによって弱体化 →転向を題材にした**「転向文学」**が書かれる

| | |
|---|---|
| **「文戦」派**（雑誌**「文芸戦線」**を拠点とした一群） | |
| **葉山嘉樹** | 『**淫売婦**』〈1925〉『**セメント樽の中の手紙**』『**海に生くる人々**』〈1926〉 |
| **その他** | **黒島伝治**『**渦巻ける烏の群**』・**平林たい子**『**施療室にて**』 |
| **「戦旗《せんき》」派**（雑誌**「戦旗」**を拠点とした一群） | |
| **小林多喜二** | 『**一九二八年三月十五日**』〈1928〉『**蟹工船**』〈1929〉『**不在地主**』〈1929〉『**党生活者**』〈1933〉。逮捕後、拷問で死去 |
| **中野重治** | 『**鉄の話**』〈1929〉、詩『**夜明け前のさよなら**』〈1930〉。転向後、『**村の家**』〈1935〉『**小説の書けぬ小説家**』〈1936〉 |
| **その他** | **徳永直**『**太陽のない街**』・**宮本百合子**『**伸子**』・**佐多稲子** |

**新感覚派**　**モダニズム文学**（西洋の前衛芸術を模範として現代を描く）の一派。**「文芸時代」**に拠る。自己の感覚に依拠した特異な表現を試行

| | |
|---|---|
| **横光利一** | 『**日輪**』〈1923〉などでデビューした後、**「文芸時代」**を主宰。『**蠅《はえ》**』〈1923〉『**頭ならびに腹**』〈1924〉で新感覚的な作風を示す。後、心理主義的傾向の『**機械**』〈1930〉『**紋章**』〈1934〉を著し、『**旅愁**』〈1937～＝未完〉で西洋対東洋の問題を追究 |
| **川端康成** | 『**伊豆の踊子**』〈1926〉でデビュー、日本的ニヒリズムに根差した作品を書く。『**浅草紅団**』〈1929～〉『**禽獣《きんじゅう》**』〈1933〉『**雪国**』〈1935～〉『**千羽鶴**』〈1949～〉『**山の音**』〈1949～〉『**眠れる美女**』〈1960～〉『**古都**』〈1961～〉等。1968年に**ノーベル文学賞**受賞 |

**マメ**　芥川龍之介が自殺したのは満35歳の時だった

国語 13

# 日本文学史⑥（昭和期）

日付 ／

頻出度 B

- 戦後の無頼派や戦後派（第1次・第2次）、第三の新人に属する作家を見分けられることが大切!
- 芥川賞を受賞した作家については、受賞作を必ずおさえておくこと。

## 1 昭和戦前期の文学

出題 長野・兵庫・和歌山　重要度 ★★

**新興芸術派**　モダニズム文学の系統。〈13人倶楽部〉などを母体として結成された**新興芸術派倶楽部**の一群。**反マルクス主義**の立場をとる

| | |
|---|---|
| 梶井基次郎 | 簡潔で詩情豊かな作風。**『檸檬《れもん》』**『城のある町にて』〈1925〉**『冬の蠅』**〈1928〉**『のんきな患者』**〈1932〉など |
| 井伏鱒二《いぶせますじ》 | 人間の滑稽さや悲哀を描く。**『山椒魚《さんしょううお》』**〈原題「幽閉」1929〉**『屋根の上のサワン』**〈1929〉**『ジョン万次郎漂流記』**〈1937〉**『駅前旅館』**〈1956～〉、原爆文学の傑作**『黒い雨』**〈1965～〉など |

**新心理主義**　精神分析学を利用、深層心理からの人間描写。意識の流れ

| | |
|---|---|
| 伊藤整《せい》 | 日本での新心理主義理論提唱者。**『生物祭』**〈1932〉**『得能五郎の生活と意見』**〈1940～〉**『鳴海仙吉』**〈1950〉**『氾濫』**〈1956～〉、詩集『雪明りの路』〈1926〉など。チャタレイ裁判で有罪 |
| 堀辰雄 | フランス文学の影響。**『聖家族』**〈1930〉**『美しい村』**〈1933～〉**『風立ちぬ』**〈1936～〉**『菜穂子』**〈1941〉など |

## 2 戦時下の文学

出題 長野・兵庫・和歌山　重要度 ★

一般に戦時下では文学的に不毛であったかのように考えられているが決してそうではなく、昭和10年代作家であり後に無頼派と呼ばれるようになる**太宰治**や、**中島敦**の活躍、**国民文学**、**戦争文学**の旺盛もあった。ただ、太平洋戦争末期になると空襲などもあり、また雑誌の統廃合による発表場所の不足や、思想的な取締りの強化などもあって、文学的な佳作は出なくなった

| | |
|---|---|
| 中島敦 | 中国文学の教養が基底。**『山月記』**〈1942=「文字禍」を含む「古譚」として〉**『弟子』『李陵《りりょう》』**〈1943〉など |
| 火野葦平《あしへい》 | 戦争文学。『麦と兵隊』〈1938〉 |

## 3 戦後の文学

出題 長野・兵庫・和歌山　重要度 ★★★

**無頼派(新戯作派)**　既成モラルに反逆、戦後社会の価値観や風潮に懐疑的で、頽廃を肯定

| | |
|---|---|
| **太宰治** | 戦前から活躍、第一創作集『**晩年**』〈1936〉に続き、『**富嶽百景**』〈1939〉『**走れメロス**』〈1940〉『**右大臣実朝**』〈1943〉『**津軽**』〈1944〉『**お伽草紙**』〈1945〉などの佳作を発表。戦後も一貫した姿勢を貫いて『**ヴィヨンの妻**』『**斜陽**』〈1947〉『**人間失格**』〈1948〉などを残し、入水自殺 |
| **坂口安吾** | 戦前から活躍。戦後、評論『**堕落論**』〈1946〉、『**白痴**』〈1946〉で一躍注目。『**桜の森の満開の下**』〈1947〉『**夜長姫と耳男**』〈1953〉 |
| その他 | **織田作之助**『**夫婦善哉**』『**世相**』・**石川淳**『**焼跡のイエス**』『**紫苑物語**』・**檀一雄**『**火宅の人**』 |

**第1次戦後派**　戦争体験 → 戦争の人の主体性に与えた文学的意味を追究

| | |
|---|---|
| **野間宏** | 『**暗い絵**』〈1946〉『**青年の環**』〈1947〜〉『**真空地帯**』〈1952〉 |
| その他 | **椎名麟三《りんぞう》**『**永遠なる序章**』〈1948〉・**梅崎春生**『**桜島**』〈1946〉・**武田泰淳**『**蝮《まむし》のすゑ**』〈1947〉・**埴《はに》谷《や》雄高《ゆたか》**『**死霊**』〈1946〜未完〉・**大岡昇平**『**俘虜記**』〈1948〉『**野火**』〈1951〉『**レイテ戦記**』〈1967〜〉 |

**第2次戦後派**　私小説から離脱、西洋文学の手法と理論による長編小説

| | |
|---|---|
| **三島由紀夫** | (人工性・虚構性が横溢する唯美的作風)『**仮面の告白**』〈1949〉『**潮騒**』〈1954〉『**金閣寺**』〈1956〉『**豊饒《ほうじょう》の海**』〈1965〜〉 |
| その他 | **安部公房**(超現実的作風)『**壁**』〈1951〉『**砂の女**』〈1962〉『**箱男**』〈1973〉・**島尾敏雄**『**死の棘**』〈1960〜〉・**堀田善衛《よしえ》**・**井上光晴** |

**第三の新人**　戦時中に青春を過ごした作家群。私小説・短編小説への回帰

| | |
|---|---|
| **安岡章太郎** | 『**悪い仲間**』〈1953〉『**海辺の光景**』〈1959〉 |
| その他 | **庄野潤三**『**プールサイド小景**』〈1954〉・**吉行淳之介**『**驟雨**』〈1954〉『**夕暮まで**』〈1978〉・**遠藤周作**『**海と毒薬**』〈1957〉『**沈黙**』〈1966〉 |

**その他**

| | |
|---|---|
| **中間小説** | **井上靖**『**闘牛**』『**天平の甍《いらか》**』『**敦煌《とんこう》**』・**松本清張**『**或る「小倉日記」伝**』『**点と線**』・**司馬遼太郎**『**梟《ふくろう》の城**』『**坂の上の雲**』 |
| その他 | **石原慎太郎**『**太陽の季節**』・**開高健**『**裸の王様**』・**大江健三郎**『**死者の奢り**』『**飼育**』『**個人的な体験**』。ノーベル文学賞受賞〈1994〉 |

**ポイント** 戦後文学は無頼派によって開かれた

国語 14

# 西洋文学史①(14～19世紀文学)

日付 ／

頻出度 C

●外国文学の出題頻度はそれほど高くない。
●日本文学と同様に、作家と作品の組み合わせを覚えることが基本。

## 1 ルネサンス文学(14～17世紀)

出題 愛知　重要度 ★

| | |
|---|---|
| イタリア | ダンテ『**神曲**』(1321?= **トスカナ語**で書かれる＝**ルネサンスの開始を告げる作品**)・ペトラルカ『**カンツォニエーレ**』(イタリア語による抒情詩集)・ボッカチオ『**デカメロン(十日物語)**』(1353=10人の男女による1日1話) |
| フランス | ラブレー『**ガルガンチュアとパンタグリュエル**』・モンテーニュ『**エセー(随想録)**』(1588) |
| イギリス | **チョーサー『カンタベリー物語』**・トマス＝モア『**ユートピア**』(1516= 空想的社会小説。理想的進歩・宗教的寛容を説く)・シェークスピア*1『**ロミオとジュリエット**』(1594～95= 悲劇)『**ヴェニスの商人**』(1597= 喜劇)『**ジュリアス＝シーザー**』(1599= 史劇)『**ハムレット**』(1601)『**オセロ**』(1604)『**リア王**』(1605頃)『**マクベス**』(1606)＝**四大悲劇** |
| スペイン | **セルバンテス『ドン・キホーテ』**(1615) |

## 2 古典主義文学(17～18世紀)

出題 愛知　重要度 ★

古代ギリシャ・ローマの文学精神や手法を学び、創作の規範とする文学

| | |
|---|---|
| フランス | **コルネイユ『ル・シッド』**・**ラシーヌ**・モリエール『**ドン＝ジュアン**』(1665= 好色な男を主人公に人間模様を描く)『**人間嫌い**』(1666)『**守銭奴**』(1668)＝**古典劇の三大作家** |
| ドイツ | ゲーテ『**若きウェルテルの悩み**』(1774= 書簡体恋愛小説)『**ファウスト**』(1832= 知識と行動への無限の意欲をもつファウストの世界遍歴)・シラー『**群盗**』(1781)『ヴィルヘルム＝テル』 |

## 3 イギリスの17～18世紀文学　出題 愛知　重要度 ★

| |
|---|
| **ミルトン『失楽園』**（1667＝叙事詩。アダムとイブの楽園追放に取材し、神とサタンの闘争を描く）・**デフォー『ロビンソン＝クルーソー』**（1719＝冒険心と経済的合理主義の精神をもつ主人公の漂流記）・**スウィフト『ガリバー旅行記』**（1726＝当時の堕落・腐敗した社会や人間を痛烈に風刺） |

## 4 ロマン主義文学（19世紀前半～）　出題 愛知　重要度 ★★

情熱的自我の解放、無限へのあこがれ、理性と秩序と論理とへの反逆を特徴とし、合理主義と古典主義に反対する運動として展開

| | |
|---|---|
| **フランス** | **ユゴー『ノートルダム＝ド＝パリ』**（1831＝中世末期のノートルダム大聖堂を背景に、ロマ娘エスメラルダをめぐる副僧正・青年士官・鐘楼守カジモドの恋の葛藤を描く）**『レ＝ミゼラブル』**（1862＝１片のパンを盗んで入獄した**ジャン＝ヴァルジャン**の人間愛に生きる波瀾の多い生涯を描く）・**デュマ＝ペール『三銃士』『モンテクリスト伯』** |
| **ドイツ** | **グリム兄弟『子どもと家庭のための童話』**（1815＝**グリム童話**）・**ハイネ『歌の本』**（1827＝抒情詩集）**『ドイツ冬物語』** |
| **イギリス** | **バイロン『チャイルド＝ハロルドの巡礼』**（1818＝長編物語詩。自由に憧れる青年ハロルドの諸国遍歴を描く）・**シェリー『解放されたプロメテウス』**・**キーツ『ギリシャ古瓶の賦』** |
| **アメリカ** | **アービング**（アメリカ最初の国際的作家）『スケッチブック』（1820）・**ホーソン『緋文字』**（1850＝17世紀のボストンを舞台に姦通事件を通じて清教徒社会の本質をえぐる）・**メルヴィル『白鯨』**（1851＝エイハブ船長の復讐のため巨大な白鯨と闘う様子を描く）・**ポー『アッシャー家の没落』『黒猫』『モルグ街の殺人』**（1841＝史上初の推理小説）・**ストー『アンクル＝トムの小屋』**（1852＝奴隷の悲惨な境遇を描き南北戦争の機運を促す） |
| **デンマーク** | **アンデルセン『即興詩人』**（1835＝森鷗外が翻訳）**『絵のない絵本』**、**『みにくいアヒルの子』**（1843） |

※　主要作品にのみ完成年、または刊行年を付す（以下、同じ）。

用語 ＊1　シェークスピア…日本では坪内逍遥が、「ジュリアス＝シーザー」を「該撒《しいざる》奇談 自由《じゆうの》太刀《たち》余波《なごりの》鋭鋒《きれあじ》」などとして翻訳を行っている。

ポイント ロマン主義文学はよく扱われるので注意！

国語

15

# 西洋文学史②(現代)

日付 ／

頻出度 C

●日本の文学に与えた影響から、写実主義や自然主義は日本文学史との関連で問われることがある。主要作家・作品は覚えよう。
●19世紀以降の文学はさまざまな派が乱立する。それぞれの作家が、どの派に属するかを把握しておこう。

## 1 写実主義（19世紀中期）

出題 愛知　重要度 ★★

反幻想的・反非現実的な傾向。現実の事象を正確に捉えて的確に描こうとする

| | |
|---|---|
| **フランス** | **バルザック**『ゴリオ爺さん』『**谷間の百合**』(1835)『**従妹ベット**』(1846)(多作。大小90編の全作品に「**人間喜劇**」という総題)・**スタンダール**『**赤と黒**』(1830＝野心家の青年ジュリアン＝ソレルの恋愛)『**パルムの僧院**』・**フロベール**『**ボヴァリー夫人**』(1856＝田舎医者の妻となったエンマが、現実生活に適応できず夢破れて自殺。**フランス写実主義文学の代表作**)『**感情教育**』 |
| **イギリス** | **ディケンズ**『**オリヴァー＝トゥイスト**』(1839)『**二都物語**』(1859＝フランス革命を背景に、パリとロンドンを舞台) |
| **ロシア** | **プーシキン(ロシア文学の父)**『**エヴゲニー＝オネーギン**』(1833＝利己的な都会人オネーギンとタチヤーナの物語)『**大尉の娘**』・**ゴーゴリ(ロシア文学の幻想的散文の祖)**『**外套《がいとう》**』『**検察官**』『**死せる魂**』・**ツルゲーネフ**『**猟人日記**』(1852＝農奴を描き，ロシアの農奴制廃止に多大な影響)『**父と子**』『**処女地**』・**ドストエフスキー**『**貧しき人々**』(1846)『**罪と罰**』(1866)『**白痴**』(1868)『**悪霊**』(1872)『**カラマーゾフの兄弟**』(1880＝父と四人の息子たちの間の敵意の関係と父殺し事件を中心に「現代ロシア」を描く)・**トルストイ**(道徳的人道主義を説き，社会批判・正教会批判・新芸術批判を展開)『**幼年時代**』(1852)『**戦争と平和**』(1869＝ナポレオンのロシア侵攻を背景にした壮大な歴史絵巻)『**アンナ・カレーニナ**』『**復活**』 |

## 2 自然主義文学（19世紀後半〜）

出題 愛知　重要度 ★★

**エミール＝ゾラ**が提唱、写実主義の延長上にあり、人間をありのままに描くとして、**科学主義**や**現実暴露**を主張。日本の近代文学の発展に大きな影響

| | |
|---|---|
| フランス | **エミール＝ゾラ**『実験小説論』（1880＝メンデルの遺伝の法則などの文学への導入を提唱）『**ルーゴン＝マッカール叢書**』（1893＝全20巻。『実験小説論』の実践。「**居酒屋**」「**ナナ**」「**ジェルミナール**」など）・**モーパッサン**『**脂肪の塊**』『**女の一生**』（1883） |
| ドイツ | **ハウプトマン**『**日の出前**』『**寂しき人々**』 |
| イギリス | **エミリー＝ブロンテ**『**嵐が丘**』（1847＝ヨークシャーの自然を背景に、悪魔的性格の捨て子ヒースクリフの熱烈な愛と憎しみを描く）・**スティーブンソン**『**宝島**』・**ハーディ**『**テス**』・**オスカー＝ワイルド**『**幸福な王子**』（**童話**）『**ドリアン＝グレイの肖像**』（1891＝美貌の主人公とその肖像をめぐる怪奇小説） |
| ノルウェー | **イプセン**『**人形の家**』（女性の自立をテーマに） |

## 3 フランス象徴主義（19世紀末～） 出題 愛知 重要度 ★

内省の深さや意識性を重んじ、純粋な「詩」そのものを創造しようとする

**ボードレール**（象徴派の先駆）『**悪の華**』（1857）・**ヴェルレーヌ**（フランス象徴派の代表的存在）『**艶なる宴**』『**言葉なき恋歌**』『**叡知**《えいち》』・**ランボー**（20世紀文学に決定的な影響）『**酔いどれ船**』『**地獄の季節**』・**マラルメ**（精妙で難解な作品）『**半獣神の午後**』

## 4 20世紀の文学 出題 愛知 重要度 ★

| | |
|---|---|
| 高踏派《こうとうは》 | ロマン派への反動として冷静で客観的な詩作を行い、完璧な作品を完成しようとする技巧を重んずる |
| ダダイズム | 現実社会の不条理に反抗し、無政府的にいっさいを拒否・否定しようとする文学運動 |
| シュールレアリスム | （surréalisme＝超現実主義）第１次大戦後フランスで起こった前衛的な文学・芸術運動。**アンドレ・ブルトン**はその代表 |
| 社会主義リアリズム | 労働者の階級闘争や共産主義運動の一翼をになう文学で、労働者階級の解放をめざす文学 |
| 実存主義 | 実存とは物質などの存在と違い、人間が分解できない現実存在であり、その根本的性格は全世界に状況づけられているという考え。**カフカ**の『**城**』、**カミュ**の『**異邦人**』は人間の実存を描き出し、**サルトル**は『**嘔吐**《おうと》』『**自由への道**』などで「実存」を追究 |

**ポイント** ゾラと永井荷風、小杉天外などとの関連はおさえておこう

英語 01

# 単語・熟語

日付 ／

頻出度 A

●単語や熟語の知識がないと、読解だけでなく、あらゆる問題に対処できない。
●時事用語や教育関連用語などもおさえておこう。

## 1 単語

出題 長野・静岡・名古屋市・和歌山　重要度 ★★

### 時事用語

テレビや新聞・雑誌で使われる略語の意味や用語をチェック！

□温室効果 ➡ greenhouse effect
□環境保護 ➡ environmental protection
□高齢化社会 ➡ aging society
□**文部科学省** ➡ **Ministry of Education, Culture, Sports, Science and Technology**
□厚生労働省 ➡ Ministry of Health, Labour and Welfare
□社会保障制度 ➡ social security system
□金融危機 ➡ financial crisis

### 時事略語

□**G D P** ➡ **Gross Domestic Product**（**国内総生産**）
□I L O ➡ International Labour Organization（国際労働機関）
□I M F ➡ International Monetary Fund（国際通貨基金）
□**N G O** ➡ **Non-Governmental Organization**（**非政府組織**）
□O D A ➡ Official Development Assistance（政府開発援助）
□**W H O** ➡ **World Health Organization**（**世界保健機関**）
□W T O ➡ World Trade Organization（世界貿易機関）

### 教育用語

□**学習指導要領** ➡ **course of study**
□**義務教育** ➡ **compulsory education**
□**生きる力** ➡ **zest for living（life）**
□**コミュニケーション能力** ➡ **communication abilities**
□総合的な学習の時間 ➡ the Period for Integrated Study

## 2 熟語 出題 山梨・長野・和歌山・佐賀 重要度 ★★★



### 名詞が単数形か複数形か

□ He always keeps his **word**. ➡ 彼はいつも約束を守る。

□ I shook **hands** with her. ➡ 私は彼女と握手した。

□ I have made **friends** with him. ➡ 私は彼と友達になった。

□ Change **trains** at the next station. ➡ 次の駅で列車を乗り換えなさい。

### 適切な前置詞

□ He **adapts** himself to the new environment. ➡ 彼は新しい環境に**順応する**。

□ He **was absorbed** in playing baseball. ➡ 彼は野球に**夢中になった**。

□ She **is acquainted** with my teacher. ➡ 彼女は私の先生と**知り合いだ**。

□ She **is anxious** about her mother's health. ➡ 彼女は母親の健康を**心配している**。

□ They **are anxious** for their baby. ➡ 彼らは赤ちゃんを**切望している**。

□ His name **is familiar** to his town. ➡ 彼の名は街でよく**知られている**。

□ He **is familiar** with operating the computer. ➡ 彼はコンピューターに**精通している**。

□ He is **dependent** on his parents. ➡ 彼は両親に**頼っている**。

□ She is **independent** of her parents. ➡ 彼女は両親から**独立している**。

□ The principal **is responsible** for the school management. ➡ 校長は学校経営に**責任がある**。

□ You should hand in this report by next Wednesday. ➡ 次の水曜日までにこのレポートを提出してください。(**by は時の期限をあらわす**)

□ It had been raining till [until] this morning. ➡ 今朝まで雨が降っていた。(**till [until] はそのときまで継続していることをあらわす**)

### 連語

□ We were served champagne, **not to mention** wine. ➡ シャンペンが出た、**いうまでもなく**ワインも出た。

□ The firm was **on the verge of** bankruptcy. ➡ 会社は倒産**寸前**だった。

□ He has succeeded **owing to** her support. ➡ 彼は彼女の支援の**おかげで**成功した。

□ We live our daily lives **in accordance with** customs. ➡ 我々は慣習**に従って**日々の生活を送っている。

**ポイント** 前置詞byは「～までには」、till [until]は「～までずっと」

英語

# 02 文法

日付 ／

頻出度 **A**

●英作文や長文読解に欠かせないのは文法力である。構文をしっかり把握し、さまざまな出題形式に対応できるようにしよう。
●重要構文は、例文ごとに覚えるとより理解が深まる。

## 1 文法の確認

出題 神奈川・富山・長野　重要度 ★★★

### 間違い探し

□**(誤)**It is time that you go to bed. ➡**(正)It is time that you went to bed.** **ポイント** 「もう寝る時間ですよ。(実際はまだ寝ていない)」**It is (high / about) time that 〜は仮定法過去の構文**。that 節の動詞は過去形を用いる。

□**(誤)**I wish I worked much harder in my youth. ➡ **(正) I wish I had worked much harder in my youth.** **ポイント** 「若い頃、もっと勉強しておけばよかった。」in my youth は過去のことについて述べた文である。よって**過去の事実と反対のことをあらわす仮定法過去完了**を用いる。

□**(誤)**The leaves falling on the ground were wet. ➡ **(正)The leaves fallen on the ground 〜** **ポイント** 「地面に落ちた葉は濡れていた。」過去分詞の形容詞用法。The leaves were fallen on the ground. **過去分詞は受け身の意味をもつ**。

□**(誤)** He has finished writing the letter just now. ➡ **(正) He finished writing the letter just now.** **ポイント** 「たった今、彼は手紙を書き終えた。」副詞語句 just now は**過去形**だけに使える。**ago, yesterday, the other day, last night などの副詞語句は過去形のみに使える**。

□**(誤)** I saw him to walk across the road. ➡ **(正) I saw him walk across the road.** **ポイント** 「彼が道路を横切るところを見かけた。」**主語＋動詞(see, hear, feel, watch などの知覚動詞)＋目的語＋動詞の原形**

□**(誤)**He is the man whom I thought would help us. ➡ **(正)He is the man who I thought 〜** **ポイント** 「彼は我々を助けてくれると私が思っていた人だ。」**この場合 I thought は挿入語句。よって who は would help us の主語**になっている。

## 2 重要構文

出題 神奈川・富山・長野　重要度 ★★★

□彼女は賢いだけでなく、美しい。 ➡ She is not only clever but also beautiful. **「not only ～ but also … ～ばかりでなく … も」**

□急ぎなさい、そうすればバスに乗れますよ。 ➡ **Make haste, and** you'll catch the bus. **命令文＋ and の構文。「～しなさい、そうすれば …」**

□急ぎなさい、さもないとバスに間に合いませんよ。 ➡ **Make haste, or** you'll be late for the bus. **命令文＋ or の構文。「～しなさい、さもないと …」**

□これがあなたのためにできるすべてのことです。 ➡ **This is all** (that) I can do for you. that は省略可。

□病気になって初めて健康の大切さがわかる。➡ We do not know the importance of health until we lose it. **「not … until ～　～して初めて … する」**

□私を見るとすぐに、彼は逃げ出した。 ➡ **On** seeing me, he ran away. **「on ～ ing　～するとすぐに」＝ As soon as he saw me, ～**

□彼は英語が話せない、ましてフランス語はなおさら話せない。 ➡ He cannot speak English, **much less** French. **「much less ～まして～でない」**

□彼女は歌手というよりはむしろ女優である。 ➡ She is **not so much** a singer **as** an actress. **「not so much ～ as … ～というよりは …」**

### 無生物主語

□大雪で学校へ行けなかった。 ➡ A heavy snow **kept** us **from** going to school. **keep ＋目的語＋ from ＋動名詞「… が～するのを妨げる」**

□このバスに乗ればその病院に行けますよ。 ➡ This bus will **take** you to the hospital. **take ＋目的語「連れて行く」（逆は bring で「連れて来る」）**

### 比較の表現

| | |
|---|---|
| no more than | たった（＝only） |
| no less than | ～も（＝as much as, as many as） |
| not more than | せいぜい（＝at most） |
| not less than | 少なくとも（＝at least） |

**確認テスト** 空欄に適語を入れよ。（解答P.50）

**He is the last person to tell a lie. ＝ He is (　) but a liar.**

**ポイント** 無生物主語の文は、英文の目的語を主語にして訳してみよう

英語
# 03 ことわざ・名言

日付 ／

頻出度 B

●ことわざは、直訳するのではなく、日本語でそれにあたることわざに意訳すること。
●名言は、歴史上の人物の言葉を確認しておくことが大切。英語圏以外の人物の言葉も英訳で出題されるので注意。

## 1 ことわざ

重要度 ★★

**キーワードが重要** 直訳ではなく、意訳することでことわざになる。

- ☐ **All work and no play make(s) Jack a dull boy.** ➡「よく学び、よく遊べ」
- ☐ **All is well that ends well.** ➡「終わり良ければすべて良し」
- ☐ **A bird in the hand is worth two in the bush.** ➡「明日の百より今日の五十」
- ☐ **A rolling stone gathers no moss.** ➡「転石苔を生ぜず」
- ☐ **Slow and steady wins the race.** ➡「急がば回れ」
- ☐ **There is no accounting for tastes.** ➡ **「蓼《たで》食う虫も好き好き」**
- ☐ **Too many cooks spoil the broth.** ➡「船頭多くして船山に上る」
- ☐ **It's no use crying over spilt milk.** ➡ **「覆水盆に返らず」**
- ☐ **Do in Rome as the Romans do.** ➡「郷に入っては郷に従え」＝ When in Rome do as the Romans do.
- ☐ **Where there is a will, there is a way.** ➡ **「精神一到何事か成らざらん」**
- ☐ **Even Homer sometimes nods.** ➡「弘法も筆の誤り」

**ことわざの英語説明**

- ☐ **You cannot make an omelette without breaking eggs.**「蒔《ま》かぬ種は生えぬ」➡ You cannot achieve something important without causing a few small problems.
- ☐ **Birds of a feather flock together.**「類は友を呼ぶ」(a ＝ same) ➡ People of the same sort are found together.
- ☐ **Rome was not built in a day.**「ローマは１日にして成らず」➡ Difficult things cannot be done very easily.

 P.49の確認テストの解答 (anything) 彼は決してうそはつきません。

# 2 名言

重要度 ★★



## 思想家の名言

□ **I know nothing except the fact of my ignorance.** ➡「私は自分が無知であること以外何も知らない」ギリシャの哲学者**ソクラテス**の言葉。

□ **Knowledge itself is power.** ➡「知識は力なり」16～17世紀の英国の哲学者、政治家**フランシス・ベーコン**の言葉。

□ **Man was born free, and everywhere he is in chains.** ➡「人は皆自由な身で生まれてくるが、世のしがらみにがんじがらめにされてしまう」18世紀のフランスの教育思想家**ジャン・ジャック・ルソー**の言葉。

□ **What do I know?** ➡「私は何を知るか」**モンテーニュ**『エセー』内の言葉。

□ **It is better to be a human being dissatisfied than a pig satisfied.** ➡「満足した豚であるより満足しない人間である方がいい」19世紀英国の哲学者**J.S.ミル**の言葉。

□ **I think, therefore I exist [am].** ➡**「我思うゆえに我在り」**17世紀フランスの哲学者**ルネ・デカルト**の言葉。

□ **You cannot teach a man anything; you can only help him (to) find it within himself.** ➡「人にものを教えることはできない。ただその人が自分の努力でそれを見つける手助けをするにすぎない」16～17世紀イタリアの物理学者・天文学者**ガリレオ・ガリレイ**の言葉。

□ **The mediocre teacher tells. The good teacher explains. The superior teacher demonstrates. The great teacher inspires.** ➡**「平凡な教師は語る。良い教師は説明する。優れた教師は示す。偉大な教師は励ます」**20世紀アメリカの哲学者**W.A.ワード**の言葉。

## 有名人の名言

□ **Boys, be ambitious!** ➡**「少年よ、大志をいだけ」W.S.クラーク博士**(1826～1886)札幌農学校(現北海道大学)初代教頭。

□ **government of the people, by the people, for the people...** ➡**「人民の、人民による、人民のための政治…」**1863年ペンシルベニア州ゲティスバーグで行われた**リンカン大統領の演説**からの一節。14世紀ジョン・ウィクリフの翻訳した聖書の序言に載った文言の一部といわれる。

□ **Live as if you were to die tomorrow. Learn as if you were to live forever.** ➡「明日逝くかのごとく生き、永遠に生きるかのごとく学べ」**M.ガンジー**(1869～1948)インド独立の父。

**ポイント 教育史関連人物の言葉に要注意**

英語

# 04 会話

日付 ／

頻出度 A

●会話文は、毎年ほとんどの自治体で出題されている。
●簡単な英文でも会話独特の言い回しがあるので、慣れておくことが求められる。

## 1 場面に応じた会話

★超頻出★　重要度 ★★

### 教室英語

会話は言葉のキャッチボール。場面に応じた表現を身につけよう。

□ **I'll call the roll.** ➡ **出席を取ります。**

□ **Hand out** the papers. ➡ プリントを**配ります。**

□ **It's your turn.** ➡ **あなたの番です。**

□ Who is absent today? ➡ 欠席者はだれですか。

□ Raise your hand if you know the answer.
➡ 答えがわかった人は、手を挙げなさい。

□ You've done a good job. ➡ よくできました。

□ **That's all for today.** ➡ **今日はこれで終わりです。**

### 電話

□ I'd like to talk to Mr. Smith. ➡ スミスさんをお願いします。

□ **Who's calling?** ➡ **どちらさまですか。**

□ Hold on, please. ➡ しばらくお待ちください。

□ **May I take your message?** ➡ **伝言を承りましょうか。**

□ Will you take a message? (Can I leave a message?) ➡ 伝言をお願いできますか。

□ **You are wanted on the phone.** ➡ **あなたに電話ですよ。**

### 郵便局

□ I'd like to send this letter by **registered mail.** ➡**書留**でお願いします。

□ I'd like four 50 cent stamps and five cards, please. ➡ 50セント切手４枚とはがきを５枚ください。

□ **What's the postage** for these letters to France? ➡ フランスまでの**郵便料金はいくら**ですか。

### 道を尋ねる

□ **Is this the right way to** the museum? ➡ 博物館までは**この道でいいでしょうか。**

□ **Go straight until** you come to Aoyama street. ➡ 青山通り**までまっすぐ**行ってください。「Go straight until ～　～までまっすぐ進む」

□ It's **within a walking distance**. ➡ **歩ける距離**です。

□ **Turn** (**to the**) **right** at the third corner, and you will find it on your left. ➡ 3番目の角を**右に曲がる**と、左側にありますよ。

### ショッピング

□ What floor are men's ties (on)? ➡ 紳士用のネクタイは何階ですか。

□ What time do you open? ➡ 開店時間は何時ですか。

□ **What's your day off?** ➡ **いつがお休みですか。**

□ **I would like to try this on.** ➡ **試着したいのですが。**

□ I think this is too loose for me. ➡ 少しゆるすぎます。

## 2 適切な対応　★超頻出★　重要度 ★★★

□「**Would you pass me the salt?**」「Yes, here it is.」➡「**塩を取ってくださいませんか**」「はい、どうぞ」

□「**May I** use your dictionary?」「**Sure. Be my guest.**」➡「あなたの辞書を使っても**いいでしょうか**」「**もちろんです。どうぞ**」

□「I'm sorry to have kept you waiting so long.」「That's all right.」➡「長いことお待たせして申しわけありません」「かまいませんよ」

□「Could you tell me where the post office is?」「I'm sorry. **I'm a stranger here.**」➡「郵便局はどこにありますか」「すみません、**私もこの辺は初めてです**」

□（電話で）「May I speak to Mr. Smith?」「I think you have the wrong number.」➡「スミスさんいらっしゃいますか」「お間違いになられたようですよ」

□「**Do you mind if I sit here?**」「**No, not at all.**」➡「**ここに座ってもかまいませんか**」「**ええ、どうぞ**」"Yes"では「だめです」の意味になる。

□「I saw Tom in front of the bookshop yesterday.」「**No way!** He's been in a hospital now.」➡「昨日、トムを本屋の前で見かけたよ」「**まさか！**彼は今、入院しているよ」

**ポイント** Could you? やWould you? は丁寧表現

英語

# 05 長文読解

日付
／

頻出度
A

●自治体によって問題文の長さ、難易度に差があるので注意。自分が受験する自治体の過去問を確認しておこう。
●400語以上の長文が出題されるときもあるので、速読できるようにすることが必要。

## 1 内容把握・和訳

★超頻出★　重要度 ★★

### 日本文化、祝日の説明

□俳句 ➡ **This is poetry structured in the set form of 17 syllables.** It can express the beauty of nature and the depths of the human heart in a brief form. 「**17文字からなりたつ**。自然の美や人の心の深みを簡潔に表現する。」

□七夕 ➡ A star festival when a boy star and a girl star meet once a year at **the Milky Way**. 「男女の星が１年に一度**天の川**で出会う。」

□囲碁 ➡ It is one of typical Japanese indoor games. It is played by two persons using a square “*go* board” with a grid. 「日本の代表的なゲームのひとつ。格子がひかれている碁盤を用いて２人で対戦する。」

□『おくのほそ道』の冒頭部分 ➡ The months and days are the travelers of eternity. 「月日は百代の過客にして～」

### 環境時事

□英文和訳 ➡ In Britain, most households have only one rubbish bin. After eating, any leftover food **is thrown away in that bin**. After drinking, bottles are thrown away in the same bin, along with anything else that needs to be discarded. So imagine the shock and confusion of a British tourist in Japan as they **are confronted with** a whole array of bins and procedures. 「英国のほとんどの家庭はゴミ箱がひとつしかない。食後、残飯は**そのゴミ箱に廃棄される**。飲み終わると、ビンは同じゴミ箱に捨てられる。その他のゴミも同様である。日本で英国人旅行者が、ゴミ箱の列と処分方法を**目の当たりに**したときの衝撃と混乱を想像してみよう。」

## 2 要旨把握・文章整序 ★超頻出★ 重要度 ★★



□要旨を日本語でまとめなさい。

➡ In many Japanese high schools, students are using personal computers in classroom to promote communication with high schools around the world. The use of computer in education in Japan is **still behind the U.S. and Europe**.

**答**：多くの日本の高等学校では、世界中の高等学校とコミュニケーションをとるために、クラスでパソコンを使っている。日本の教育におけるコンピューターの使用は**まだ欧米に遅れている**（意訳）。

□次の文章を正しく並べ替えよ。

➡ But cancerous cells don't know they are sick, and continue to grow and copy themselves. ／ This is because it is unlike any other disease. ／ Normally, when a cell becomes sick, it commits suicide by shutting itself down. ／ Any scientist will tell you that there are no “magic bullets” in the fight against cancer.

**答**：Any scientist will tell you that there are no “magic bullets” in the **fight against cancer**. **This is because** it is **unlike any other disease**. Normally, when a cell becomes sick, it **commits suicide** by shutting itself down. **But** cancerous cells don't know they are sick, and **continue to grow and copy themselves**. **理由や逆接の接続語に着目する！**

**訳**：科学者はだれもが、**ガンと闘う**「魔法の薬」はないというだろう。**というのは、**ガンは**他の病気とは異なる**からだ。通常、細胞が病気になると、他の細胞との関係を絶つことで**自滅する**。**しかし、**ガン細胞の場合は自らが病気になっていることに気づかずに**増殖し続ける**。

□英文を読み、なぜクラス中が笑ったか、その理由を書きなさい。

➡ Tom often forgets school homework. One day, he forgot his homework. The teacher asked him, “Why do you come to school?” Tom answered, “Well, this reason is … school doesn't come to me.” The class burst into laughter.

**答**：宿題を忘れたトムに、なぜ学校へ来るのかと尋ねた教師に対してトムが「学校がぼくの家に来てくれないから」と答えたから。

**ポイント** 主語や述語を見極める力と一般知識が必要

日本史 01

# 原始・大和時代

日付 ／

頻出度 A

●縄文時代と弥生時代の違いをよく理解しよう。
●大化の改新後、律令制の確立までの流れについて理解しよう。

## 1 原始時代　重要度 ★★

### 社会

□**旧石器時代** ➡ **土器のない時代**。**ナウマン象**や**オオツノジカ**などの動物が生息。狩猟・採集の生活。群馬県の**岩宿遺跡**が有名。

□**縄文時代** ➡ **縄文土器**を使用。狩猟・採集の生活。竪穴住居。**身分差・貧富の差はない**。東京都の**大森貝塚**、青森県の**三内丸山遺跡**が有名。

□**弥生時代** ➡ **弥生土器**を使用。**稲作**による定住生活。竪穴住居や**高床倉庫**が作られた。外敵から守る**環濠集落**《かんごうしゅうらく》に居住。佐賀県の**吉野ヶ里遺跡**が有名。金属器として、**銅鐸**《どうたく》・**銅剣**・**銅矛**《どうほこ》・**銅戈**《どうが》など使用。鉄器も農具として使用。

□**小国分立** ➡ 弥生時代には100余りの小国が分立していた。その後3世紀には**卑弥呼**《ひみこ》を女王とする**邪馬台国**《やまたいこく》が存在した。

| | |
|---|---|
| 縄文土器 | 黒褐色・茶褐色。低温で焼いたので、厚くてもろい。 |
| 弥生土器 | 赤褐色。高温で焼いたので、薄くて硬い。壷型が多い。 |

## 2 大和時代　重要度 ★★★

### ヤマト政権

□**氏姓制度** ➡ 大王《おおきみ》が豪族に**姓**《かばね》を与え、政治的な地位を保証し、政権の職務を担当させて中央集権化を図る制度。豪族の血縁的な結びつきを**氏**《うじ》という。

□**私地私民** ➡ ヤマト政権下の土地制度。朝廷は直轄地の**屯倉**《みやけ》、豪族は私有地の**田荘**《たどころ》を所有し、朝廷は名代・田部・子代、豪族は部曲《かきべ》を支配。

□**朝鮮半島との接触** ➡ 4世紀、倭（日本）と**高句麗**が交戦した記録が**好太王碑**《こうたいおうひ》に記されている。北部に高句麗、南部に新羅、百済、伽耶（任那）があった。

□**古墳文化** ➡ 大王や豪族の墓を古墳といい、前方後円墳として**大仙陵古墳**《だいせんりょうこふん》が有名。周囲には魔除けとして**埴輪**《はにわ》が置かれた。

□**大陸文化の伝来** ➡ 5世紀に漢字、6世紀に百済から仏教と儒教が伝来。

## 厩戸王《うまやとおう》(聖徳太子)の政治　重要!

□**冠位十二階** ➡ 才能に応じた人材登用制度。世襲制を打破した制度。

□**憲法十七条** ➡ 仏教思想を基調とした役人の心構え。

□**遣隋使**の派遣 ➡ 小野妹子などを**隋**《ずい》に派遣し、大陸の制度や文化を摂取。

□**飛鳥文化** ➡ 初めての仏教文化。法隆寺、法隆寺金堂の**釈迦三尊像**、法隆寺玉虫厨子《たまむしのずし》など。

## 大化の改新と律令国家建設　重要!

□**大化の改新** ➡ 645年、**中大兄皇子**と中臣鎌足が蘇我蝦夷《えみし》・入鹿《いるか》を滅ぼし(乙巳《いっし》の変)、元号を大化と定め、難波に遷都。翌646年、改新の詔を発表。

□**公地公民** ➡ 私地私民を廃止し、国が土地と民を支配。6歳以上の男女に**口分田**を与え、耕作させる**班田**《はんでん》**収授法**を実施。

□**白村江の戦い** ➡ 663年、**百済**救済のため朝鮮半島に出兵した日本軍は、**新羅**と唐の連合軍と戦い、敗れた。

□**天智天皇**の政治 ➡ 667年、中大兄皇子は**大津宮**《おおつのみや》に遷都し、即位して翌年**天智天皇**となった。**近江令**の発布や庚午年籍《こうごねんじゃく》*1を作った。

□**天武天皇**の政治 ➡ **天智天皇**の死後、672年、**壬申**《じんしん》**の乱**で勝利した大海人皇子は翌年即位し、**天武天皇**となり、**飛鳥浄御原宮**《あすかきよみはらのみや》に遷都した。

## 大宝律令と統治機構　重要!

□**大宝律令の制定** ➡ 701年、刑部《おさかべ》親王と**藤原不比等**《ふひと》らによって大宝律令が制定。これは唐の政治制度に学んだもので、**律**とは刑法、**令**とは行政法・民法に相当するものである。

| [中央] | [地方] |
|---|---|
| 神祇官(祭祀を司る) | 国司－郡司－里長 |
| 太政官(一般政務を司る)－八省(大蔵省など) | |

□**重税と農民の負担** ➡ 農民には口分田を耕作させ稲を納めさせる**租**、労役の代わりに布を納めさせる**庸**、特産物などを納めさせる**調**、60日以下の労役をさせる**雑徭**《ざつよう》などの重税を課した。

□**兵役** ➡ 成人男子には兵役も課せられ、まず地方の**軍団**で訓練を受け、一部は都の警備をする**衛士**《えじ》、九州北部を守る**防人**《さきもり》*2として派遣。

□**白鳳文化** ➡ 7世紀後半から8世紀初頭の仏教文化。国家が運営する官寺が建立。**薬師寺東塔**、**高松塚古墳**の壁画、**興福寺仏頭**などが有名。

用語
*1　庚午年籍…日本で初めて作成された戸籍。
*2　防人…九州までの旅費や食費などは自己負担であった。

覚　白村江、くだら(百済)ないけど助けよう!

日本史

# 02 奈良・平安時代

日付 ／

頻出度 A

●奈良時代については、国分寺や大仏が建立された背景（鎮護国家思想・遣唐使など）を知ろう。
●平安時代については、摂関政治や荘園の発展に注目しよう。平安時代後半の武士の発生も重要。

## 1 奈良時代

出題 長野　重要度 ★★★

### 政治　重要!

□**平城遷都** ➡ 710年、**元明天皇**が平城京に遷都し、唐の**長安**を模した都城を建設。

□**聖武天皇の政治** ➡ 長屋王の変など皇族と**藤原氏**の抗争が続いたので、聖武天皇は**鎮護国家**思想に基づき、全国に**国分寺**・**国分尼寺**を建て、その本山を**東大寺**とし、そこに大仏を建立。

### 遣唐使と鑑真

□**遣唐使** ➡ 630年以来、遣唐使が派遣された。奈良時代は15～20年ごとに派遣されたが、「天の原ふりさけ見れば春日なる三笠の山に出でし月かも」の歌で有名な**阿倍仲麻呂**のように唐で客死した者もいた。また唐からも僧**鑑真**《がんじん》が苦難の末、来日し、奈良に**唐招提寺**《とうしょうだいじ》を建立。

### 公地公民の崩壊と荘園の発生　重要!

□**荘園の発生** ➡ 重税に苦しみ、**口分田**《くぶんでん》を捨て逃亡する農民が増加した。そこで国は723年、**三世一身法**を発布し、条件付で私有地を認めたが、効果が見られず、743年、**墾田永年**《こんでんえいねん》**私財法**を発布し、土地の永久私有を認め、公地公民は崩れていった。これによって、貴族や寺社は農民の捨てた土地を吸収して、経営を行った。これが**荘園**（権力者の私有地）の発生となった。初期の**荘園**の形態を**墾田地系荘園**という。

| | |
|---|---|
| 三世一身法 | 新しい土地を開墾すれば、三世代は私有地として認め、古い土地を再開墾すれば、本人一代に限り私有を認める。 |
| 墾田永年私財法 | 開墾した土地の永久私有が認められる。 |

□**天平文化** ➡ 唐の文化を受けた国際色豊かな文化。『古事記』『日本書紀』などの歴史書や最古の和歌集『**万葉集**』が編纂された。また校倉造《あぜくらづくり》で有名な**東大寺正倉院宝庫**が建立。

## 2 平安時代

重要度 ★★★

### 政治 重要!

□**桓《かん》武《む》天皇**の政治 ➡ 794年、**桓武天皇**は長岡京から**平安京**に遷都。坂上田村麻呂を**征夷大将軍**に任じて蝦夷を征伐させた。また軍団を廃止し、**健児《こんでい》の制**[*1]を定めた。

□藤原氏の**摂関政治** ➡ 藤原氏は自分の娘を天皇に嫁がせ、天皇と外戚関係になって、**摂政**と**関白**の重職を独占し、権力を握る**摂関政治**を行った。特に11世紀前半の**藤原道長**・頼通父子は絶大な権力を握った。「この世をば我が世とぞ思ふ望月の欠けたることもなしと思へば」という歌が道長の権勢を物語っている。

| | |
|---|---|
| **摂政** | 天皇が幼いときに補佐する役職。**藤原良房**が藤原氏最初の**摂政**。 |
| **関白** | 天皇が成人してから補佐する役職。**藤原基経**が最初の**関白**。令外官。 |

□**院政** ➡ 上皇(天皇を退位した人)が行う政治。11世紀後半から約1世紀続いた。白河上皇、鳥羽上皇、後白河上皇が行った。

□**武士の台頭**と**平氏の政治** ➡ 10世紀以降、地方で武士の反乱[*2]や戦争が起こり、1159年、平治の乱で勝利した**平清盛**が実権を握った。天皇と外戚関係になり、一族で高位高官を占めた。また**大《おお》輪《わ》田泊《だのとまり》**を修築し、**日宋貿易**の振興に努めた。

### 寄進地系荘園の発生 重要!

□**律令体制の崩壊**と**国司《こくし》の横暴** ➡ 10世紀以降、律令体制は崩れ、地方からの税が滞った。そこで**国司**の権限を強化し、一定の税を請け負わせた。**国司**は裕福な農民である開発領主に不当な課税をして私腹を肥やすようになった。

□**寄進地系荘園**の発生と特権 ➡ 開発領主は有力な寺社や貴族に土地を寄進し、代わりに**国司**の不当な行為から保護されるようになった。こうして権力者に**荘園**が集中し、**不輸の権**(税を払わなくてもよい)・**不入の権**(役人の立ち入り検査ができない)などの特権を得た。

### 文化

□**最澄**と**空海** ➡ 最澄と空海は唐に渡り、帰国後、最澄は**天台宗**を、空海は**真言宗**を開いた。

□**国風**文化 ➡ 10世紀以降の和風の文化。

**用語**
＊1　健児の制…農民に代わり、郡司の子弟を兵にする制度。
＊2　武士の反乱…承平・天慶の乱や前九年合戦・後三年合戦などがある。

ゴロ なくよ(7 9 4)うぐいす平安京

日本史 03

# 鎌倉・室町時代

日付 ／

頻出度 A

●鎌倉幕府については、その仕組みや執権政治の流れをつかもう。
●室町時代については、建武の新政から南北朝時代への流れ、守護大名や惣村の変化などをおさえよう。

## 1 鎌倉時代

出題 神奈川・兵庫　重要度 ★★★

### 政治　重要!

□**鎌倉幕府の成立**と**機構** ➡ 1185年、**壇の浦の戦い**で平氏を倒した**源頼朝**は、朝廷より守護・地頭の任命権を得た。1192年、**征夷大将軍**に任命され、東国の支配権を得た頼朝は、**鎌倉幕府**を開いた。

□**封建制度** ➡ 将軍と**御家人**による土地を媒介とした主従関係。将軍の御恩に対し、御家人は奉公して仕える。

| |
|---|
| **初期の幕府機構**<br>**中央**：侍所（御家人の統制）・公文所（のちに政所。一般政務）・問注所（司法）<br>**地方**：守護・地頭・京都守護（承久の乱後、六波羅探題に代わる） |

□**執権政治** ➡ 源氏が三代で絶え、北条氏が**執権**（将軍の補佐役）政治を行う。**北条時政**（13人の合議制）・**北条義時**（承久の乱）・**北条泰時**（連署・評定衆・**御成敗式目**の制定）・**北条時頼**（引付衆の設置）・**北条時宗**（蒙古《もうこ》襲来（元寇））・**北条貞時**（得宗専制政治・**永仁の徳政令**）

### 鎌倉仏教

| |
|---|
| ●**浄土宗**（法然）、●**浄土真宗**（親鸞）、●**時宗**（一遍）、●**日蓮宗**（日蓮）、●**臨済宗**（栄西）、●**曹洞宗**（道元） |

### 産業

□農業 ➡ **二毛作**・**牛馬耕**（畿内・中国地方）

□商業 ➡ **三斎市**（月3回）・**見世棚**（常設店）・**座**（商人・職人の組合）・**借上**（高利貸業）・**問丸**

6人の執権の名前と順番をしっかり覚えよう

## 2 建武の新政

重要度 ★★

□**後醍醐天皇**の政治 ➡ 後醍醐天皇は、楠木正成や足利尊氏の協力で、1333年、鎌倉幕府を倒し、天皇親政による**建武の新政**を行った。

## 3 南北朝の争乱と室町幕府

出題 滋賀　重要度 ★★★

### 政治

重要!

□**北朝**と**南朝** ➡ **足利尊氏**は、持明院統*1の光明天皇を擁立し、**北朝**が成立。一方、大覚寺統の**後醍醐天皇**は吉野に移り、**南朝**を樹立。両者は約60年間争った。これを**南北朝時代**という。

□**室町幕府**の成立 ➡ 1338年、南北朝の争乱の中、足利尊氏は北朝から**征夷大将軍**に任じられ、京都に**室町幕府**を開いた。

□**南北朝**の合一 ➡ 3代将軍**足利義満**は、1392年、**南北朝**を合一し、幕府政治の基盤を強化。幕府の組織は鎌倉幕府のものをほぼ踏襲したが、独自のものもあった。また、**明**と国交を結び、**勘合符**を用いた**朝貢貿易**を行った。のち有力な守護大名が交易権を得るようになった。

| | |
|---|---|
| **管領** | **将軍**の補佐役。有力守護の**細川**・斯波・**畠山**(三管領)が担当。 |
| **鎌倉公方** | 関東地域を管理する鎌倉府の長官。**足利氏**が担当。 |
| **関東管領** | 鎌倉公方の補佐役。有力守護の**上杉氏**が担当。 |

### 社会

□**守護大名の権限拡大** ➡ 義満亡き後、幕府の力は弱まり、有力な守護大名が地方で力を伸ばした。**守護請**や半済令《はんぜいれい》*2などの権限を得て、領国を支配するようになった。

□**惣村**《そうそん》と**徳政一揆** ➡ 農民は**惣村**という自治的な村を作り、警察権や司法権も得ていた。彼らは金貸しの酒屋・土倉に対する借金の帳消しを求めて、**徳政一揆**を行った。正長の徳政一揆や嘉吉の徳政一揆などが有名。また土着の武士による**国人一揆**や一向宗による**一向一揆**も起きた。

### 産業

□**農業** ➡ 二毛作・牛馬耕(全国に広まる)

□**商業** ➡ **六斎市**(応仁の乱以降)、**酒屋**・**土倉**(高利貸)、**問屋**(問丸が発展したもの)、**馬借**《ばしゃく》・**車借**《しゃしゃく》(運送業者)

### 文化

□**北山文化** ➡ 3代将軍**足利義満**の時の文化。鹿苑寺《ろくおんじ》**金閣**の建立、**観阿弥**・**世阿弥**による能楽の大成。

□**東山文化** ➡ 8代将軍**足利義政**の時の文化。慈照寺《じしょうじ》**銀閣**の建立など。

用語
*1　持明院統…鎌倉末期の皇族の血統で、大覚寺統と皇位を争った。
*2　半済令…徴収した年貢の半分までを軍事費に充てられる権限。

覚 北は満金、東は政銀(北山・義満の金閣、東山・義政の銀閣)

日本史 04

# 戦国・安土桃山時代

日付 ／

頻出度 A

●戦国大名の分国支配や、鉄砲・キリスト教伝来の意味を理解しよう。
●織田信長と豊臣秀吉の政策の違いを把握しよう。

## 1 戦国時代

出題 滋賀　重要度 ★★★

### 政治

□**応仁の乱** ➡ 1467年、8代将軍**足利義政**の後継者をめぐり、有力守護の山名持豊と細川勝元が対立、**応仁の乱**が起こった。これ以降、下の者が上の者を実力で倒す**下克上**の風潮が顕著となり、**戦国時代**が始まった。

□**戦国大名の分国支配** ➡ 分国法や指出検地などで支配。

| | |
|---|---|
| 分国法 | 喧嘩両成敗や連座制を定めている。甲州法度之次第など。 |
| 指出検地 | 家臣や農民に土地状況を自己申告させるもの。 |
| 貫高制 | 銭高で家臣の土地や身分を保証し、それに見合う軍役を課す制度。 |

### 鉄砲とキリスト教の伝来　重要!

□**鉄砲伝来** ➡ 1543年、ポルトガル人が**種子島**《たねがしま》に漂着し、鉄砲を伝えた。その後、鉄砲は国内で作られ、鉄砲に対応した築城法や戦法に変わっていった。

□**キリスト教伝来** ➡ 1549年、イエズス会宣教師**フランシスコ＝ザビエル**が、**鹿児島**にキリスト教を伝えた。

□**キリシタン大名** ➡ 大友義鎮《よししげ》、有馬晴信、大村純忠など、キリスト教を信仰する大名が増えた。

□**天正遣欧使節** ➡ 1582年、イエズス会宣教師**ヴァリニャーニ**の勧めで、4人の少年が**天正遣欧使節**としてローマに派遣。

## 2 安土桃山時代

重要度 ★★★

### 織田信長の政策　重要!

□**産業の振興** ➡ **楽市・楽座**(商業の自由化)の実施、**撰銭令**《えりぜにれい》(貨幣流通の円滑化)の発布

□**宗教対策** ➡ **キリスト教の保護**(信長自身は入信しなかった)、仏教弾圧(**一向宗**や延暦寺など反抗勢力を排除)

## 織田信長の統一事業

桶狭間の合戦(1560) → 足利義昭を奉じて上洛(1568) → 姉川の合戦(1570) → 延暦寺焼打ち(1571) → 将軍義昭追放(室町幕府滅亡・1573) → 長篠合戦(1575) → 石山戦争*1終結(1580) → 本能寺の変(1582年)

## 豊臣秀吉の政策　重要!

□**太閤検地** ➡ 役人を派遣し、土地を調査させ、生産高を**石高**《こくだか》であらわした。**一地一作人**(ひとつの土地に、一人の耕作者の所有を認める)により、従来の**荘園**は消滅し、**石高制**が確立。

□**刀狩** ➡ 農民一揆を防ぐため、農民から刀や槍などの武器を没収。

□**身分統制令** ➡ 武士が農民や商人になったり、農民が武士や商人になったりしないように身分を確定。

□**バテレン追放令** ➡ キリスト教を禁止するため、バテレン(宣教師)を国外追放したが、あまり効果はなかった。

□**朝鮮出兵** ➡ 明国遠征の協力を拒んだ朝鮮に対し、文禄の役(1592~93)と慶長の役(1597~98)の２度出兵したが、うまくいかなかった。慶長の役の最中に秀吉は日本で病死し、撤兵。

## 豊臣秀吉の統一事業

山崎の合戦*2(1582) → 賤ヶ岳の戦い(1583) → 小牧・長久手の戦い(1584) → 九州征伐(島津氏を討つ・1587) → 小田原征伐(北条氏を討つ・1590) → 全国統一 → 文禄の役(1592) → 慶長の役(1597)

## 文化

□**桃山文化** ➡ 安土桃山文化ともいう。織田信長と豊臣秀吉の時代の文化。大名と豪商による豪華絢爛な文化であり、仏教色は薄い。

□**城郭建築** ➡ 大坂城や安土城のような石垣の上に天守閣を載せた城郭が築かれた。

□**障壁画** ➡ 城郭内には豪華な襖絵や屏風画が描かれた。

□**茶道の大成** ➡ **千利休**が茶道を大成。

**確認テスト** 次の①~③に関係ある人物をア~ウの中から選びなさい。(解答P.64)

| | | | |
|---|---|---|---|
| □ ①キリスト教の保護 | ア 豊臣秀吉 | イ 織田信長 | ウ 徳川家康 |
| □ ②応仁の乱 | ア 足利義満 | イ 足利義昭 | ウ 足利義政 |
| □ ③朝鮮出兵 | ア 織田信長 | イ 豊臣秀吉 | ウ 足利義政 |

用語
＊1　石山戦争…一向宗の石山本願寺との抗争。
＊2　山崎の合戦…本能寺の変を起こした明智光秀を討った合戦。

覚 ガン(鉄砲)をとばして種子島

日本史 05

# 江戸時代

日付 ／

頻出度 A

●江戸時代の法令や各身分への統制など、その仕組みを理解しよう。
●江戸時代中期以降の幕政改革の内容を把握しよう。特に三大改革（享保・寛政・天保）は最重要だ。

## 1 江戸幕府の成立

出題 神奈川・滋賀・佐賀　重要度 ★★★

### 政治　重要!

□**関ヶ原の戦い** ➡ 豊臣秀吉の死後、五大老の**徳川家康**と五奉行の**石田三成**が対立し、1600年、**関ヶ原の戦い**が起き、家康が勝利。1603年に家康は征夷大将軍となり、**江戸幕府**を開いた。

□**豊臣家の滅亡** ➡ 幕府を開いても豊臣家は存続していた。家康は**大坂冬の陣**（1614）・**大坂夏の陣**（1615）で、豊臣家を滅ぼし、幕府の政権を確固たるものにした。

□**武家諸法度** ➡ 大名を統制するため、2代将軍**徳川秀忠**が元和令を、3代将軍**徳川家光**が寛永令を出した。これ以降、8代将軍徳川吉宗の時代まで何回か改正令が出された。

□**参勤交代** ➡ 家光が寛永令で定めた制度。大名に国許と江戸とを1年交代で往復させた。交通費や滞在費を使わせ、大名の**経済力**を弱らせるのが目的。

□**禁中《きんちゅう》並《ならびに》公家《くげ》諸法度《しょはっと》** ➡ 朝廷と公家に対する法令。

| | |
|---|---|
| **親藩** | 徳川家の一族。 |
| **譜代** | 昔からの徳川の家臣。 |
| **外様** | 関ヶ原の戦い以降、徳川に味方した大名。 |

幕府の法令、大名の分類、外交政策について理解しよう

### 外交

□**朱印船貿易** ➡ 1635年まで東南アジアで明船と出会貿易を行った。

□**鎖国の完成** ➡ キリスト教禁止の強化は**島原の乱**（**島原・天草一揆**、1637）を招いたが、鎮圧後、**ポルトガル船**の来航を禁止し、**オランダ人**を出島に移して鎖国が完成。鎖国後も中国・朝鮮・オランダとは外交を続けた。

□朝鮮と琉球 ➡ **対馬藩**を朝鮮外交の窓口とした。朝鮮からは親善大使の**朝鮮通信使**が来日するようになった。**薩摩藩**は武力で琉球を支配したが、中国への朝貢は認め、日中両属となった。

## 2 幕政改革

出題 神奈川・滋賀・佐賀　重要度 ★★★

### 幕政改革の流れ

□徳川綱吉の政治 ➡ 武力を背景とした武断政治に代わり、5代将軍**徳川綱吉**は法律や学問で政治をする**文治政治**を行った。湯島聖堂の設立や**生類憐《しょうるいあわれ》みの令**を実施。

□**正徳《しょうとく》の政治** ➡ 綱吉亡き後、**新井白石**は**正徳の政治**を行い、長崎貿易の縮小や正徳小判の鋳造を行った。

□**享保の改革** ➡ 8代将軍**徳川吉宗**が実施。**上米《あげまい》**(大名に米を上納させ、参勤交代の規則を緩和する)、**目安箱**(庶民の意見を集める)、**公事方御定書《くじかたおさだめがき》**(裁判の基準を設ける)、足高の制(人材登用制度)

□**田沼意次《たぬまおきつぐ》**の政治 ➡ **株仲間**(商人の同業組合)の奨励、長崎貿易の奨励、蝦夷地(北海道)の開発計画(実施せず)

□**寛政の改革** ➡ 老中**松平定信《まつだいらさだのぶ》**が実施。**囲米《かこいまい》**(飢饉に備え、米を備蓄する)、旧里帰農奨励令(難民として江戸に来た農民に補助金を与えて帰郷させる)、**棄捐《きえん》令**(旗本と御家人の借金を帳消しにする)

□**天保の改革** ➡ 老中**水野忠邦《みずのただくに》**が実施。**株仲間の解散**、人返しの法(江戸在住の農村出身者を帰郷させる)、**上知令《じょうちれい》**(江戸と大坂周辺の裕福な大名・旗本の領地を直轄地にする計画。批判が多く、実施せず)

## 3 開国から大政奉還へ

出題 神奈川・滋賀・佐賀　重要度 ★★

ペリー来航(1853) → 日米和親条約(1854)・**日米修好通商条約**(1858) → 安政の大獄(1858〜59) → **桜田門外の変**(1860) → 四国艦隊下関砲撃事件(1863) → 八月十八日の政変(1863) → 池田屋事件(1864) → 禁門の変(1864) → 第1次長州征伐(1864) → **薩長同盟**(1866) → 第2次長州征伐(1866) → 15代将軍徳川慶喜就任(1866) → **大政奉還**(1867) → 戊辰戦争(1868〜69)

□**尊王攘夷運動** ➡ 開国後の経済の混乱から**尊王攘夷**(天皇を奉り、外国を排斥する)運動が高まった。大老井伊直弼《いいなおすけ》は**安政の大獄**で尊王攘夷の活動家や反対派の者を弾圧。その結果、**桜田門外の変**で井伊は暗殺された。

□**攘夷**から**討幕**へ ➡ **長州藩**は尊王攘夷を、**薩摩藩**は公武合体を主張していたが、両者とも欧米の力を知り、幕府を倒して欧米の制度や技術を導入して近代国家の建設をめざした。

□**大政奉還** ➡ 武力討幕を避けるため、**徳川慶喜**は政権を朝廷に返還。

覚 株仲間、田沼は奨励、水野は解散

日本史 06

# 明治時代

日付 ／

頻出度 A

●明治時代前半の政府の諸政策や議会政治の確立をおさえておくこと。
●日清戦争から日露戦争までの流れをしっかり理解しておこう。

## 1 明治維新と諸政策

出題 神奈川・長野　重要度 ★★★

### 政治　重要!

□**五箇条の誓文** ➡ 1868年、**明治天皇**は神に誓うという形で天皇親政を表明。また、翌年には東京へ遷都。

□**版籍奉還** ➡ 1869年、版(領地)と籍(領民)を藩主が国家に返上し、**知藩事**として旧領地を管理。

□**廃藩置県** ➡ 1871年、知藩事による旧領地管理は江戸時代と本質的に変わらないため、**藩**を廃して**県**を置き、知藩事を罷免し、中央から**府知事**・**県令**を置いた。

□**徴兵令** ➡ 1873年、富国強兵のため、徴兵令を発布し、満20歳以上の男子に兵役を義務づけた。これにより近代的な兵制の基礎ができた。

□**地租改正** ➡ 1873年、地主の地価を定め、地券を発行し、地価の3%を地租として金納させた。しかし、農民一揆が起きたため、1877年税率を2.5%に引き下げた。

版籍奉還から廃藩置県までの推移、地租改正の意味をつかもう

### 産業

| | |
|---|---|
| 富岡製糸場 | 群馬県富岡に設けた官営模範工場。フランス製機械を導入。 |
| 国立銀行 | 第一国立銀行など紙幣発行権をもつ民間銀行を設置。のち日本銀行が作られ、国立銀行は普通銀行になった。 |

### 士族の特権の廃止　重要!

□**四民平等** ➡ 身分制度を廃止し、苗字の許可や移転の自由等を認めたが、実際は**華族**(公家・大名出身)、**士族**(武士出身)、**平民**(農民や商人など)に分類。

□**秩禄《ちつろく》処分** ➡ 士族に対する秩禄(政府が士族に給付していた給与)を財政難から打ち切った。これにより下級士族の生活が困窮。

□**廃刀令** ➡ 軍人・警官以外の帯刀を禁止。

## 2 士族の反乱と自由民権運動 出題 神奈川・長野 重要度 ★★★

### 士族の反乱 重要!

□士族の反乱 ➡ 佐賀の乱(1874)を皮切りに士族の反乱が続いた。特に**西郷隆盛**が起こした**西南戦争**(1877)は最大の反乱。

### 自由民権運動 重要!

□**自由民権運動** ➡ 士族の反乱と同時期に、言論で政治改革を求める自由民権運動が起きた。**板垣退助**は**自由党**を、**大隈重信**は**立憲改進党**を創設し、自由民権運動を推進。

□運動の衰退 ➡ 福島事件や秩父事件など運動は激化し、武力闘争になった。**秩父事件**の直前には自由党が解散。**大隈重信**も立憲改進党を離党するなど、運動は衰退。

## 3 対外問題 出題 神奈川・長野 重要度 ★★★

### 条約

□**日朝修好条規** ➡ **江華島《こうかとう》事件**を契機に、1876年に締結。朝鮮にとっては不平等条約。

□**条約改正** ➡ 1894年、**領事裁判権の撤廃**と**関税自主権の一部回復**。1911年、残りの関税自主権を回復し、条約改正に成功。

### 日清戦争 重要!

□**日清戦争** ➡ 1894年、朝鮮で**東学党の乱**(**甲午農民戦争**)が起きたのを契機に、日清両軍が衝突、戦争が勃発。日本が勝利し、**下関条約**を締結。

| |
|---|
| **下関条約** ①朝鮮の完全独立を清国が承認する ②賠償金2億両(テール)の支払い ③遼東半島・台湾・澎湖諸島の割譲 |

□**三国干渉** ➡ **ロシア**・**ドイツ**・**フランス**が遼東半島の返還を要求。日本は応じた。

### 日露戦争 重要!

□**日露戦争** ➡ ロシアが朝鮮に軍事基地を作ったことをめぐり、勃発。日本が勝利し、**セオドア=ローズヴェルト米大統領**を仲介に、**ポーツマス条約**を結んだ。

| |
|---|
| **ポーツマス条約** ①朝鮮に対する指導権の承認 ②南樺太の割譲 ③賠償金の支払いはない(結果として、日比谷焼打ち事件が起きた) |

### 日韓併合

□**日韓併合** ➡ 1910年、大韓帝国が併合され、**朝鮮**と改称され、日本政府は**朝鮮総督府**を設置し、1945年まで日本の植民地にした。

**ポイント** ポーツマス条約では、賠償金はありません

日本史 07

# 大正・昭和時代初期

日付 ／

頻出度 A

●大正時代については、大正デモクラシー・第1次世界大戦をおさえておこう。
●第1次世界大戦後は不況が続き、昭和になると、海外に進出したことなどを理解しよう。

## 1 大正時代

重要度 ★★

### 政治　重要!

□**大正政変** ➡ 第３次**桂太郎**内閣に対し、**第1次護憲運動**が起こり、組閣から53日間で総辞職。これを**大正政変**という。

□**第1次世界大戦**と**日本** ➡ 1914年、第１次世界大戦が勃発、日本は**連合国**側に味方して、中国山東省のドイツ軍要塞を攻略。翌年、日本は中国政府に**21カ条の要求**をつきつけた。

寺内・原・加藤高明内閣を中心に大正政治史を覚えよう

□**米騒動** ➡ 大戦中の1918年、米価の高騰から**米騒動**が起こり、**寺内正毅**《まさたけ》内閣は総辞職。

□**原敬**《はらたかし》**内閣** ➡ 寺内内閣に代わり、原敬内閣が生まれた。原内閣は**初めての本格的な政党内閣**として、国民に期待されたが、普通選挙法を施行しなかったため、暗殺され、内閣は総辞職。

□**加藤高明内閣** ➡ 第２次護憲運動によって護憲三派が組閣した政党内閣。1925年に**普通選挙法**と**治安維持法**を成立。

### 経済

| | |
|---|---|
| **大戦中** | 造船業を中心に好景気で**大戦景気**となる。 |
| **大戦後** | 輸入に転じ、不況となり、**戦後恐慌**となった。さらに1923年の**関東大震災**で深刻な不況となった。 |

### 対外問題

□**国際連盟への加盟** ➡ 戦勝国の日本は常任理事国になった。

□**反日運動** ➡ 1919年、朝鮮で**三・一運動**、中国で**五・四運動**が起こった。

## 2 昭和時代初期

出題 秋田　重要度 ★★★

### 政治と大陸進出　重要!

□**満州事変** ➡ 1931年、**柳条湖**《りゅうじょうこ》**事件**を起こして、日本軍は満州へ出兵。これによって満州事変が勃発、満州を占領して、翌年、**満州国**を樹立。しかし、**国際連盟**からは撤兵などの勧告を受けたので、1933年、日本は国際連盟を脱退。

### 軍部の台頭　重要!

| | |
|---|---|
| **五・一五事件** | 1932年、犬養毅首相が海軍将校らに暗殺された。 |
| **二・二六事件** | 1936年、皇道派[*1]の将校らが兵士を連れ、政府高官を殺害、永田町一帯を占拠。 |

### 日中戦争と戦時体制　重要!

□**日中戦争の勃発** ➡ 1937年、**盧《ろ》溝《こう》橋《きょう》事件**を契機に日中戦争が勃発、戦火は拡大し、日本軍は南京を占領。

□**国家総動員法**の発令 ➡ 戦争の長期化を見越して、政府は1938年**国家総動員法**を発令し、国民の言論や経済を厳しく統制した。

□**第２次世界大戦の勃発** ➡ 1939年、ヨーロッパで第２次世界大戦が勃発したが、当初日本は関与しない方針だった。

### 近衛内閣と南進政策　重要!

□**第２次近衛文麿内閣** ➡ 1940年**日独伊三国同盟**を結び、米英を仮想敵国とし、**東南アジア**へ進出して資源確保を図る南進政策を打ち出した。そのため、北部**仏印**(フランス領インドシナ)進駐を行った。また1941年**日ソ中立条約**を結び、北方の脅威を除去。

□**ＡＢＣＤ包囲陣**[*2] ➡ 第３次近衛内閣は、**南部仏印進駐**を行った。これは欧米諸国の反感を買い、**ＡＢＣＤ包囲陣**による対日経済封鎖を断行。つまり、**アメリカ**(Ａ)、**イギリス**(Ｂ)、**中国**(Ｃ)、**オランダ**(Ｄ)が、日本が東南アジアから資源を輸入できないよう遮断したのである。特にアメリカと日本との対立はますます激化。

### 太平洋戦争　重要!

□**マレー作戦** ➡ 近衛内閣に代わり発足した、**東条英機**内閣は、戦争によって打開の道を求め、1941年、陸軍がマレー半島に上陸し、海軍が真珠湾攻撃を行い、**太平洋戦争**が勃発。

□**ミッドウェー海戦** ➡ 当初、破竹の勢いで勝っていた日本もミッドウェー海戦(1942)を契機に敗北が続いていった。

□**ポツダム宣言受諾** ➡ 1945年８月**ポツダム宣言**を受諾、無条件降伏。

**用語**
＊1　皇道派…現状打破・革新をスローガンとする陸軍青年将校たち。
＊2　ＡＢＣＤ包囲陣…東南アジアの多くは欧米諸国の植民地だった。

**ゴロ** 行くよ一発(１９４１)真珠湾！

日本史
# 08 戦後史

日付 ／

頻出度 A

●民主化の内容や日本がどのように国際社会に復帰したのかを見ておこう。
●重要な内閣の特色もおさえておくこと。

## 1 民主化

出題 秋田　重要度 ★★★

### GHQの政策　重要!

□**間接統治** ➡ **GHQ**(連合国軍最高司令官総司令部)は、間接統治によって日本の民主化を進めた。具体的には**五大改革指令**を日本政府に命じて民主化を行った。

| | |
|---|---|
| 婦人の解放 | 女性に参政権を与えた |
| 労働組合の助長 | 労働三法を制定し、労働者の権利を保障 |
| 圧政的諸制度の撤廃 | **治安維持法**など、言論や思想の自由を侵害する法を排除 |
| 経済の民主化 | **財閥解体**と**農地改革**の実行 |
| 教育の民主主義化 | **軍国主義者の教職追放**、修身・歴史・地理の授業停止 |

□**農地改革** ➡ **自作農の創設**を目的に実行。在村地主の農地全部および不在地主の農地の一部を国が買い上げ、小作農に譲る。これによって農村の民主化が進んだ。

□**新しい教育制度** ➡ 1947年、教育基本法制定。同年、学校教育法が制定され、**六・三・三・四制**を導入。また、翌年、地方自治体に**教育委員会**を設置。

## 2 冷戦体制下の日本

出題 秋田　重要度 ★★★

### 朝鮮戦争と日本

□**戦後のアジア** ➡ 日本の敗戦後、中国では**中国共産党**と中国国民党が内戦を始め、1949年、共産党が勝利し、**中華人民共和国**が成立。一方、国民党は**台湾**に逃れ、中華民国政府を継続。朝鮮半島では1948年北に朝鮮民主主義人民共和国、南に**大韓民国**が誕生し、東西の緊張が高まった。

□**朝鮮戦争の影響** ➡ 1950年、**朝鮮戦争**が起こり、日本にも大きな影響を与えた。GHQの指示で、**警察予備隊**(のち保安隊→自衛隊)が作られた。

### 国際社会への復帰　重要!

□**サンフランシスコ平和条約** ➡ 1951年、日本は48カ国とサンフランシスコ平和条約を締結。これによって、ＧＨＱによる占領は終結を迎え、国際社会に復帰。同時に**日米安全保障条約**を締結したので、米軍駐留の継続を認めることになった（吉田茂内閣）。

□**ソ連の反対** ➡ ソ連はこの条約に反対し、調印しなかったので、日本は国際連合にすぐに加盟できなかった。

□**自民党結成**と**55年体制** ➡ 1955年、**自由民主党**が結成され、**55年体制**が生まれた。以降、自民党中心の長期政権が続いた（鳩山一郎内閣）。

□**日ソ共同宣言** ➡ 1956年、**日ソ共同宣言**が調印され、日本は国際連合に加盟（鳩山一郎内閣）。

□**所得倍増計画** ➡ 1960年に組閣した**池田勇《はや》人《と》**内閣は、**国民所得倍増計画**を推進し、高度経済成長を促進させた。

□**佐藤栄作内閣** ➡ 1965年に**日韓基本条約**を締結し、韓国との国交正常化を実現。さらに**ニクソン**米大統領と共同声明を発表し（1969）、**沖縄返還**を達成（1972）。

### 多極化の時代と日本　重要!

> ニクソン米大統領の訪中（1972）　←　中ソ対立の激化
> ↓
> 日中国交正常化（1972）
> （中ソの対立によりアメリカは、ソ連を牽制するため、中国と接近した。
> これを受けて、日本の田中角栄内閣も日中国交正常化に踏み切った）

□**田中角栄内閣** ➡ 日中共同声明を発表し、**日中国交正常化**を行い、**中華人民共和国**を唯一の中国政府として認めた。このため、国交を結んでいた**中華民国**とは国交を断絶。

□**オイルショック** ➡ 1973年に起きた**第４次中東戦争**の影響により、**オイルショック**が起こり、高度経済成長が停滞。

□**中曽根康弘内閣** ➡ 1985年、電電公社・専売公社、1987年に国鉄を民営化し、**ＪＲ**・**ＮＴＴ**・**ＪＴ**が発足。また行政改革や教育改革を推進。

### ポスト冷戦の時代　1989年以降

□**宮沢喜一内閣** ➡ 1992年に**ＰＫＯ協力法案**を可決、カンボジアに**自衛隊**を派遣。

□**細川護煕《もりひろ》内閣** ➡ 1993年に非自民党連立内閣を発足。55年体制は崩壊。

覚 老いる（オイル）ショックで経済おとろえる

世界史

# 01 文明のあけぼの

日付
／

頻出度 **B**

●古代文明の特色を理解しよう。
●ギリシャ文明とローマ文明の相違点をよく把握しておこう。

## 1 古代文明とオリエント世界 重要度★★★

### 古代文明の特色

□**オリエント世界** ➡ オリエントは「日が昇るところ」を意味。**メソポタミア**では**シュメール人**が都市国家を作っていたが、特に**古バビロニア王国**(前18世紀)が栄え、**ハンムラビ王**が作った**ハンムラビ法典**が有名。**エジプト**では紀元前3000年頃に神聖文字、**太陽暦**や測地術を用いる高度な文明が生まれた。

□**アジアの文明** ➡ インドの**インダス川**流域にインダス文明が栄え、ハラッパや**モヘンジョ＝ダロ**などの都市跡の遺跡が有名。中国の黄河流域には**中国文明**が生まれ、最古の王朝の殷《いん》朝では、漢字の起源である**甲骨文字**が使われた。

| 文明名 | 川 | 文字 | 特徴 |
|---|---|---|---|
| **メソポタミアの文明** | チグリス川・ユーフラテス川 | **楔形文字** | ハンムラビ法典・**太陰暦** |
| **エジプトの文明** | **ナイル川** | **神聖文字** | 太陽暦 |
| **インダス文明** | インダス川 | **インダス文字** | **ハラッパ** |
| **中国文明** | 黄河 | 甲骨文字 | **殷朝** |

□**ヒッタイト** ➡ オリエントに初めて**鉄器**をもたらした民族で、エジプトと並ぶ強国。

□**ヘブライ王国** ➡ 紀元前1000年頃、古代パレスティナに**ヘブライ王国**が誕生し、ダビデ王とソロモン王のときに国が栄えた。その後、イスラエルと**ユダ**に分裂したが、イスラエルはアッシリアに滅ぼされ、**ユダ**も新バビロニア王国に征服され、**ユダ**の民は連行。**ユダ**の民がユダヤ教を作った。

□**フェニキア人** ➡ 海洋民族で、カルタゴなどの都市国家を建設。フェニキア人は**フェニキア文字**を使ったが、これが**アルファベット**の起源。

□**アケメネス朝ペルシア** ➡ 紀元前6世紀、**アケメネス朝ペルシア**がオリエントを征服し、勢力を拡大し、ギリシャと戦った(ペルシア戦争)。

## 2 ギリシャとローマ　重要度 ★★★

### ギリシャ　重要!

□都市国家**ポリス** ➡ ギリシャではオリエントの中央集権的な専制国家と異なり、**アテネ**やスパルタなどの都市国家**ポリス**が成立。当初、貴族による共和政だったが、非合法に権力を握る僭主政治が行われた。

□**ペルシア戦争**と直接民主政 ➡ ギリシャはアケメネス朝ペルシアと戦い、サラミスの海戦などで勝利。戦後、無産市民にも参政権が拡大し、成年男子による**直接民主政**が確立。ただし、**女性**や**奴隷**、**外国人**には参政権はなかった。

□**ペロポネソス戦争** ➡ **アテネ**を中心とする**デロス**同盟と、**スパルタ**を中心とする**ペロポネソス**同盟が対立し、戦争となった。スパルタが勝利したが、その後、ギリシャ社会は衰退。

### ヘレニズム時代

□**アレクサンドロス大王** ➡ 前4世紀、マケドニアの**アレクサンドロス大王**は、東方遠征し、**ペルシア**を滅ぼし、ギリシャからインダス川流域に至る大帝国を築いた。のちに分裂して、ローマに滅ぼされた。

□**ヘレニズム文化** ➡ ギリシャ文化とオリエント文化が融合した文化。

### ローマ　重要!

□**平民の身分闘争** ➡ 貴族による共和政だったが、平民が権利を求めて身分闘争を起こし、両者の平等が達成された。そのために法や制度が整えられた。

| | |
|---|---|
| **護民官** | 平民の権利を守るための役人。 |
| **平民会** | 平民の権利を守るための議会。 |
| **十二表法** | 平民の権利を守るための法律。ローマ初の成文法。 |

□**ポエニ戦争** ➡ フェニキア人の植民市カルタゴとの戦争。ローマの勝利。

□**三頭政治** ➡ ポエニ戦争以降、社会格差が広がり、混乱が続いた後、三頭政治が行われた。

| | |
|---|---|
| 第1回三頭政治 | **カエサル**・クラッスス・ポンペイウス |
| 第2回三頭政治 | **オクタヴィアヌス**・**アントニウス**・レピドゥス |

□**帝政時代** ➡ オクタヴィアヌスは、**エジプト**のクレオパトラと組んだアントニウスを倒し、元首政を始めた(**ローマ帝国**)。**トラヤヌス帝**の時代にローマ帝国の領域は最大となった。4世紀末に帝国は東西に分裂。

□**キリスト教の公認** ➡ キリスト教を4世紀初頭に公認し(ミラノ勅令)、4世紀末には**テオドシウス帝**により国教となる。

**ポイント** ギリシャはペルシアに勝って民主政を確立した

世界史
# 02 東アジアの世界

日付 ／

頻出度 B

●中国王朝の名前と順番をしっかり覚えよう。それぞれの政治体制や反乱などもおさえておこう。
●中国史以外では朝鮮史が重要である。大学受験で出題されるインド史や東南アジア史は、近代以外はまず出題されない。

## 1 中国王朝史

出題 長野　重要度 ★★★

### 周～後漢　重要!

□**周の封建制《ほうけんせい》** ➡ 殷《いん》を倒した周は、**封建制**による統治を行った。

□**春秋・戦国時代** ➡ **鉄製農具**や牛耕が普及。**戦国時代**には７つの国が覇権を争って戦った。孔子や孟子などの**諸子百家《しょしひゃっか》**も現れた。

□**秦の郡県制《ぐんけんせい》** ➡ 初めての統一王朝。**始皇帝**が統一。**郡県制**という強力な中央集権国家体制をとり、**貨幣**や度量衡の統一をした。北方民族の**匈奴《きょうど》**に備えて万里の**長城**を築いた。しかし、**法家**による厳しい刑罰、儒教を弾圧する**焚書《ふんしょ》坑儒《こうじゅ》**という思想統制をしたため、**陳勝《ちんしょう》・呉広《ごこう》の乱**が起こり滅亡。

□**前漢の郡国制** ➡ 反乱の中から台頭した**劉邦《りゅうほう》**と項羽《こうう》が争い、**劉邦**が勝って前漢を建国。**郡国制**（中央は郡県制、地方は封建制）による統治。

□**武帝の活躍** ➡ 前漢の全盛期は武帝の時代。匈奴を討ち、**張騫《ちょうけん》**を西域の**大月氏**に派遣し、西域、朝鮮半島、ベトナムまで勢力を伸ばした。また**儒学**を官学とした。

□**後漢の光武帝** ➡ 前漢は王莽によって倒され、**新**が建国されるが、すぐに**赤眉《せきび》の乱**で滅び、再び漢王朝である後漢が誕生。再興した**光武帝**により西域支配を進め、２世紀には**ローマ帝国**からの使者も来訪。しかし、内政が乱れるようになると、**黄巾《こうきん》の乱**という農民反乱が起き、滅亡。

### 三国時代～

□**三国時代** ➡ 後漢の後は魏・呉・蜀の三国時代となり、晋が統一したが、４世紀頃、北方の異民族が侵入して諸王朝が乱立し（五胡十六国時代）、北を異民族の北魏が統一して、**南北朝時代**（南が漢民族の王朝）となった。

□**隋** ➡ ６世紀末、楊堅が南北朝を統一して**隋**を建国。官吏登用試験である**科《か》挙《きょ》**を導入。２代皇帝**煬帝《ようだい》**が大運河の建設を行って農民に重い負担がかかったこと、また、高句麗遠征に失敗したことにより反乱が起こり滅亡。

### 唐～清　重要!

□**唐の建国** ➡ 7世紀初頭、李淵《りえん》が建国、2代**李世民《りせいみん》**が律令体制を導入。隋から**均田制**・府兵制・**租庸調《そようちょう》**制を踏襲し、**都護府《とごふ》**を置いて周辺民族の統治にあたった。

□**玄宗《げんそう》**の開元の治 ➡ 8世紀、玄宗は開元の治を行った。社会変動により、従来の均田制や府兵制がうまくいかなくなったので、**募兵制**や**節度使**など、新しい制度を設けた。

| | |
|---|---|
| 前期 | 均田制・**府兵制**（農民を徴兵）・**租庸調制**（物納）・**都護府**（辺境に置く機関） |
| 後期 | **募兵制**（志願兵）・**節度使**（辺境の防衛） |

□**唐の滅亡** ➡ **安史の乱**や黄巣の乱が続発して唐は衰退し、10世紀初頭、**朱《しゅ》全忠《ぜんちゅう》**が皇帝を廃して唐を滅ぼした。以後全土が混乱（五代十国時代）。

□**宋**の**文治主義** ➡ **趙匡胤《ちょうきょういん》**が宋を建国、科挙官僚による**文治主義**をとった。科挙には最終試験の面接を皇帝自らが行うという**殿試《でんし》**を導入。**王安石《おうあんせき》**が財政改革をしたが、遼や金などの北方民族の脅威にさらされた。**北宋**は金に滅ぼされ、南に南宋を建てた。

□**元**の建国 ➡ 13世紀、チンギス＝ハンはモンゴル民族を統一し、大帝国を築いた。チンギス＝ハンの孫**フビライ＝ハン**は中国に**元**を建国し、南宋を滅ぼした。高麗を属国とし、**日本**にも2度出兵したが、失敗。

□**モンゴル人第一主義** ➡ 漢民族の文化や制度を否定し、**モンゴル人第一主義**をとった。**駅伝制**やパスパ文字の使用などを行ったが、14世紀に**紅巾の乱**が起き、滅亡。

□**明**の建国 ➡ **朱元璋《しゅげんしょう》**が建国。**里甲制《りこうせい》**（郷村制度）・**魚鱗図冊《ぎょりんずさつ》**（土地台帳）・**賦役《ふえき》黄冊《こうさつ》**（租税台帳）などを設けた。

□**永楽帝**の時代 ➡ 明の全盛期は**永楽帝**の時代である。万里の長城を修復し、**鄭《てい》和《わ》**に南海遠征を行わせた。しかし、帝の没後、衰退し、**李自成《りじせい》の乱**で滅亡した。

□**清**の**康熙帝《こうきてい》** ➡ 満州族の**ヌルハチ**が清を建国。**康熙帝**の時代が全盛期で、**ロシア**とネルチンスク条約を結んだ。

□**満漢併用《まんかんへいよう》** ➡ 元と異なり、清は**漢民族**の制度や文化を積極的に取り入れた。官僚の採用にも満州族と漢民族を同数で採用した（**満漢併用**）。ただし漢民族にも満州族の風習である**辮髪《べんぱつ》**を強要。

## 2　朝鮮王朝の流れ　重要度 ★

□**三国**（**高句麗**・**百済**・**新羅**）➡ **高麗** ➡ **李氏朝鮮**

覚 ボクはチャーハン、元はフビライ＝ハン

世界史

# 03 中世ヨーロッパの世界

日付 ／

頻出度 **B**

●中世社会の形成や、ローマ法王の歴史についておさえておこう。
●十字軍の遠征後の社会の変容について理解しよう。これらは次のルネサンス・宗教改革の素地となった。

## 1 ヨーロッパ社会の形成 重要度 ★★★

十字軍の遠征が中世社会の崩壊を招いたことを理解しよう

### フランク王国 重要!

□**ゲルマン民族の大移動** ➡ 5世紀、ゲルマン民族の大移動により**西ローマ帝国**が滅んだ。

□**フランク王国**の誕生 ➡ ゲルマン民族の中から**フランク王国**が生まれた。8世紀にイスラムのウマイヤ朝の軍を**トゥール＝ポアティエ間**で破った。800年には**カール大帝**がローマ教皇より戴冠され、西ローマ帝国が復活。しかし、9世紀に分裂し、フランス、ドイツ、イタリアの原型となった。

### 神聖ローマ帝国 重要!

□**神聖ローマ帝国**の誕生 ➡ 10世紀、**オットー1世**がローマ教皇より戴冠され、**神聖ローマ帝国**を建国。以降、皇帝は**ローマ教皇**の保護者となる。

□**東ローマ**(**ビザンツ**)**帝国** ➡ **ギリシャ正教**を信仰し、皇帝による政教一致の中央集権国家を築いた。15世紀半ばに**オスマン帝国**に滅ぼされた。

| 神聖ローマ帝国 | 東ローマ帝国 |
|---|---|
| ローマ教皇が宗教を、皇帝が政治を行う。諸侯の力が強く、中央集権化できず。 | 皇帝が宗教にも強い権限を発揮。中央集権国家。 |

### 中世の農村

□**領主と教会の二重支配** ➡ 荘園領主は、**農民**と荘園を支配したが、**農民**は教会に対しても納税するなど、二重支配であった。農民は農奴として耕作や納税の義務が課せられ、ほかの地への移転や転職は禁止されていた。荘園には国王の役人の立ち入りや課税の拒否ができる**不輸不入の権**があった。

## 2 教皇の権威の推移 重要度 ★★★

### 教皇の絶対的権力

□**カノッサの屈辱** ➡ 聖職叙任権をめぐり、教皇グレゴリウス7世が神聖ローマ皇帝ハインリヒ４世を屈服させた。

□**インノケンティウス３世** ➡ 第４次十字軍遠征を提唱。教皇権の全盛期。

**教皇権の衰退**

□**教皇のバビロン捕囚** ➡ 十字軍の遠征の失敗から教皇の権威は失墜し、14世紀にはフランス王が南フランスの**アヴィニョン**に教皇庁を設け、教皇を幽閉するという事態となった。ユダヤ人のバビロン捕囚になぞらえて、教皇のバビロン捕囚という。

□**教会大分裂** ➡ 14～15世紀にローマ教皇とアヴィニョンの教皇が対立し、**コンスタンツ公会議**でローマ教皇を正統とした。

## 3 十字軍の遠征

重要度 ★★★

**十字軍の遠征** **重要!**

□**クレルモン公会議** ➡ 11世紀末、聖地イェルサレム*1がイスラム教徒の**セルジューク＝トルコ**に占領されたため、教皇**ウルバヌス２世**が**クレルモン公会議**を開き、**十字軍遠征**を決定。

| | | |
|---|---|---|
| **第1回十字軍** | **イェルサレム**奪回に成功、イェルサレム王国を樹立。 | **宗教的目的** |
| **第４回十字軍** | ビザンツ帝国の**コンスタンチノープル**を攻め、**ラテン帝国**を樹立。 | **商業的目的** |

□**遠征の失敗** ➡ 聖地奪回は失敗し、**ローマ教皇**の権威は失墜した。また北イタリアの商人が**東方貿易**で利益を得て、**貨幣経済**が発展するようになった。これらは北イタリアでルネサンスが始まる要因となった。

## 4 中世社会の崩壊

重要度 ★★★

**百年戦争**

□**百年戦争** ➡ 14～15世紀、イギリス国王のフランス王位継承問題やフランドル地方の領有権をめぐり、**百年戦争**が起きた。その結果、諸侯や騎士が没落し、中世社会の崩壊を促進させた。

□**ばら戦争** ➡ 15世紀、**イギリス**のランカスター家とヨーク家が王位をめぐり起こした戦争。各家の家紋が「ばら」だったので、「**ばら戦争**」という。結果、ランカスター家の一族が**チューダー王朝**を開き、**国王**の権力が強くなり、ますます封建諸侯や騎士は没落していった。

**用語** ＊1　イェルサレム…イスラム教・キリスト教・ユダヤ教の聖地。



覚 カールを巻いたフランク王国

世界史 04

# ルネサンス・絶対王政

日付 ／

頻出度 B

- ●ルネサンス及び宗教改革の意味と背景を理解すること。
- ●各国の絶対王政の代表的な国王と政策を覚えよう。

## 1 ルネサンス

出題 福井　重要度 ★★★

### ルネサンス　重要!

□**その意義と背景** ➡ 古代ギリシャやローマの古典の復興をめざして生まれた芸術運動。**神**中心の世界観から**人間**中心の世界観へ転換した。**北イタリア**が発祥の地。

□**メディチ家** ➡ ルネサンスを支えた大富豪。東方貿易によって巨万の富を得た大商人が芸術家たちのスポンサーとなった。

| | |
|---|---|
| 文学 | **ダンテ**『神曲』(**トスカナ語**)、**ボッカチオ**『デカメロン』、**チョーサー**『カンタベリー物語』、**エラスムス**『愚神礼讃』、**トマス=モア**『ユートピア』 |
| 美術 | **ボッティチェリ**『ビーナスの誕生』、**レオナルド=ダ=ヴィンチ**『最後の晩餐』、**ミケランジェロ**『最後の審判』、ラファエロ『アテネの学堂』 |

## 2 宗教改革

出題 福井　重要度 ★★★

### ルター　重要!

□**95カ条の論題** ➡ 教会は財政難から**贖宥状**《しょくゆうじょう》(**免罪**《めんざい》**符**《ふ》)を売っていた。これをルターは批判し、**95カ条の論題**を提出し、ローマ教皇から破門された。

□**神聖ローマ皇帝**との対立 ➡ ルターは主張を撤回するよう皇帝に促されるが、拒否。**皇帝**とも対立した。また**反皇帝派の諸侯たち**はルターを支持し、皇帝と争った。

□**ドイツ農民戦争** ➡ **ミュンツァー**は諸侯に対抗するため、ルターを支持してドイツ農民戦争を起こしたが、ルターは**諸侯**に味方したので、農民たちはルターから離れていった。

□**アウクスブルクの宗教和議** ➡ 16世紀半ば、**アウクスブルクの宗教和議**が行われ、諸侯にカトリックか、ルター派かを選択する権利を与えた。**個人**には信仰の自由はなかった。

**カルヴァン**

□**予定説** ➡ カルヴァンはスイスで、魂が救済されるか否かは神によって予め定められているとする**予定説**を説き、倹約と勤労を重んじ、勤労によって得た利益は神の恩恵だと説いた。カルヴァン派はイギリスでは**ピューリタン**、フランスでは**ユグノー**と呼ばれた。

**反宗教改革**

□**トリエントの公会議** ➡ **カトリック**が巻き返しを図るため開催。

□**イエズス会** ➡ ザビエルやロヨラらが結成。世界各地にカトリックを布教。

**イギリスの宗教改革** 重要!

□**ヘンリ８世**の**首長法** ➡ 離婚問題をめぐり、ヘンリ８世はローマ教皇と絶縁し、政治と宗教を統治する**首長法**を発布し、**イギリス国教会**を創設した。

□**エリザベス1世**の**統一法** ➡ **統一法**を発布し、**イギリス国教会**を確立した。また、イギリスでも**カルヴァン派**が勢力を伸ばした。

**フランスのユグノー戦争** 重要!

□**ナントの勅令** ➡ ユグノーとカトリックが争う**ユグノー戦争**が起こったが、アンリ４世[*1]が終結させ、**ナントの勅令**を出し、個人の信仰の自由を認めた。

## 3 絶対王政

出題 福井　重要度 ★★★

**絶対王政の意味** 重要!

□**絶対王政** ➡ **国王**が絶対的な権力を握る体制。**官僚制**や常備軍を備え、それを支える**重商主義**が柱となっている。

**スペインの全盛期** 重要!

□**フェリペ２世** ➡ ポルトガルを併合し、「**太陽が沈まない帝国**」を樹立。1571年、**レパントの海戦**で、オスマン帝国を破り、制海権を握った。

**イギリスの全盛期** 重要!

□**エリザベス1世** ➡ スペインの支配を受けていた**オランダ**を支援し、1588年、スペインの無敵艦隊を破り、制海権を握った。**東インド会社**を作り、積極的な海外進出を図った。

**フランスの全盛期** 重要!

□**ルイ14世** ➡ **コルベール**を財務総監として、徹底的な重商主義を推進。また、**ヴェルサイユ宮殿**の造営、**ナントの勅令**の廃止などを行う。

用語 ＊1　アンリ４世…新教徒だったが、大多数のカトリックの支持を得るため、王位につくとカトリックに改宗した。

覚 何と(ナント)アンリはユグノーだ

世界史 05

# 市民革命

日付 ／

頻出度 A

●イギリスのピューリタン革命から名誉革命への流れをしっかりとつかもう。
●アメリカ独立革命やフランス革命の推移は、細かく問われるのでおさえておくこと。

## 1 イギリス立憲政治の成立

出題 福井　重要度 ★★★

### ピューリタン革命　重要!

□**権利の請願** ➡ チャールズ１世の専制に対し、議会が**権利の請願**を提出。王党派と議会派が衝突し、**ピューリタン革命**が起こった。**クロムウェル**が国王チャールズ１世を処刑し、共和政を行った。

□**王政復古** ➡ クロムウェルの共和政には国民の不満がつのり、彼の死後、**王政復古**をした。しかし、チャールズ２世は**カトリック**を復活したため、議会は**審査法**（公職就任者はイギリス国教徒に限る）と**人身保護法**（不当な逮捕から守る）を制定。

### 名誉革命　重要!

□**ウィリアム３世夫妻**の国王即位 ➡ ジェームズ２世の専制に対し、議会はオランダから**ウィリアム３世夫妻**を招き、国王にした。それをうけ、ジェームズ２世は亡命した。無血で革命が成功したので、**名誉革命**という。

□**権利の章典** ➡ 議会は革命後、**権利の章典**を発布。これによって、議会が国王に優越する**立憲君主体制**が確立。

## 2 アメリカ独立革命

出題 福井　重要度 ★★★

### 植民地への圧力　重要!

□**13の植民地** ➡ イギリスから新大陸に渡った人々によって、アメリカ東岸部に13の植民地が作られた。財政難のイギリス本国は植民地に圧力をかけはじめた。

| | |
|---|---|
| 印紙法 | 植民地で出す出版物に印紙を貼って課税するという法律。一方的な取り決めで、植民地の代表が議会に招かれなかった。このため、「**代表なくして課税なし**」のスローガンで強く反対。当該法案は撤回。 |
| 茶法 | 植民地に免税で茶を輸出する特権を東インド会社に与えた。 |

**革命の経過** 重要!

□**独立宣言**発表 ➡ **トマス＝ジェファソン**が起草文を書く。**ロック**の社会契約説（抵抗権）の影響が見られる。また、**トマス＝ペイン**の『コモン＝センス』も独立戦争の世論を盛り立てた。

□**イギリスの孤立** ➡ フランスやスペインなど、ヨーロッパ諸国は植民地側を支援、イギリスは孤立。**ヨークタウンの戦い**で植民地側の勝利が決定。

□**アメリカ合衆国**誕生 ➡ **アメリカ合衆国**憲法制定（1787）、**ワシントン**が初代大統領（1789）。

## 3 フランス革命

出題 福井　重要度 ★★★

**革命の勃発** 重要!

□**人権宣言** ➡ 財政難から国王は、特権階級にも課税を図ったため、三部会が召集されたが、第三身分（平民）が脱退し、国民議会を作った。**バスティーユ牢獄襲撃事件**を契機に革命が勃発、『**人権宣言**』が採択された。

□**恐怖政治** ➡ 過激な**ジャコバン派**は国王を処刑し、**恐怖政治**を行った。しかし、**テルミドールの反動**で、中心者のロベスピエールが処刑され、**総裁政府**が樹立。

**ナポレオンの活躍** 重要!

□**統領政府** ➡ **ブリュメール18日のクーデター**で、ナポレオンが総裁政府を倒して**統領政府**を樹立。

□**フランス皇帝** ➡ ナポレオンは国民投票で、**皇帝**となったが、封建的な体制を堅持するヨーロッパ諸国はフランスに対抗。ナポレオンは破竹の勢いで、ヨーロッパを席巻したが、**ロシア遠征**を契機に大敗。

□**ワーテルローの戦い** ➡ ナポレオンは**ワーテルローの戦い**で大敗し、セント＝ヘレナ島に流された。

**ウィーン体制**

□**ウィーン体制**の失敗 ➡ オーストリアの**メッテルニヒ**を中心に革命前の保守的な体制に戻そうとヨーロッパ諸国が**ウィーン体制**を作ったが、足並みが揃わず、フランスの**二月革命**の影響で、体制は崩壊。

## 4 産業革命の発明品

重要度 ★★★

| | |
|---|---|
| ジョン＝ケイ | 飛び梭（ひ）（織機に使う器具）を発明 |
| ワット | 蒸気機関の改良・完成 |

覚 ワット驚く蒸気機関！

世界史

# 06 帝国主義時代

日付 ／

頻出度 **A**

●ヨーロッパ諸国が帝国主義列強として対立し、植民地政策を推し進めたことをおさえよう。
●ヨーロッパ列強の対立から、第1次世界大戦が勃発したことを理解しよう。

## 1 ドイツの統一　重要度 ★★★

### ドイツ帝国の成立　重要!

□**ビスマルク**の**鉄血政策** ➡ プロイセンの宰相**ビスマルク**は武力を背景とした鉄血政策を行い、ドイツ統一をめぐり、**オーストリア**と普《ふ》墺《おう》戦争を起こし、勝利。

□**ドイツ帝国** ➡ プロイセンの強大化を恐れた**フランス**は普仏戦争を起こすが、**プロイセン**が勝利し、1871年、**ドイツ帝国**が成立。

### ビスマルク体制　重要!

□**ビスマルクの外交** ➡ ビスマルクは大国のパワー・バランスを取る外交を展開。ビスマルクの外交の目的は**フランス**の封じ込めであった。

| | |
|---|---|
| 三国同盟 | ドイツ・イタリア・オーストリアが結んでフランスを囲む。 |
| 独露再保障条約 | ロシアが**フランス**と接近するのを防ぐために締結。 |

## 2 ロシアの南下政策　重要度 ★★

### バルカン半島への進出

□**クリミア戦争**と**露土戦争** ➡ **バルカン半島**は長い間、オスマン帝国(トルコ)が支配していたが、19世紀に入るとその勢力は衰え、**ロシア**はクリミア戦争(1853〜56)と露《ろ》土《と》戦争(1877〜78)で**トルコ**と戦ったが、ビスマルクを中心にロシアの拡大に反対する国が南下政策を阻止。

□**パン=スラブ主義** ➡ トルコからセルビアなどの国が独立し、**ロシア**を中心に**パン=スラブ主義**を掲げ、ドイツは**パン=ゲルマン主義**を掲げた。

## 3 ヨーロッパのアジア進出　重要度 ★★★

### ムガル帝国の滅亡　重要!

□**シパーヒーの乱** ➡ **シパーヒーの乱**鎮圧後、**イギリス**が**ムガル帝国**を滅ぼす。

### 清国の滅亡　重要!

□**アヘン戦争** ➡ イギリスは**アヘン戦争**を契機に清への進出を強めた。太平天国の乱、日清戦争、義和団事件などを経て、清国内は衰退し、他国も清へ進出したが、1911年、孫文は**辛亥《しんがい》革命**を起こし、翌年、清朝は倒れ、**中華民国**が誕生した。

## 4 三国協商の成立　重要度 ★★★

### ドイツとイギリスの対立　重要!

□**3B政策** ➡ ビスマルクが引退、ヴィルヘルム2世の親政が始まる。ロシアの脅威を恐れた**トルコ**はドイツに**バグダード鉄道**の敷設権を与えて接近。ドイツはベルリン・ビザンティウム・**バグダード**を結ぶ**3B政策**を進めた。

□**3C政策** ➡ **イギリス**はケープタウン・**カイロ**・カルカッタを結ぶ**3C政策**でドイツに対抗し、植民地政策を進めた。

□**ファショダ事件** ➡ **アフリカ**では**イギリス**の縦断政策と**フランス**の横断政策がぶつかり、ファショダ事件(1898)が起きたが、これを契機に両国は接近し、**英仏協商**を結んだ。さらに露仏同盟、英露協商も締結したので、**三国協商**(**イギリス**・**ロシア**・**フランス**)が成立。

## 5 第1次世界大戦　重要度 ★★★

### 対立の構図

| 三国同盟(独・墺・伊) | | 三国協商(英・仏・露) |
|---|---|---|
| パン=ゲルマン主義・3B政策 | VS | パン=スラブ主義・3C政策 |

□**オーストリア**と**セルビア** ➡ ボスニア=ヘルツェゴビナ州はスラブ系住民が多く、**セルビア**が併合を希望していたが、**オーストリア**が併合してしまったため、両国の対立は激化。1914年、セルビア人青年がオーストリア皇太子を殺害する**サライェヴォ事件**が起き、これを契機に**第1次世界大戦**が勃発。

### 大戦の経過　重要!

□**イタリアの同盟脱退**(1915) ➡ **アメリカ参戦**・**ロシア革命**(1917) ➡ **連合国**[*1]**の勝利**(1918)

用語 ＊1　連合国…日本は日英同盟の関係で、連合国側に味方し参戦した。

世界史 07

# 第1次世界大戦後の現代世界

日付 ／

頻出度 A

●世界恐慌から第2次世界大戦勃発までの流れを理解しよう。
●戦後の冷戦体制の流れを把握しておこう。

## 1 ヴェルサイユ体制 重要度 ★★★

### ヴェルサイユ条約と国際連盟 重要!

□**ヴェルサイユ条約** ➡ **ドイツ**と連合国との条約。**ドイツ**は植民地を失い、軍備制限や戦勝国への多額の賠償金支払いなどを約束させられた。

□**国際連盟** ➡ **ウィルソン**米大統領の提言で組織された平和機構。しかし、**アメリカ**は他国干渉を嫌い、加盟しなかった。

□**軍縮条約** ➡ 四カ国条約や九カ国条約など、**ワシントン会議**で締結。

## 2 世界恐慌と各国の対応 重要度 ★★★

### 世界恐慌

□**各国の対応** ➡ 1929年、アメリカで起きた株式相場の急落がもとで**世界恐慌**となった。アメリカは**ニューディール政策**による経済統制と雇用創出で対応。イギリスとフランスは**ブロック経済**による保護貿易政策で対応。

## 3 中国の内戦と日本の満州侵略 重要度 ★★

### 蒋介石と毛沢東

□**北伐**《ほくばつ》と国共分離 ➡ 孫文の後継者である国民党の**蒋介石**《しょうかいせき》は、軍閥を倒すため、**北伐**を行ったが、一方で、毛沢東の**共産党**にも攻撃。こうして第１次国共合作は失敗した。

□**満州事変** ➡ 日本は満州の利権をねらって、1931年**満州事変**を起こし、満州国を樹立。さらに1937年には**日中戦争**が勃発。この後、国民党と共産党は提携し、日本軍に対抗することとなった。

## 4 第2次世界大戦 重要度 ★★★

□**ドイツ** ➡ 世界恐慌と賠償金支払いで経済危機となったドイツは、軍部、資本家、労働者の絶大な支持を得た**ヒトラー**率いるナチスが独裁政権を樹立。1940年に日独伊三国軍事同盟を結び、アメリカやイギリスに対抗。

□**日本** ➡ 中国との戦争が膠着《こうちゃく》状態になった日本では、軍部の力が強くなり、東南アジア進出をめぐり、**アメリカ**とも緊張感を増していった。

### 第２次世界大戦勃発　重要!

□**大戦勃発** ➡ 1939年、ドイツの**ポーランド侵攻**により**第２次世界大戦**が勃発。ドイツは破竹の勢いで**フランス**を降伏させた。

□**独ソ戦** ➡ 当初、ドイツと**ソ連**は不可侵条約を結んでいたが、1941年ドイツのバルカン半島制圧を契機に開戦。同年、**太平洋戦争**も勃発。

□**大戦の終結** ➡ 1943年、スターリングラードで**ドイツ**が大敗。同年、**イタリア**が降伏。翌年のノルマンディー上陸作戦で連合軍は勝利した。1945年5月には**ドイツ**が、8月に日本が降伏し、大戦は終わった。

## 5 大戦後の世界　重要度 ★★★

### 冷戦体制　重要!

□**トルーマン＝ドクトリン** ➡ 1947年、**トルーマン**米大統領が宣言した対ソ封じ込め政策。さらに米国務長官マーシャルのマーシャル＝プランによって、東西冷戦体制が始まった。

| 西側陣営（アメリカ・西欧） | 東側陣営（ソ連・東欧・中国） |
| --- | --- |
| ●トルーマン＝ドクトリン、マーシャル＝プラン（1947）<br>●北大西洋条約機構設立（1949）<br>●アジア・アフリカ会議（1955） | ●ベルリン封鎖（1948）<br>●中華人民共和国成立（1949）<br>●朝鮮戦争勃発（1950）<br>●スターリン逝去（1953）<br>●フルシチョフの平和共存路線（1956）<br>●キューバ危機（1962）ソ連が譲歩 |

□**キューバ危機**とデタント ➡ ソ連が**キューバ**にミサイル基地を作り、**キューバ危機**となったが、**ソ連**の譲歩で再びデタント（緊張緩和）が進展。

### 多極化の時代と冷戦終結

□**中ソ**対立と**フランス** ➡ キューバ危機の対応に不満を抱いた**中国**は、ソ連を批判し、両国は対立。**フランス**も中国を承認して独自の路線を進んだ。**アメリカ**は70年代、中国へ接近し、ソ連を牽制。

□**冷戦体制の終結** ➡ 80年代に入ると、社会主義国で**民主化運動**が起きた。1989年12月、米ソ間で**マルタ会談**が行われ、**冷戦体制**が終結。



覚 丸太（マルタ）を渡って冷戦終わる

地理

# 01 世界の国家

日付 ／

頻出度 **A**

●国家や領土の概念は地理で最も基本となるところなので、しっかり理解しよう。
●世界各国の領土問題、独立問題や国際紛争について、最新の時事も含めておさえておこう。

## 1 国家の領域 重要度 ★★★

□領土 ➡ 国家の主権が及ぶ範囲。

□**領海** ➡ 最低潮位線から**12海里**(1海里は1852m)国家主権が及ぶ水域。国連海洋法会議(1982)で採択。排他的経済水域200海里も設定。

□領空 ➡ 領土・領海の上空で国家主権が及ぶ領域で原則高度100㎞以下。

□**排他的経済水域**(ＥＥＺ) ➡ 最低潮位線から**200海里**の水域。沿岸国が水産資源や海底資源を排他的に支配。複数国の場合は均分。

□大陸棚 ➡ **大陸棚に関する条約**(1958)で沿岸国の管轄下に。

## 2 色々な国家 重要度 ★★

□共和国 ➡ 国民が元首を選ぶ国。フランスなど。

□立憲君主国 ➡ 君主がいるが政治は憲法に基づいて行う。日本など。

□連邦国 ➡ 強い自治権をもつ州などによる連合。スイス、アメリカなど。

□**永世中立国** ➡ 永世中立を認められた国。**スイス**、オーストリアなど。

## 3 国境 重要度 ★★★

□山脈国境：**ピレネー山脈**(**フランスとスペイン**)、アルプス山脈(スイスとイタリア)、カフカス山脈(ロシアとジョージア(グルジア))、ヒマラヤ山脈(ネパールと中国)、**アンデス山脈**(**チリとアルゼンチン**)など。

□河川国境：**ドナウ川**(**ルーマニアとブルガリア**)、**メコン川**(**タイとラオス**)、リオグランデ川(アメリカとメキシコ)など。

□湖沼国境：レマン湖(スイスとフランス)、**ビクトリア湖**(**ケニア、タンザニア、ウガンダ**)、**五大湖**(**アメリカとカナダ**)など。

□**数理国境**：アメリカとカナダ(**北緯49**度、西経141度)、エジプトとスーダン(北緯22度)、アフリカの国境の44%は直線。

## 4 領土問題・独立問題・国際紛争　重要度 ★★

### アジア地域

□カシミール問題 ➡ インドとパキスタンの領土争い。中国も一部関与。

□**北方領土問題** ➡ 日本とロシアの領土(歯舞《はぼまい》群島、色丹《しこたん》島、国後《くなしり》島、択捉《えとろふ》島)争い。

□**尖閣諸島問題** ➡ 日本が国有化したことに対して、中国と台湾が反発(海底油田開発が進む)。

□**竹島問題** ➡ 日本と韓国の領土争い。韓国は独島と呼ぶ。**日本では島根県に属す**。

□南沙諸島・西沙諸島問題(南シナ海) ➡ 周辺国による資源争い。

□パレスチナ問題 ➡ イスラエルと周辺各国(アラブ系)との争い。

□クルド民族独立問題 ➡ トルコ、イラン、イラクなどにまたがって住む**クルド民族**(**アーリア系でイスラム教徒**)の独立を求める運動。

□キプロス分裂問題 ➡ 北キプロス地域(イスラム地域)の実質独立。

### アフリカ地域

□西サハラ問題 ➡ モロッコが実質支配。独立を求める運動あり。

### ヨーロッパ地域

□**コソボ独立問題** ➡ **セルビアから独立宣言**(**2008**)。国連未加盟。

□ジョージア(グルジア)問題 ➡ ジョージア内のアブハジアと南オセティアの独立をロシアが支援。それに反対するジョージア政府とロシアの争い。

□ウクライナ紛争 ➡ ソ連崩壊後、**西部の新欧米派**と**東部の親ロシア派**で対立。2014年、ロシアが**クリミア半島を併合**。2022年、**ロシアの侵攻**が始まる。

### 南北アメリカ地域

□**ケベック独立問題** ➡ カナダの東部にあるケベック州(住民の**9**割が**フランス系**)での独立を求める運動。

□フォークランド諸島 ➡ **アルゼンチン**と**イギリス**による領土争い。

## 5 その他　重要度 ★★

### 発展途上国問題

□**南北問題** ➡ 豊かな先進国は主に北にあり、貧しい発展途上国は主に南にあることから生まれた言葉。**国家間の貧富の差をあらわす**。

□**後発開発途上国**(**LDC**) ➡ 世界最貧国。国民1人あたりGNIが1088ドル以下の国。**世界に45カ国存在**(2023年12月現在)。

覚 寒すぎて緑がないのにグリーンランド

地理 02

# 地球の地形

日付 ／

頻出度 A

●地球に関する基本的な知識はしっかり暗記しておこう。
●主な地形とそれが見られる場所（地名）はしっかりおさえよう。

## 1 地球　重要度 ★★★

□地球 ➡ 全周約４万㎞。ほぼ球形。**陸**：**海**＝**3**：**7**。

□高低差 ➡ 最深部チャレンジャー海淵（－10924m）。最高部エベレスト山（8848m）。陸平均高度875m。海平均高度－3795m。

□世界**6**大陸 ➡ ユーラシア大陸（ヨーロッパとアジア）、アフリカ大陸、北アメリカ大陸、南アメリカ大陸、南極大陸、オーストラリア大陸。

□世界**3**大洋 ➡ 太平洋、大西洋、インド洋。

□地軸の傾き ➡ **公転軌道**に対して**約23.4度傾斜**。白夜や極夜を生む。

## 2 緯度と経度　重要度 ★★★

□緯度 ➡ 赤道の北が北緯、南が南緯。それぞれ赤道から0度から90度まで。

□経度 ➡ **ロンドン**の**旧グリニッジ天文台跡**を通る**子午線**が**0**度（本初子午線）。東側が東経、西側が西経でそれぞれ180度まで。

□日付変更線 ➡ ほぼ経度180度の線に沿う。**太平洋**の**ほぼ中央**を通過。

## 3 大地形　重要度 ★★

□**造山運動** ➡ 山脈や山地をつくる**大規模**で**激しい運動**。

□造陸運動 ➡ 広い範囲で穏やかに地面が上下する運動。

□**安定陸塊** ➡ 古代大陸ともいう。**先カンブリア代**から**造山運動**を受けていない部分。**カナダ楯状地**、**アフリカ楯状地**、ロシア卓状地、シベリア卓状地など。

□**古期造山帯** ➡ **古生代**から**中生代**の褶曲活動で形成。**石炭層**が発達。**ペニン山脈**、スカンジナビア山脈、ウラル山脈、天山山脈、アルタイ山脈、**アパラチア山脈**、**グレートディバイディング山脈**など。

□新期造山帯 ➡ 中生代末から活動。険しい地形。石油の5割を採掘。**環太平洋造山帯**、**アルプス＝ヒマラヤ造山帯**。

### プレートテクトニクス

**地表を覆う大小20枚程**の**プレート**の**運動**。大陸移動の根拠。

□広がる境界 ➡ プレートが離れるところ。**海嶺**(海底山脈)。アイスランド。

□狭まる境界 ➡ 大山脈(ヒマラヤ山脈、アンデス山脈)や海溝ができる。

□**ずれる境界** ➡ 海底に多数。**サンアンドレアス断層**(カリフォルニア)。

## 4 色々な地形 重要度 ★★★

### 平野の地形

□構造平野 ➡ 卓状地の侵食。アマゾン盆地。中央平原(アメリカ)。

□残丘 ➡ 構造平野に残された丘。エアーズロック(ウルル:オーストラリア)。

□**ケスタ** ➡ 硬層と軟層の互層地形で軟層は侵食が進む。**パリ盆地**。

□堆積平野 ➡ 河川が土砂などを堆積して形成。**上流**には**扇状地**、中・下流には自然堤防の背後に氾濫原、**河口**には**三角州**が形成される。

□扇状地 ➡ 傾斜があり河川は伏流。扇央は乏水地で果物栽培。甲府盆地。

□三角州 ➡ 河口の低湿地。ナイル川河口、ミシシッピー川河口。

□海岸平野 ➡ **遠浅海岸**の**隆起**、海面低下で形成。九十九里平野、宮崎平野。

### 海岸の地形

□**リアス海岸** ➡ **V字谷**が**沈水**。スペインのガリシア地方が地名由来。三陸海岸、若狭湾、志摩半島、エーゲ海。沿岸漁業や養殖が盛んだが、津波の危険。

□**フィヨルド**(峡湾) ➡ **U字谷**が沈水。ノルウェー西岸、チリ南岸。

□**エスチュアリー**(三角江) ➡ **河口**の**沈降**で形成。テムズ川、ラプラタ川。

### その他の地形

□氷河地形 ➡ 大陸氷河(地表の1割)。カール(斜面の谷)、U字谷(谷氷河の侵食:スイス)、**ハイデ**(**氷食**による**やせ地:北ドイツ**や**デンマーク**)。

□**カルスト** ➡ **石灰岩**の溶食地形。スロベニアのカルスト地方に由来。凹地(ドリーネ⇒ウバーレ⇒ポリエへと拡大)、鍾乳洞、カレンフェルト(石塔原)が形成される。**秋吉台**《あきよしだい》(山口県)、平尾台(福岡県)。日本各地には鍾乳洞多数あり。

□サンゴ礁 ➡ 水温が25℃～30℃で水深約40mまでの澄んだ海で発達。**グレートバリアリーフ**(**オーストラリア北東岸**)、沖縄県沿岸、モルディブ。

□乾燥地形 ➡ オアシス、外来河川、塩湖、ワジ(涸《か》れ谷)などが存在。**サハラ**、タクラマカン、**ゴビ**、アラビア半島やオーストラリア中央部など。

### 海底地形

□**大陸棚** ➡ **水深200m**までの海底。油田・ガス田開発や漁業がさかん。

覚 タクラマカン、砂漠で熱くてこりゃタマラン

地理

# 03 世界の気候

日付 ／

頻出度 **A**

●気候区分は地理の定番問題。
●地球全体の風の流れや性格、海流の性質や海流名にも注意しよう。

## 1 気候区分

重要度 ★★★

**熱帯気候**　赤道周辺。最寒月平均気温18℃以上。

□熱帯雨林気候 ➡ **年中高温多雨**。**赤道直下**の**低地**。**アマゾン川上中流域**、**コンゴ川中流域**、インドネシア、シンガポールなど。雨林が育つ。

□熱帯モンスーン気候 ➡ 熱帯雨林気候の周辺。弱い乾季あり。**雨緑林**が生育。

□熱帯サバナ気候 ➡ 雨季と乾季。乾季には草原（**サバナ草原**）が枯れる。**東アフリカのケニア**、ブラジル高原、タイなど。野生動物の宝庫。

**乾燥気候**　中緯度高圧帯の下や内陸や寒流の側に分布。

□砂漠気候 ➡ 中緯度高圧帯の下、内陸、**寒流砂漠**（**ナミブ砂漠**、**アタカマ砂漠**）、風下砂漠（パタゴニア）。降水量は少なく、植物は少ない。

□ステップ気候 ➡ 砂漠気候の周辺で**弱い雨季あり**。灌漑《かんがい》で農業も可。サハラ砂漠南淵（**サヘル地域**）、モンゴル、アメリカ西部など。

**温帯気候**　最寒月平均気温が18℃未満－3℃以上。

□温帯夏雨気候 ➡ 冬は乾燥。主に大陸東岸に分布。暖かく、農業がさかん。インド北部のヒンドスタン平原、**香港**、ブラジル高原南部など。

□温暖湿潤気候 ➡ 一年を通じて降水。気温の年較差が大きい。**四季**の**変化が明瞭**。中緯度の大陸東岸（上海、東京、アトランタ、ベネチアなどの都市）。

□**地中海性気候** ➡ **夏**は**乾燥**で**冬**は**温暖湿潤**。柑橘類、葡萄、コルク、オリーブなどが採れる。地中海沿岸、カリフォルニア、チリ中部などに分布。

□西岸海洋性気候 ➡ 年中雨が少ない。**偏西風**と**暖流**の影響で夏涼しく冬は温暖。**西ヨーロッパ**、チリ南部、オーストラリア南東部、ニュージーランド。

**亜寒帯気候**　最寒月平均－3℃未満。最暖月10℃以上22℃未満。北半球のみ。亜寒帯湿潤気候と亜寒帯夏雨気候（ユーラシア北東部のみ）。冬寒い。

**寒帯気候**　**ツンドラ気候**は夏に地表が溶ける。**氷雪気候**は最暖月平均気温でも0℃未満で**南極大陸**やグリーンランド内陸に分布。

## 2 大気　重要度 ★★★

**大気の循環**　地球全体の大気の大きな流れ。寒暖の差の緩和作用あり。

□赤道 ➡ 高温でスコールが降る。軽くなった空気が上昇し**低圧部**になる。

□**中緯度高圧帯** ➡ 赤道で上昇した空気が常に下降。**雲ができない**。

□北極・南極 ➡ 空気が冷やされて下降するために**高圧部**になる。

□**貿易風** ➡ 中緯度高圧帯から赤道に吹く風。**北半球**では**北東風**、**南半球**では**南東風**。季節風により弱められることあり。インド洋など。

□**偏西風** ➡ 中緯度高圧帯から極方向に吹く。**上層偏西風はジェット気流**。自転の影響で**西風**になる。高緯度に暖かな空気を運ぶ。

□極風 ➡ 南極・北極から吹く**寒冷な東風**。偏西風との間に寒帯前線。

**その他の風**

□季節風 ➡ モンスーン。季節により風向が逆になる。夏は海洋から大陸に、冬は大陸から海洋に吹く。陸の比熱が小さいことが成因。大陸東岸で卓越。

□フェーン現象 ➡ 湿った風が山の手前で雨を降らせ、高温・乾燥状態で山を下る現象。スイス南部のフェーン地方が名称の由来。

□**やませ** ➡ **東北地方太平洋岸で夏に吹く湿潤で冷たい風**。**冷害の原因**。

□熱帯低気圧 ➡ 前線がない、風害や高潮、大雨などが特徴。台風（日本近海）、ハリケーン（アメリカ周辺）、サイクロン（主にインド洋）。

□**海風**・**陸風** ➡ 昼間は海から、夜は陸から風が吹く。

## 3 海流・海水　重要度 ★★

**海流の性格**

海流は暖流が基本。暖かな海水を冷たい高緯度地帯に送る。寒流は暖流が流れ去った後を補うように、冷たい海水を低緯度地帯へ運ぶ。

□暖流 ➡ **プランクトン**が**少なく、澄んでいる**。沿岸の気候を暖かくする。メキシコ湾流⇒北大西洋海流、北赤道海流⇒**日本海流**⇒北太平洋海流、日本海流⇒**対馬海流**（**日本海側**）、ブラジル海流、アガラス海流（アフリカ大陸南東端）。

□**寒流** ➡ **塩分濃度**が**低く**、**プランクトン**が**豊か**で**魚数**が**多い**。漁業がさかん。千島海流、リマン海流、カリフォルニア海流、**ペルー海流**、ベンゲラ海流（アフリカ南部の西岸）、カナリア海流（ポルトガル沖から南流）、ラブラドル海流（グリーンランドとカナダの間）など。**沿岸**が**乾燥**。

□地球の水 ➡ 海水が約97.5%、陸水が2.5%。

覚 モンスーン、冬は北風寒太郎

地理 04

# 世界の土壌・農業

日付 ／

頻出度 B

●土壌や植生は気候と深いかかわりがある。セットで理解しよう。
●農業では、農産物の主要生産国・輸出国について覚えておこう。

## 1 土壌　重要度 ★★

**成帯土壌**　気候や植生の影響を受けて作られる土壌。帯状に分布。

□**ラトソル** ➡ 赤褐色のやせた**酸性土**。熱帯雨林、熱帯雨緑林の下に分布。

□赤色土 ➡ 熱帯サバナ気候の下などに分布。**酸性**で**やせている**。

□黄色土 ➡ 温帯南部、比較的多雨な地帯に分布。農業に適する。

□褐色森林土 ➡ 温帯の湿潤地帯に分布。植物の腐植で肥沃。**農業**に適する。

□**ポドゾル** ➡ タイガ(針葉樹林)の下。**酸性**で**灰白色**。**やせた土壌**。

□ツンドラ土 ➡ 灰褐色で酸性。泥炭質。農業不可能。

□栗色土 ➡ **ステップ気候**に**分布**。乾燥土壌。灌漑《かんがい》農業や牧畜。

□**チェルノーゼム** ➡ ウクライナからロシア西部。半乾燥で**黒色**、**肥沃**。

□草原土 ➡ プレーリー土がアメリカ中央平原。パンパ土はアルゼンチン。

**間帯土壌**　母岩、風、地形などの影響で作られる土壌。

□**テラロッサ** ➡ 地中海沿岸の石灰岩風化土。**赤褐色**で**肥沃**。畑・果樹栽培。

□テラローシャ ➡ **ブラジル高原**の玄武岩などの風化土。暗紫色。コーヒー栽培に適している。

□レグール ➡ インドのデカン高原にある玄武岩の風化土壌。**肥沃な黒色綿花土**。

□**黄土** ➡ 中国黄土高原の**風媒土**。畑作に適する。東欧のレスも同じ性質。

□シラスやローム ➡ 火山灰土壌。鹿児島のシラス台地や関東ローム。

## 2 世界の植生（陸地の３割が森林でその半分が熱帯林）　重要度 ★★

□熱帯雨林 ➡ 樹種が豊かで**硬木**が**多い**。密林で樹高は高くて下草が少ない。

□熱帯雨緑林 ➡ 季節風林。**チーク**、**ラワン**、**マホガニー**。有用材が多い。

□サバナ草原 ➡ アカシアやバオバブ。長草草原は乾季に枯れる。

□暖帯林 ➡ 照葉樹林(椿、椎、樫、楠)。硬葉樹林(月桂樹、オリーブ)。

□**タイガ** ➡ **亜寒帯林**。南部には混合林。中北部は針葉樹林(**軟材**)。

## 3 農業

重要度 ★★★

### 主な農産物

□**米** ➡ アジアで9割生産。アジア南部原産。熱帯から温帯。水田中心。**中国**、**インド**での**生産量**が**多い**。**インド**、**タイ**、**ベトナム**などが輸出。

□**小麦** ➡ 乾燥アジア原産。**中国**、**インド**での**生産量**が**多い**。ロシア、オーストラリア、アメリカ(いずれも大規模栽培)などが輸出。日本の自給率は15%(2022)。

□トウモロコシ ➡ **熱帯アメリカ**原産。**アメリカ**の**生産**と**輸出**が**多い**。日本は輸入量は多い。熱帯から亜寒帯まで栽培可能。飼料用消費が多い。

□大豆 ➡ 中国東北地方原産。ブラジルとアメリカでの生産と輸出が多い。最大輸入国は中国。日本も輸入国。熱帯から亜寒帯まで栽培可能。

□茶 ➡ 東アジア原産。水はけのよい丘陵が適している。中国とインドでの栽培がさかん。**ケニア**、**中国**、スリランカ、インドなどが輸出。

□コーヒー ➡ **エチオピア高原**原産。**ブラジル**や**ベトナム**での栽培と輸出がさかん。欧米での消費量が多い。排水がよい平均気温20℃程度の丘陵地。

### 農業の形態説明

□**焼畑** ➡ 熱帯から亜熱帯地域。**イモ類**や**トウモロコシ**を自給用栽培。

□**プランテーション** ➡ 旧植民地での単一栽培。茶、**カカオ**、コーヒー、サトウキビ、天然ゴム。企業的経営に変化。アフリカや東南アジアなど。

□**混合農業** ➡ 主に牛や豚などを飼いエサと自給用穀物を栽培。**家畜**を**販売**。ヨーロッパやアメリカ、オーストラリア、ニュージーランドなど。

□酪農 ➡ 家畜の乳を利用。温帯北部から亜寒帯南部。**五大湖沿岸**、**デンマーク**や**オランダ**など。日本では北海道や栃木県、岩手県。

□園芸農業 ➡ 主に野菜や草花を栽培。輸送網の発達で遠隔地でも可能に。

□**地中海式農業** ➡ 夏(乾季)に果物、**冬**(**降水あり**)に**小麦**が基本。

□コルホーズとソフホーズ ➡ **旧ソ連**での集団農場と国営農場。

□大農法 ➡ 単一栽培で大規模に小麦などを栽培。機械化農業で輸出指向。

□乾燥地農業 ➡ 砂漠地帯はオアシスや河川流域、**地下灌漑水路**(**カナート**や**フォガラ**など)を引いて小麦や野菜栽培。

### 林業・水産業

□林業 ➡ 亜寒帯林から約半分を伐採。**アメリカの伐採量**が**多い**。ロシアからの輸出もさかん。

□水産業 ➡ **中国**が**水揚げ**、**輸出**は世界で**1**番。国際的水資源保護の動きが活発。

**ゴロ** タイガーも狩りするシベリアのタイガ

地理

# 05 世界のエネルギー・資源

日付 ／

頻出度 **B**

●エネルギー問題は頻出度が非常に高い。主要産出国・輸出国を覚えておこう。
●わが国では東日本大震災以降、原子力発電量が極端に減少していることをおさえておくこと。

## 1 エネルギー　重要度 ★★★

**化石燃料**　**石炭**・**原油**・**天然ガス**。**現在のエネルギーの中心**。

□**石炭** ➡ 太古の植物が炭化して形成。**可採年数約122年**。中国で約6割採掘。インドネシアやオーストラリアが輸出。輸入量は中国が最大、日本が3位。日本の自給率は0%。かつては北海道、九州、福島などで採掘。

□**原油** ➡ 浅海で微生物の死骸が油化したもの。**可採年数約51年**。サウジアラビアとロシアの産出と輸出がさかん。アメリカも産出がさかん。輸入量は中国が世界一。日本の自給率はほぼ0%で9割近くを中東諸国から輸入。

□**天然ガス** ➡ **クリーンなエネルギー**。**可採年数約47年**。アメリカとロシアでの生産量が多い。日本はオーストラリア、マレーシア、ロシアから輸入。

**発電**

□世界の発電 ➡ 3分の2が火力発電、水力が16%、原子力が10%(2021)。

□**発電量順位 ➡ 中国**、**アメリカ**、**インド**、**ロシア**、**日本**(2021)。

□アメリカ ➡ 世界発電量の7分の1。6割火力。**原子力発電量世界一**。

□中国 ➡ 発電量世界一。3分の2が火力発電(石炭依存で二酸化炭素排出)。

□**日本** ➡ **火力**(69%)、**水力**(9%)、**新エネルギー**は**僅か**(2021)。

□水力発電大国 ➡ ブラジル、**カナダ**は**6**割。

□原子力発電大国 ➡ **フランス**は**7**割。スウェーデン3割。韓国3割。

□**新エネルギー** ➡ 世界全体では総発電量の13%(2021)。

## 2 鉱物資源　重要度 ★★★

□**鉄鉱石** ➡ **オーストラリア**と**ブラジル**の生産と輸出が多い。中国は生産量は世界3位だが、消費量も多いため、輸入量は世界1位。日本自給率0%。

□**銅鉱石** ➡ **チリ**での生産と輸出がさかん。日本自給率0%。

□ボーキサイト ➡ **オーストラリア**の生産と輸出。

□ウラン ➡ カザフスタン、カナダ、ナミビア。**原子力発電燃料**。

□金 ➡ **中国**、オーストラリア、ロシア。携帯電話や歯科治療などに利用。

□銀 ➡ **メキシコ**、**ペルー**、**中国**。貨幣、感光材、食器などに利用。

□**レアメタル** ➡ 少量であるが必須の金属。各国が備蓄に努める。リチウム(電池)、チタン(航空機や時計など)、白金、クロム、コバルトなど。

## 3 工業立地　重要度 ★★

□原料立地 ➡ 原料が重い。**セメント**、**陶磁器**、パルプ、鉄鋼や金属。

□市場立地 ➡ **ビン入りビール**、高級食材、出版物、高級衣類(流通考慮)。

□交通立地 ➡ 空港近くは**ＩＣ**や**エレクトロニクス**、港湾では船舶、輸入原材料による石油化学、製鉄、製粉など。

□労働立地 ➡ 安い賃金、家電製品、**縫製製品**、冷凍加工食品。

□**電力立地** ➡ **アルミ精錬**(アルミは電気の缶詰)。

□水資源立地 ➡ ビールや酒や飲料、パルプ。

### 色々な工業

□**自動車工業** ➡ **乗用車**は**中国**、商用車はアメリカでの生産が1番。日本の乗用車生産は2位。乗用車の輸出はフランス、ドイツ、日本。輸入はアメリカ。

□**船舶** ➡ 中国、韓国、日本でさかん。

□コンピューター本体 ➡ 中国で世界の98%を生産(2015)。

□ゴム ➡ **天然ゴム生産**は**タイ**や**インドネシア**。合成ゴム製造は中国。

□衣類·布 ➡ 中国でさかん。最近ではベトナムやバングラデシュなどでもさかん。

□家電製品 ➡ 中国でさかん。自転車も中国。

### その他

□**シリコンヴァレー** ➡ サンフランシスコ郊外。半導体、各種研究開発。

□**サンベルト** ➡ **アメリカ**の**北緯37度以南**地域。1970年代から工業化。

□**青いバナナ** ➡ ヨーロッパで先端産業が発達している地域。イギリス南東部、ベルギー、ドイツ西部、フランス東部、イタリア北部など。

□国際分業 ➡ 各国協力で分業で製造すること(航空機など)。

□郷鎮《ごうちん》企業 ➡ 中国の個人経営や市町村経営の企業をいう。

□経済特区 ➡ 1970年代末の中国の改革開放政策で生まれた５つの地域。

□多国籍企業 ➡ 海外に多くの現地法人や支店をもつ巨大企業。

□**アジア NIEs** ➡ 1970年代から工業化。**韓国**、**香港**、**台湾**、**シンガポール**。

□産業革命 ➡ 工場制機械工業の発展。18世紀後半にイギリスで開始。

覚 ビン入りビールは詰め替え便利な市場立地

地理

# 06 日本の自然・気候

日付 ／

頻出度 A

●地方の自治体の採用試験では比較的よく出題されているので注意しよう。
●小学校や中学校で学ぶ範囲でおさえておくとよいだろう。

## 1 日本の自然

出題 秋田・栃木・神奈川・福井　重要度 ★★★

### 地球上の位置

□位置 ➡ ユーラシア大陸の東方海上（北太平洋西部）で南北約**3000**㎞の広がりをもつ。約14100の島から成り立つ。

□日本の範囲 ➡ 北端：択捉島（北緯45度33分）。南端：東京都の沖ノ鳥島（北緯20度25分）。西端：沖縄県の与那国島（東経122度55分）。東端：東京都の南鳥島（東経153度59分）。標準時は**明石市**（**兵庫県**）を通る**東経135**度の**経線**を利用。

### 面積

**ドイツ**よりやや大きい。

□面積 ➡ 約**38万**㎢。面積は世界の国では62番目（2023年6月時点では人口は12番目）。**四国：九州：北海道：本州**の**面積比**はおよそ**1：2：4：12**。

### 地形・土地利用・特徴

□地形区分 ➡ 山地61%、丘陵地12%、台地11%、低地14%。国土面積の約**7**割が**山地**と**丘陵**という点に注意。

□土地利用 ➡ **森林66.2**%、農地11.6%、宅地5.2%、道路3.8%など（2020）。

□平野 ➡ **扇状地タイプ**が**多く**、**狭い**。関東平野や濃尾平野などは広い。

□河川 ➡ 短く急流。最長の信濃川でも367㎞。水量変化が大きい。

### その他

□**フォッサマグナ** ➡ **糸魚川**ー**富士川線**が西のライン。日本列島を東日本と西日本に分ける大断層線。「大きな割れ目」という意味。

□メディアンライン ➡ **中央構造線**。紀伊半島、四国、九州の中央部を横切る断層。北側が内帯（山地がなだらか）、南側が外帯（険しい山地）。

□4つのプレート ➡ 東側が**太平洋プレート**、西側が**ユーラシアプレート**、北側が**北アメリカプレート**、南側が**フィリピン海プレート**。フォッサマグナを北アメリカプレートとユーラシアプレートの境界とする説もある。

## 2 日本の気候 出題 秋田・栃木・神奈川・福井 重要度 ★★★

### 海流

□暖流 ➡ 太平洋側が**日本海流**（**黒潮**）。日本海側が**対馬海流**。

□寒流 ➡ 太平洋側が**千島海流**（**親潮**）。日本海側がリマン海流。

### 日本の気候を支配する気団と気圧

□**シベリア気団** ➡ **寒冷**で**乾燥**した冬の季節風を吹き出す。

□**小笠原気団** ➡ **高温**で**湿潤**な夏の季節風を吹き出す。

□オホーツク海気団 ➡ 低温で多湿。夏に「**やませ**」を吹き出す。

□移動性高気圧 ➡ 温暖で乾燥。春と秋に見られる。

### 各地の気候

□北海道 ➡ 南部は温暖湿潤気候、その他は亜寒帯湿潤気候。日本海側と中央部の上川盆地は夏比較的高温。**太平洋側**は**夏低温**。

□東北地方 ➡ **日本海側**（**秋田**や**山形**）は**対馬海流**と**フェーン現象**で**夏比較的高温**。太平洋側（岩手や宮城）は千島海流の影響で夏比較的低温。冷害の原因となる「やませ」は太平洋側で影響が大きい。

□関東地方 ➡ 季節風の影響で夏は高温多湿、**冬**は**乾燥**してやや低温。

□中央高地 ➡ 山岳地帯は冬寒く大雪、盆地は気温の日較差、年較差が大きい。

□北陸地方 ➡ 新潟、富山、石川、福井。冬は特に山沿いで積雪量大、夏はかなり高温で湿潤。

□南海地方 ➡ 静岡、愛知、三重、和歌山、高知など。**日本海流**の**影響**で夏は高温湿潤。**冬**も**温暖**。常緑樹が多い。多雨地域。

□中国地方・四国 ➡ 山陰は冬に天気が悪い。瀬戸内地方は中国山地と四国山地に挟まれ、**降水量**は**少なめ**。

□九州 ➡ 平地は夏も冬も気温は高めだが雪も降る。**梅雨前線**や**台風の影響**で降水量が多いところも多い。

□南西諸島 ➡ 奄美大島や沖縄。**特に冬**の**気温**が**高い**。降水量は多め。

### その他

□**西高東低の気圧配置** ➡ **日本**の**冬の気圧配置**をあらわすことば。

□梅雨 ➡ 6月から7月ごろ（南西諸島は5月）。長雨が続く。

□集中豪雨 ➡ 梅雨明けのころによく発生。崖崩れ、洪水などを起こす。

□**ヒートアイランド現象** ➡ **都市部**の**気温**が周辺に比べて**高温**になること。東京などでは都市型集中豪雨を起こす。

**ポイント** 都市の規模に比例してヒートアイランドの影響も高まる

地理

# 07 日本の産業

日付　／

頻出度 A

●受験する自治体の産業の特徴（主要農業生産物や工業、特産品など）はしっかりと把握しておくこと。
●統計データは最新のものをおさえること。正確な数字ではなく、何割、全体の何分の一といった理解でよい。

## 1 日本の農業　重要度 ★★★

**概略**　基幹的農業従事者は116万4千人（2023）。

□農業総生産額 ➡ **畜産39**%、**野菜25**%、**米16**%、**果物10**%（2022）。

□経営規模 ➡ 小規模経営。**1農家当たり都府県平均耕地2.3ha**（2022）。

□農業就労者 ➡ 平均年齢68歳。65歳以上農業就労者の割合が約7割（2022）。

□食料自給率 ➡ **エネルギー換算**で**約4割**。米99%、小麦15%、野菜79%、肉類53%、牛乳及び乳製品62%、魚介類56%（2022）。

□農家・農業人口 ➡ 農家数最大は長野県。農業人口最大は**北海道**。

**農産物・畜産品**

□米の生産量 ➡ 700万トンほど。世界で12番目の生産量。**新潟県**、北海道、秋田県、山形県などで生産がさかん。

□米の輸入 ➡ 大半は**ミニマムアクセス方式**で輸入。輸入量は約70万トンで、8割をタイとアメリカから輸入。

□**小麦 ➡ 北海道**で**3分の2**を**生産**。福岡県、佐賀県がそれに次ぐ。

□ジャガイモ ➡ 北海道で日本の約8割を生産。

□サツマイモ ➡ 鹿児島県で日本の約3割を生産。

□キャベツ ➡ 群馬県、愛知県、千葉県での生産量が多い。

□**ミカン ➡ 和歌山県**、愛媛県、静岡県での生産量が多い。

□**リンゴ ➡ 青森県**で**6割**を**生産**。それに次ぐのが長野県。

□その他 ➡ **ブドウ**と**モモ**は**山梨県**。西洋ナシとサクランボは山形県、ウメは和歌山県。

日本は世界的な水産物輸入国。中国からの輸入額が最も多い

□肉牛 ➡ 北海道、鹿児島県、宮崎県などに多い。**乳牛**も**北海道**に多い。

□豚 ➡ **鹿児島県**、宮崎県、関東一円などに多い。豚肉自給率は5割程度。

□鶏（ブロイラー） ➡ 鹿児島県、宮崎県、岩手県。鶏肉自給率は6割強。

□鶏卵 ➡ 茨城県、千葉県、鹿児島県がさかん。「物価の優等生」と呼ばれる。

## 2 林業　重要度 ★★

□森林所有割合 ➡ 国有林31%、公有林12%、私有林57%(2022)。

□人工林と自然林 ➡ 既に**41%**が**人工林**で手入れ不充分が問題に(2022)。

□伝統的林業地 ➡ 秋田の杉、木曽のヒノキ、津軽のヒバ。

□**木材自給率** ➡ 約**41**%(2022)(1960年は約90%)。

□木材需要 ➡ 1990年の約7割まで急減(木製品の減少、加工品輸入)。

□木材輸入相手国 ➡ ベトナム、中国、カナダなど。

□国内木材伐採 ➡ 北海道、宮崎県、岩手県の順に多い。

## 3 工業　重要度 ★★

**歴史**

□明治時代 ➡ 政府の殖産興業政策。繊維工業から**八幡製鉄所建設**へ。

□第1次世界大戦後 ➡ 重工業が発達。輸出は繊維などが中心。

□第2次世界大戦後 ➡ 政府主導で重化学工業(製鉄や造船)が発展。日米繊維摩擦、日米鉄鋼摩擦、日米自動車摩擦などを起こす。

□**プラザ合意**(**1985**)以降 ➡ **円高**で加工貿易から付加価値型製品へ。

□21世紀 ➡ **進む産業空洞化**(製造現場の海外移転)。情報産業などへ。

**工業地帯**　**太平洋ベルト地帯**に発達。

□**中京工業地帯** ➡ 名古屋周辺。自動車工業や関連工業が発達。

□**阪神工業地帯** ➡ 大阪から神戸。**金属工業**が特徴。

□**京浜工業地帯** ➡ 東京から横浜。総合工業地帯。出版・印刷も発達。

□その他の工業地域 ➡ 北関東、京葉、東海、瀬戸内、北九州など。

**出荷額など**

□**工業別出荷額比率** ➡ **重工業7割**、**軽工業3割**。

□都道府県別 ➡ 出荷額1位は**愛知県**。最も少ないのが沖縄県。軽工業出荷額の割合が高いのが沖縄県、鹿児島県、北海道、宮崎県。

**その他**

□二重構造 ➡ 少数の大企業とその下請けの大多数の中小企業という構造。

□ベンチャー企業 ➡ 先端産業部門に参入している中小企業。

□**ナノテクノロジー** ➡ 分子・原子レベルを制御し、新製品の開発に結びつける技術。新素材や医薬品などに応用。21世紀の工業の主役とも。

□**サイエンスパーク** ➡ 主に大都市で発達する知識集中型産業の集積地。

地理

# 08 日本の人口・文化

日付 ／

頻出度 **B**

●人口問題は出題頻度が高いので注意。
●受験する自治体に関しては、文化や世界遺産などについてもしっかり暗記を。

## 1 日本の人口や都市

重要度 ★★★

□**総人口** ➡ 約**1億2395万**人。2008年をピークに人口は減少傾向。既に出生数が死亡数を下回っている(2024)。

□**年齢別人口構成** ➡ **0歳～14歳：10.8%(先進国最低)、15歳～64歳：57.1%、65歳～：32.1%(高齢者率世界1位)**(2023)。

□平均寿命 ➡ 男性81歳、女性87歳(男性は世界2位)。

□合計特殊出生率 ➡ 2023年は**1.20**程度。なお2.07を切ると人口減少に。

**都道府県別統計(2022)**

□一極集中 ➡ 東京都には1400万人居住。日本の総人口の1割以上。**東京**、**大阪**、**名古屋**の50㎞圏に総人口の**約50**%が集中。

□人口増加地域 ➡ 東京都で人口が増加(2022年)。

□人口減少率 ➡ 秋田県、岩手県、青森県、高知県などが大きい(2022年)。

□**高齢化率** ➡ **秋田県**、**高知県**、**山口県**など34県で**30**%を超える。東京都が最小の23%(2022年)。

□人口の多い都道府県 ➡ 東京都、神奈川県、大阪府、愛知県、埼玉県。

□**人口の少ない都道府県** ➡ **鳥取県**(**54万**人)、島根県、高知県、徳島県、福井県。

□面積の大きい都道府県 ➡ **北海道**、岩手県、福島県、長野県、新潟県。

□面積の小さい都道府県 ➡ **香川県**、大阪府、東京都、沖縄県、神奈川県。

**地方自治体について**

□**政令指定都市** ➡ **人口50万人以上**で、国からの指定で実施。都道府県並みの権限を有する。1956年から実施。**2010年4月**に**神奈川県相模原市**が、**2012年4月**に**熊本市**が**指定されて全国で20カ所**に。他に中核市は人口20万人以上。事務権限が普通の市より強化。

□**平成の大合併** ➡ 無駄を省き、財政力・自治力を強化するのが目的。1999年に3232市町村→2010年3月末で1727市町村に(現在1718)。

## 2 日本の文化 重要度 ★★★

### 世界遺産登録地

□**自然遺産** ➡ 知床（北海道）、白神山地（青森県、秋田県）、小笠原諸島（東京都）、屋久島（鹿児島県）、奄美大島、徳之島、沖縄島北部及び西表島（鹿児島県、沖縄県）。

□**文化遺産** ➡ 北海道・北東北の縄文遺跡群（北海道、青森、秋田、岩手）、平泉（岩手県）、明治日本の産業革命遺産（岩手、静岡、山口、福岡、佐賀、長崎、熊本、鹿児島）、日光の社寺（栃木県）、富岡製糸場（群馬県）、ル・コルビュジエの建築作品（東京都ほか6カ国）、富士山（山梨県、静岡県）、白川郷・五箇山の合掌造集落（富山県、岐阜県）、古都京都の文化財（京都府、滋賀県）、百舌鳥・古市古墳群（大阪府）、古都奈良の文化財（奈良県）、法隆寺の仏教建造物群（奈良県）、紀伊山地の霊場と参詣道（奈良県、三重県、和歌山県）、姫路城（兵庫県）、石見銀山遺跡とその文化的景観（島根県）、原爆ドーム（広島県）、厳島神社（広島県）、沖ノ島（福岡県）、長崎と天草地方の潜伏キリシタン関連遺産（長崎県、熊本県）、琉球王国のグスク及び関連遺産群（沖縄県）。

□**世界ジオパーク** ➡ 地質学的魅力を保存し紹介する。糸魚川地域（新潟県：フォッサマグナとヒスイ）、有珠山（北海道：火山）など10カ所が認定。

□**無形文化遺産** ➡ 能楽、人形浄瑠璃、歌舞伎など。

**公園**　**国立公園**は**環境大臣**が指定し、**環境省**が自ら整備・管理する。

□国立公園 ➡ 全国で34カ所。環境省が管理。開発などには厳しい規制あり。

□国定公園 ➡ 全国に50カ所以上。環境大臣が指定、管理は都道府県。

## 3 日本と世界 重要度 ★★

**貿易**　中国、アメリカ、ドイツ、日本の順に貿易額が多い。

□日本の輸出 ➡ 輸出総額の9割が工業製品。中国、アメリカ、韓国。

□日本の輸入 ➡ **輸入総額**の**6割**は**工業製品**。中国、アメリカ、オーストラリア。

□貿易港 ➡ 輸出入ともに成田空港が最大貿易額。

## 4 その他 重要度 ★★

□出国者・入国者 ➡ 日本人出国者962万人。外国人入国者2748万人（2023）。

□**GNI（国民総所得）** ➡ アメリカ、中国、日本、ドイツ。2010年に中国が日本を抜いた。

□**ODA（政府開発援助）** ➡ アメリカ、ドイツ、**日本**、フランス、イギリス。

□温室効果ガス排出量 ➡ **日本**は世界の**2.7**%、1位は中国（2021）。

地理

# 09 地図

日付 ／

頻出度 **B**

●図法の種類は、その特徴も含めてしっかり覚えること。
●国土地理院発行の地形図の記号は、よく出題されるので注意。

## 1 地図

重要度 ★★

### 主な図法

□**メルカトル図法** ➡ 緯線と経線が直角に交わる。地図上の任意の2点間を結んだ直線は**等角航路**(経線に対して常に同じ舵角をとって目的地に到達できる航路)をあらわす。**航海図**に利用。

□**サンソン図法** ➡ 正積図法。経線は中央が直線でその他はサイン曲線。緯線は直線で等間隔。世界全図が可能だが、周辺部の歪みが大きい。赤道の長さを中央経線の2倍にする。中央経線上と赤道上で歪みが小さい。

□**モルワイデ図法** ➡ 正積図法。経線は中央が直線でその他は楕円曲線。緯線は高緯度ほど狭まる直線。赤道の長さを中央経線の2倍にする。緯度40度44分で歪みが0になる。

□**ホモロサイン図法** ➡ 正積図法。**低緯度地方**が**サンソン図法**、緯度40度44分付近から**高緯度地方**が**モルワイデ図法**。海洋部分に切り目。

□**ボンヌ図法** ➡ 正積図法。経線は中央が直線で他は曲線。緯線は等間隔の同心円。地方図に利用。

□**正距方位図法** ➡ **図の中心**と**任意の地点**を結んだ直線は**大圏航路**(最短航路)。中心からみた方位も正しい正方位図法。図の外周は図の中心の対蹠点(地球の中心を通って反対の地点)。図(円形)の直径は地球の全周。**航空図**に利用。国連旗はこの図法による地図を図案化したもの。

□**ユニバーサル横メルカトル図法** ➡ 特定経線を中央に左右3度ずつの範囲を投影。地球全体は60枚になる。**国土地理院発行**の**地形図**に利用。

### その他

□実測図と編集図 ➡ **5千分の１**の**国土基本図**、**2万5千分の１**の**地形図**は実測図。5万分の１の地形図は編集図。

□大縮尺図 ➡ 分母の値が小さい。5千分の１の国土基本図など。

□小縮尺図 ➡ **20万分の1の地勢図**。**50万分の1の地方図**など。

□ＧＰＳ（全地球測位システム） ➡ 複数の人工衛星を利用して自動車、航空機、船舶の位置を確認する。

## 2 地形図　重要度 ★★★

### 地形図の基本

□等高線 ➡ **太い計曲線**は**5万分の1**では**100mごと**、**2万5千分の1**では**50mごと**。主曲線（細い線）はそれぞれ20m、10mおき。

□水準点と三角点 ➡ **水準点**はその地点の**海抜高度**。東京都千代田区の水準原点が基準。**三角点**は三角測量の基準点で**横関係の位置**を定める。

□地図の方位 ➡ 基本的には地図の上が北。16方位であらわす。

□地形図から読めること ➡ 地形（山なのか平野なのかなど）、気候（気温の逓減率、植生）、土地利用、集落や道路の形態。

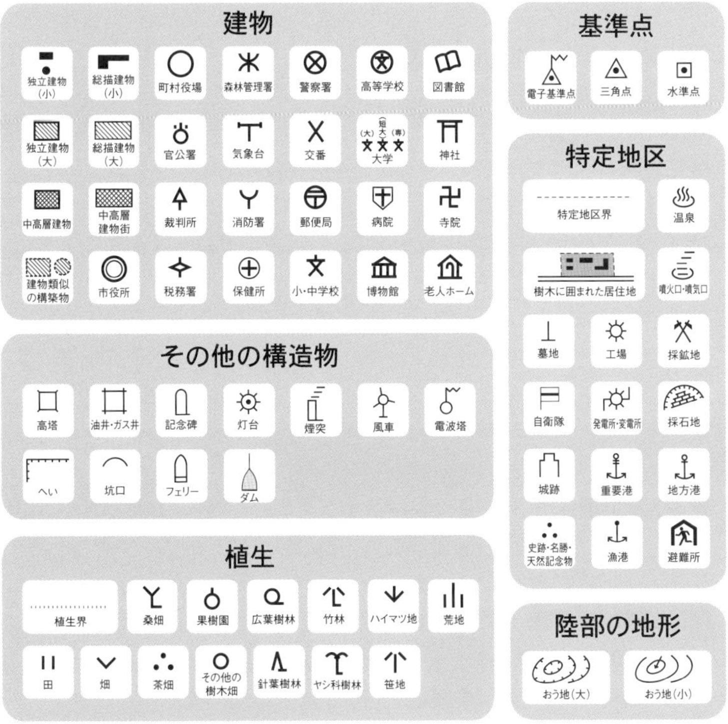


※出典：国土地理院



覚 「良い出来だ！」と今日も畑でVサイン（地形図の覚え方）

地理

# 10 環境問題

日付
／

頻出度
A

●近年、よく出題されるようになってきている分野なので、しっかり覚えておきたい。
●環境に関する国連会議や、さまざまな条約など、国際社会の取り組みをおさえておくこと。

## 1 地球環境問題　重要度 ★★★

□**酸性雨** ➡ 欧米では「緑のペスト」とも呼ばれる。pH5.6より酸性度の強い雨。硫黄酸化物、窒素酸化物。森林枯死、地下水の酸性化、建物劣化などをもたらす。1979年の**長距離越境大気汚染条約**で対策。

□**オゾン層破壊** ➡ 主に**フロン**（人工物）によるオゾン層破壊。**南極**や北極上空で観測。紫外線の増加による皮膚癌や白内障の増加などをもたらす。**1987**年**モントリオール議定書**、1989年ヘルシンキ宣言（フロン全廃）。

□**地球温暖化** ➡ 二酸化炭素を中心にメタン、フロンなど温室効果ガスが原因。気温上昇で水没地域出現も。1992年**気候変動枠組条約**、**1997**年**京都議定書**。**2016**年に京都議定書に代わる**パリ協定**が発効。

□熱帯林破壊 ➡ **地表**の**約6%**を覆うのが**熱帯林**。人口増加による農地拡大、薪炭材伐採、輸出用木材伐採などが破壊の原因。**マングローブ破壊**（エビ養殖など）も深刻になり、規制も行われている。

□砂漠化 ➡ 1970年ごろの気候変動や人為的原因（過耕作、過放牧、伐採）で**サヘル地区**（サハラ砂漠南縁）で急進。チャド湖の消滅、アラル海消滅の危機と周囲の砂漠化。食料難や水不足が問題。1996年**砂漠化防止条約**発効。

## 2 さまざまな活動と対策　重要度 ★★★

□**国連人間環境会議**（**1972**） ➡ ストックホルムで開催。「**かけがえのない地球**」がスローガン。国連環境計画（UNEP）設置決定。

□持続可能な開発 ➡ 国際環境計画（UNEP）らが提案（1980）。

□**国連環境開発会議**（**1992**） ➡ 地球サミットともいう。リオデジャネイロで開催。「**アジェンダ２１**」、気候変動枠組条約、生物多様性条約採択。日本では1993年に環境基本法制定。

□**持続可能な開発**に関する**世界サミット**（**2002**） ➡ ヨハネスブルグ開催。

## 3 さまざまな条約など 重要度 ★★

□**ラムサール条約**(1971) ➡「特に水鳥の生息地として国際的に重要な湿地に関する条約」。日本は53カ所を登録。

□**ワシントン条約**(1973) ➡「絶滅の恐れのある野生動植物の種の国際取引に関する条約」。日本も批准(1980)。

□世界遺産条約(1972) ➡「世界の文化遺産及び自然遺産の保護に関する条約」。2024年1月現在で世界全体で1199カ所(文化遺産933、自然遺産227カ所、複合遺産39カ所)。

## 4 重要な用語説明 出題 福岡 重要度 ★★

□**排出権取引** ➡ 国・企業などが、ほかの国・企業の温室効果ガスの排出権の余剰分を買い取り、地球全体として減らそうとするシステム。

□**ナショナルトラスト** ➡ 市民が寄付を集めて自然環境や歴史的環境を保全するために土地や建造物などを買い取るシステム。イギリスで19世紀末に起こる。日本も各地で実施。

□環境 NGO ➡ 環境保全のために非営利で活動する組織。世界自然保護基金(WWF)など。過激な活動で知られるグリーンピース(本部オランダ)も反核や環境問題をテーマとする環境 NGO の1つ。

□**循環型社会形成推進基本法**(**2000**) ➡ 資源循環型社会実現、生産者が製品の廃棄までの責任をもつことなどの原則を決定。

□**3R** ➡ **リサイクル**(再生利用)、**リデュース**(減量)、**リユース**(再利用)。むやみにゴミとして捨てないことを表現している。たとえば、かつては焼却・埋めたてしていたゴミを自治体は収集・再利用している。

□環境税・炭素税 ➡ 環境破壊物質を排出するものに公害防止のためのコストを負担させようとする考えから生まれた。北欧諸国などは導入済み。

## 5 人口問題 重要度 ★★

□世界人口 ➡ 約**81億**人(2023)。2020年の世界全体の人口増加率は0.87%で1975年当時の1.77%よりはかなり減少。しかし人口は増加傾向。

□将来人口 ➡ **2050年**の**世界人口**は**約97億人**と**推定**。その9割以上は途上地域での増加。**日本**は**約1億378万人**(現在1.25億人)まで減少予測。

地理 11

# アジアとアフリカの国々

日付 ／

頻出度 A

●アジアの国々は日本人にとって身近な存在ということもあり、他の地域よりも出題頻度が高い。
●特に中国やASEANの出題頻度は高いので注意。

## 1 東アジアの国々　重要度 ★★★

□**中国** ➡ 首都北京。人口14億人強。2008年北京オリンピック。2010年上海万博開催。世界の工場。50以上の少数民族。**漢民族9**割。格差は深刻。

□韓国 ➡ 首都ソウル。乏しい資源。造船。自動車。半導体。

□北朝鮮 ➡ 首都ピョンヤン。6カ国協議の主役。食糧難。チュチェ思想。

□台湾 ➡ 首都台北。中国は認めず。**国連非加盟**。観光と工業。半導体。

## 2 東南アジアの国々　重要度 ★★★

□**フィリピン** ➡ 首都マニラ。スペイン→アメリカが支配。**カトリック**、バナナ。ルソン島（北）やミンダナオ島（南）。人口1.1億人。

□**インドネシア** ➡ 首都ジャカルタ。人口2.7億人。オランダが支配。**イスラム教徒9**割。赤道直下の島国でジャワ島やスマトラ島。**原油・天然ガス**。

□ベトナム ➡ 首都ハノイ。**ドイモイ**（**刷新**）政策で工業化。旧フランス領。

□タイ ➡ 首都**バンコク**（チャオプラヤ川デルタ）。**第2次大戦中**も**独立維持**。**上座部仏教**がさかん。観光人気。米輸出。

□**シンガポール** ➡ 都市国家。中国系住民4分の3で**4**つの公用語（**英語**、**中国語**、**マレー語**、**タミル語**）。ハイテク産業発達。国土美化で観光。

□マレーシア ➡ 首都クアラルンプール。連邦制国家。**ルック＝イースト政策**で**工業化**。**ブミプトラ政策**でマレー人優遇。イスラム教が国教。

## 3 南アジアの国々　重要度 ★★★

□バングラデシュ ➡ 首都ダッカ。インドの東隣。人口1.7億人。**ガンジス川デルタ**で米やジュート。発達する縫製業。**水害**。パキスタンから分離。

□**インド** ➡ 首都デリー。人口**14億**人強。北部をガンジス川東流。**ヒンドゥー教徒8**割（カースト制度、憲法上は禁止）。デカン高原の綿花。進む工業化。**多言語国**。

## 4 西アジアの国々　重要度 ★★

□パキスタン ➡ 首都イスラマバード。乾燥気候（砂漠とステップ）。小麦栽培が盛ん。**インダス川**で**インダス**文明が栄えた。インドとの領土争い（カシミール問題）。

□アフガニスタン ➡ 首都カブール。内陸国で乾燥。9.11事件でアメリカがタリバン一掃作戦を行ったが2021年タリバン政権が復活。多民族国家。

□**イラン** ➡ 首都テヘラン。**アーリア系**で**ペルシャ語**。北にカスピ海。大半が乾燥。原油の生産と輸出。イスラム教シーア派が主流。

□イラク ➡ 首都バグダード。**チグリス**川・**ユーフラテス**川。**メソポタミア**文明。2003年イラク戦争。原油の生産と輸出。アラブ人3分の2。シーア派6割。

□イスラエル ➡ **首都エルサレム**（ユダヤ教、キリスト教、イスラム教の聖地）。周辺アラブ諸国とは中東戦争。ダイヤモンド研磨。**ユダヤ人**。イランとも対立。域内ガザ地区を支配するイスラム教原理主義組織ハマスと対立。

□トルコ ➡ 首都アンカラ。ヨーロッパに国土（**イスタンブール**）あり。イスラム教だが政教分離政策。東部にクルド人。**NATO 加盟国**。

□キプロス ➡ **南キプロス**（**ギリシャ系キリスト教徒居住地域**）が **EU 加盟**。北キプロス（トルコ系イスラム教徒居住地域）はＥＵ未加盟。

□サウジアラビア ➡ 首都リヤド。砂漠の産油国。西部に**聖地メッカ**あり。

## 5 アフリカの国々　重要度 ★★

**特徴**　第2次世界大戦前の独立国はリベリアとエチオピアのみ。

□**エジプト** ➡ **首都カイロ**（**ナイル川**デルタ）。原油。アスワンハイダム。**古代エジプト**文明。ピラミッド。綿花。ムバラク政権崩壊（2011）。

□スーダン ➡ 青ナイルと白ナイル合流。南北に分裂（2011）。産油国。

□**アルジェリア** ➡ 首都アルジェ。フランスから独立。産油国。

□**リベリア** ➡ アメリカの解放奴隷による独立国。ギニア湾入口部。

□コートジボアール ➡ 旧フランス領。**カカオ**の**生産**と**輸出**。ギニア湾岸。

□**ナイジェリア** ➡ **アフリカ最大人口**（**2億**人）。**部族闘争**（イスラム教とキリスト教の対立も）。ニジェール川河口で原油採掘。

□**エチオピア** ➡ 高原国。キリスト教徒多数。コーヒー原産地。

□ケニア ➡ **首都ナイロビ**（高原都市）。野生動物。**スワヒリ語**と英語。

□タンザニア ➡ **キリマンジャロ山**。野生動物。マサイ高原。スワヒリ語。

□コンゴ民主 ➡ コンゴ川。**熱帯雨林**。鉱物資源豊富。旧ベルギー領。

□南アフリカ ➡ 首都プレトリア。白人7.7%。**アパルトヘイト撤廃**。

**覚** 石油があるのにナイジェリア

地理

# 12 ヨーロッパと旧ソ連の国々

日付 ／

頻出度 **B**

●西ヨーロッパの頻出度はA。 各国の特徴をしっかりおさえておきたい。
●地名が出題されることもあるので注意。

## 1 北ヨーロッパの国々　重要度 ★★

**特徴**　**プロテスタント系。高福祉国で税金も高い。**

□アイスランド ➡ **海嶺**が発達した島国。火山。水産業。旧デンマーク領。

□ノルウェー ➡ 首都オスロ、北海油田で産油・輸出国、漁業がさかん、西岸海洋性気候、フィヨルド海岸発達、ＥＵ未加盟。

□**スウェーデン** ➡ 首都ストックホルム。鉄鉱石産出で工業発達（自動車や造船）。**オンブズマン制度**が有名。人口1000万人。

□フィンランド ➡ 首都ヘルシンキ。アジア系民族。自国を「スオミ」と呼ぶ。7割が森林。7万の湖沼。電子工業・紙・パルプ。森林は国家管理。

□デンマーク ➡ **やせ地**を改良。農協創設。先進酪農・畜産国。

## 2 西ヨーロッパの国々　重要度 ★★★

**特徴**　ＥＵ経済の中心。緯度の割に温暖な気候（西岸海洋性気候）。

□イギリス ➡ 首都ロンドン（テムズ川）。世界初の産業革命。北海油田。広い牧草地。北アイルランド問題（少数派はカトリック）。2020年 EU から離脱。

□**フランス** ➡ 首都パリ（セーヌ川）。**面積55万㎞$^2$**（**西欧最大**）。農業大国（小麦、大麦、ブドウ）。ツールーズの飛行機。**原発**が**7**割。観光客世界一。

□**ドイツ** ➡ 首都ベルリン。1990年東西統一。13州と3市の連邦国家。ルール工業地帯（ライン川と石炭）など**西欧最大**の**工業国**。科学的農業。河川・運河交通。北部は氷河によるやせ地のハイデ。トルコ人問題。

□ベネルクス３国 ➡ ベルギー、オランダ、ルクセンブルク。

□ベルギー（首都ブリュッセルに NATO と EU の本部あり）。人口密度は380人／㎞$^2$で日本とほぼ同じ。オランダ系とフランス系。３つの公用語。

□**オランダ** ➡ 首都アムステルダム。ライン川河口にユーロポート。4分の1が**干拓地**（**ポルダー**）。**ハーグ**の**国際司法裁判所**。酪農と園芸農業。

## 3 南ヨーロッパの国々　重要度 ★★★

**特徴**　カトリック中心。ギリシャはギリシャ正教。地中海性気候。

□スペイン ➡ 首都マドリード。北のピレネー山脈にバスク民族。南端は**ジブラルタル海峡**（**イギリス**領）。ビルバオ鉄山。イスラム文化が残る。

□ポルトガル ➡ 首都リスボン。イベリア半島西部。

□**イタリア** ➡ 首都**ローマ**（**バチカン市国**あり）。古代遺跡。豊かな北と貧しい南部。アペニン山脈。観光さかん。世界遺産多数。

□ギリシャ ➡ 首都アテネ。古代オリンピック。財政難。エーゲ海観光。

## 4 中部ヨーロッパ　重要度 ★★

□**スイス** ➡ 首都ベルン。**永世中立国**（**1815**）。４つの公用語。3分の2はドイツ系。精密機械工業。**ジュネーブ**には**国際機関**多数（赤十字と ILO の本部）。

□オーストリア ➡ 首都ウィーン（ドナウ川中流）。西部はアルプス。

## 5 東ヨーロッパ各国　重要度 ★★

□ハンガリー ➡ 首都ブダペスト。ドナウ川の平野。農業さかん。**アジア系**。

□ポーランド ➡ 首都ワルシャワ。やせ地。石炭。アウシュビッツ収容所跡。

□チェコ ➡ 首都プラハ（ボヘミア盆地）。カトリック。エルベ川。

□ルーマニア ➡ **ラテン系民族**。東側が黒海。ドナウ川河口。

□ブルガリア ➡ オスマン＝トルコから独立（1908）。バラ栽培。

## 6 旧ソ連から分かれた国　重要度 ★★

□**ロシア** ➡ 首都モスクワ。面積は日本の**45**倍。人口1.5億人。南部にイスラム教徒（チェチェン問題）。ロシア人8割で100以上の民族。輸出の6割が資源。日本への原油・天然ガス輸出。5割が森林。2022年以降日本との取引は減少。

□バルト3国 ➡ エストニア（アジア系）、ラトビア、リトアニア。

□ベラルーシ ➡ やせ地で工業国。ロシア民族の故郷といわれる。

□ウクライナ ➡ 首都キーウ ( キエフ )。**黒土地帯**の農業。国内に対立。2022年2月からロシアが軍事侵攻。日本は欧米とともにウクライナを支援。

□カザフスタン ➡ アジア系カザフ人とロシア人。原油、天然ガス、石炭。

□ウズベキスタン ➡ 灌漑《かんがい》で綿花・ブドウ。天然ガスや石油。

□トルクメニスタン ➡ カラクーム砂漠。灌漑農業と石油と天然ガス。



覚 アジア系フン族だから「フィンランド」

地理 13

# 南北アメリカ大陸・オセアニアの国々

日付 ／

頻出度 **B**

●これらの地域には、わが国と資源や農産物の貿易で重要な関係にある国が多いので、それらをおさえておくこと。
●アメリカについては、地域ごとの農業や工業についても問われることがあるので注意すること。

## 1 北アメリカの国々

重要度 ★★★

**特徴** 移民による国家。人種・民族のサラダボウルといわれる地域。

□**カナダ** ➡ 首都オタワ。面積はロシアに次ぐ。日本の27倍。人口3800万人。人口の6%弱が**先住民**(アジア系の**イヌイット**等)で北部にヌナブット准州。**英**語と**フランス**語。春小麦など。輸出の3/4はアメリカ。亜寒帯気候。

□**アメリカ** ➡ 首都ワシントンD.C.。人口3.4億人。世界最大の農業国・農産物輸出国(**穀物メジャー**による支配)。**ニューヨーク**に**国連本部**。金融の中心。50州。不法移民問題。

□メキシコ ➡ 首都メキシコシティ。人口1.3億人。スペイン語。メスチソが6割。**マヤ文明**、**アステカ文明**が栄えた。北部は乾燥気候。

□キューバ ➡ 首都ハバナ。**社会主義国**。ニッケル輸出。砂糖と煙草。

□パナマ ➡ **パナマ運河**は1999年末にアメリカから完全返還。パナマ運河の通行料や観光収入が大きい。メスチソ6割でスペイン語。

□コスタリカ ➡ 混血も含めて白人9割。**憲法**で**軍隊廃止**。自然保護重視。

□ハイチ ➡ 2010年に大地震で死者多数。最貧国の1つ。95%が黒人。フランス語(旧フランス植民地)、クレオール語。

## 2 南アメリカの国々

重要度 ★★

**特徴** 先住民とラテン系白人の混血がメスチソ。

□**ブラジル** ➡ 首都ブラジリア。面積は852万$km^2$(世界6位)。人口2.1億人(世界6位)。**ポルトガル語**。鉄鉱石、ボーキサイトなどが豊かで、油田開発も始まる。北にアマゾン川(熱帯林破壊)。日系人約140万人。

□**アルゼンチン** ➡ 首都ブエノスアイレス。人口約4500万人。**86**%が**白**人。スペイン語。**パンパ**(ラプラタ川河口)を中心とする温帯草原での農業と酪農・畜産業。輸出の6割は食料品。大農場はエスタンシア。貧富の差が大きい。

□チリ ➡ 首都サンチアゴ。南北の距離4630㎞。銅の生産と輸出。リチウム。北部は**アタカマ砂漠**。南部はフィヨルド。ブドウ栽培でワイン。漁業もさかん。

□**ペルー** ➡ 首都リマ。**インカ**文明の中心(**クスコ**)。アンデス山脈に高山都市多数。鉱物資源(銀、金、銅、石油、天然ガスなど)が豊か。沖を流れるペルー(フンボルト)寒流での漁業もさかん。

□エクアドル ➡ 首都**キト**(**赤道直下**)。**ガラパゴス諸島**をもつ。輸出の4分の1は原油。コーヒー、バナナの栽培と輸出もさかん。

**その他**

□フランス領ギアナ ➡ ブラジルの北、スリナムの東側にあるフランス植民地。金やボーキサイトを産出する。

## 3 オセアニアの国々 重要度 ★★★

□**オーストラリア** ➡ 首都**キャンベラ**(計画首都で人口43万人)。1901年に英連邦の自治国として独立。7割が乾燥気候。面積は世界6位。総人口約2590万人。輸出の4分の3が原料・燃料。白豪主義から1975年に人種差別禁止法へ。先住民**アボリジニー**(エアーズロック(ウルル)は聖地)。

□**ニュージーランド** ➡ 首都ウェリントン。新期造山帯で火山あり。先住民**マオリ族**が14%。国全体が**西岸海洋性気候**。先進農業国で、輸出の3分の2は食料品。面積は日本の7割で人口は513万人。

□パプアニューギニア ➡ オーストラリアから独立。ニューギニア島の西側はインドネシア。面積は日本の1.2倍強。人口は995万人。500以上の言語で500以上の民族が居住。キリスト教もさかん。金、原油、銅鉱の輸出。

□ツバル ➡ **水没の危機**で話題に。9つの環礁からなる。最高地点で海抜5.6m。人口1万人で自給自足的経済。

**その他**

□タヒチ ➡ フランス領で観光がさかん。

□ニューカレドニア ➡ オーストラリア東方。フランス領。ニッケル。

□キリバス ➡ 日付変更線が東側に食い込んでいる箇所の国。

□**南極** ➡ 面積1300万$km^2$から1400万$km^2$。1911年アムンゼンが南極点到達。資源は豊かだが、**どこの国にも属していない**。資源開発も禁止。

□ポリネシア ➡ 東太平洋部分。**ハワイ諸島**などが含まれている。

□ミクロネシア ➡ 西太平洋の赤道以北の部分。グアムやサイパン。

□メラネシア ➡ 西太平洋の赤道以南の部分。フィジーやバヌアツ。

マメ エクアドルの国名由来は「エクウェイター」(赤道)

地理

# 14 国の結びつき

日付 ／

頻出度 **B**

●貿易については、わが国との主要貿易国、主要貿易品がよく出題される。
●世界の諸機関については中学校で学ぶ程度のものは覚えておこう。アルファベットの略語だけでなく、日本語訳も覚えておきたい。

## 1 世界の貿易（2022年） 重要度 ★★

□輸出総額 ➡ 中国、アメリカ、ドイツの順。輸出総額は**24兆9045億ドルで、前年に比べ11.5%の増加**。

□輸入総額 ➡ **アメリカ、中国、ドイツの順**。**輸入総額は25兆6212億ドルで、前年比で13.3%の増加**。

□1人あたり貿易額 ➡ **香港地域**、**シンガポール**、オランダなどが多い。

## 2 日本の貿易（2022年） 重要度 ★★★

□貿易額 ➡ 輸出額：98兆1750億円　輸入額：118兆1410億円。
近年は増減を繰り返していたが、2020年は新型コロナウイルスの流行によって、輸出入とも減少。

□貿易品目 ➡ 輸出額の9割が工業製品。輸入額の6割が工業製品。3割が原材料・燃料。

□輸出相手 ➡ **中国**（**19.4**%）、**アメリカ**（**18.6**%）、韓国、台湾（2022年）。

□輸出地域 ➡ アジア59.7%、北アメリカ19.7%、ヨーロッパ12.6%

□輸入相手 ➡ **中国**（**21.0**%）、**アメリカ**（**9.9**%）、オーストラリア。

□輸入地域 ➡ アジア58.3%、ヨーロッパ13.4%、北アメリカ11.8%

## 3 各種機関 重要度 ★★★

### 国際連合関連機関

□**国際連合**（**UN**） ➡ 193カ国（2024年6月現在）。日本1956年加盟。アジア47カ国、アフリカ54カ国、ヨーロッパ43カ国、北アメリカ23カ国、南アメリカ12カ国、オセアニア14カ国、本部**ニューヨーク**。

□**安全保障理事会** ➡ **常任理事国**は**アメリカ**、**イギリス**、**フランス**、**ロシア**、**中国**の5カ国。非常任理事国は10カ国（2年で改選）。

□国連貿易開発会議(UNCTAD) ➡ 本部ジュネーブ。195カ国加盟。途上国貿易の経済開発と南北問題の是正を目的。

□国連環境計画(UNEP) ➡ 1972年設立。本部ナイロビ。**環境問題**。

□**国連児童基金**(**UNICEF**) ➡ 主に**途上国の子どもへの教育**や医療扶助。

□国連難民高等弁務官事務所(UNHCR) ➡ 本部ジュネーブ。難民援助。

□国連大学 ➡ **本部東京**。国連と UNESCO による運営。研究機関。

□国連開発計画(UNDP) ➡ 1966年設立。貧困、雇用などが対象。資金供与。

□世界食糧計画(WFP) ➡ 1961年設立。国連唯一の食糧援助機関。

□国連人口基金(UNFPA) ➡ 1967年設立。途上国の人口問題の解決。

□**国際通貨基金**(**IMF**) ➡ 1945年設立。本部ワシントン。国際貿易の拡大。為替の安定。国際収支悪化の加盟国に基金から援助。

□国際復興開発銀行(IBRD) ➡ 1945年設立。本部ワシントン。加盟国への民間投資への保証。場合によっては直接投資。

□**国連食糧農業機関**(**FAO**) ➡ 本部ローマ。食糧流通の改善や飢餓撲滅。

□**国連教育科学文化機関**(**UNESCO**) ➡ 1946年設立。本部パリ。教育・文化・科学について研究と普及をめざす。**世界遺産の登録**などの**活動**。

□国際労働機関(ILO) ➡ 1919年設立。本部ジュネーブ。労働条件と生活条件改善。労働条件の国際的基準を作り勧告も行う。

□世界保健機関(WHO) ➡ 1948年設立。本部ジュネーブ。公衆衛生全般。

□国際原子力機関(IAEA) ➡ 1957年設立。本部ウィーン。原子力平和利用。

□**世界貿易機関**(**WTO**) ➡ 1995年設立。本部ジュネーブ。自由貿易促進。

**政治・軍事機関など**

□**北大西洋条約機構**(**NATO**) ➡ 1949年設立。本部ブリュッセル。32カ国加盟。旧ソ連や東欧に対抗するための組織だったが、冷戦終結後は民族紛争にも対応。フィンランドが2023年4月に、スウェーデンが翌年3月に加盟。

□**東南アジア諸国連合**(**ASEAN**) ➡ 1967年設立。本部ジャカルタ。10カ国。東南アジアの経済、社会、文化の発展。安全保障にも力を入れている。

□アジア太平洋経済協力会議(APEC) ➡ 1989年設立。本部シンガポール。19カ国2地域(台湾と香港)加盟。太平洋地域の自由貿易促進。

□**アフリカ連合**(**AU**) ➡ 本部アディスアベバ。EU 型統合をめざす。

□**EU**(**ヨーロッパ連合**) ➡ 1993年設立。本部ブリュッセル。27カ国。2020年、イギリスが離脱。ユーロを採用(一部)。

□**石油輸出国機構**(**OPEC**) ➡ 本部ウィーン。12カ国加盟。

**ポイント** 国際連合の加盟国は193カ国

地理 15

# 地理関連用語

日付 ／

頻出度 C

●ここに挙げたのは一部である。いずれも重要なものなので、すべて覚えておきたい。
●宗教や言語は歴史と特に深い関係がある。世界史の知識も活用しよう。

## 1 宗教　重要度 ★★★

**キリスト教**　2000年の歴史

□特徴 ➡ イエス・キリストが創始。神の前の平等とアガペー(愛)が思想の中核。

□**カトリック** ➡ 南欧、中南米、フィリピンなどに信者多数。

□プロテスタント ➡ 北欧、北ドイツ、イギリス、北アメリカなどに信者。

□ギリシャ正教 ➡ 東欧やロシアに信者が多い。ロシア正教は一派。

**仏教**　2500年の歴史

□特徴 ➡ バラモン教(カースト制度をもつ)に反対して生まれた。

□**上座部仏教** ➡ **東南アジア**でさかん。修行を重んじ、個人の救済を求める。

□大乗仏教 ➡ 東アジアなど。自分と他者の広い救済を目標とする。

□ラマ教　⇒　チベット仏教。大乗仏教と梵教とが融合。チベットなど。

**イスラム教**　**7**世紀にアラビア半島で起こる。

□特徴 ➡ **聖地メッカ**。コーランが聖典。六信五行や偶像崇拝禁止が特徴。

□**スンニ派**と**シーア派** ➡ 多数派がスンニ派。**シーア派**は**イラン**や**イラク**。

**その他**

□**ヒンドゥー教** ➡ インドと周辺。多神教で牛を神聖視。厳格な**カースト制度**。

□ユダヤ教 ➡ イスラエルや世界のユダヤ人が信仰。教会はシナゴーグ。

## 2 第 1 次産業関連など　重要度 ★★

□棚田 ➡ 東南アジアなどで山の斜面を利用して米作り。フィリピンなど。

□二毛作と二期作(米) ➡ 二毛作は裏作をやり、二期作は米を2回栽培。

□**冬小麦**と**春小麦** ➡ 冬小麦は秋蒔き、春小麦(寒冷地)は春蒔きで栽培。

□ナツメヤシ ➡ 砂漠地帯のオアシスで栽培。干した実は塩分が多い。

□テンサイ ➡ 砂糖大根。ヨーロッパなどでは家畜のエサにも利用。

□ライ麦 ➡ 寒冷地で栽培する麦。ドイツやポーランドなど。

□潮目 ➡ 潮境。寒流と暖流が出合うところで好漁場。三陸沖など。

□メジャー ➡ 国際石油資本。採掘から販売まで一貫して行う企業。

□一次エネルギー ➡ 天然のままの物質をエネルギーに利用したもの。

## 3 その他 重要度 ★★★

□アルタイ語族 ➡ モンゴル語、トルコ語など。ウラル語系とも関係深い。

□**バイオマス** ➡ 生物資源を利用して得られるエネルギー。木材や糞。

□散村 ➡ 家屋が離れて存在する形態の村。砺波平野、出雲平野など。

□隠田集落 ➡ 落武者が不便なところに作ったといわれる。白川郷。

□輪中 ➡ 堤防で守られた集落。濃尾平野(木曽三川が流れる)が有名。

□**モノカルチャー** ➡ 1つか2つのものに依存した国家経済。

□シュバルツバルト ➡ 黒い森の意。ドイツ南部のドナウ川水源。酸性雨被害。

□**環境アセスメント** ➡ 開発の影響を事前に評価するシステム。

□成長の限界 ➡ 1972年にローマクラブが警告。人口、環境、食糧など21世紀には成長の限界がやってくるので、早めの対策をという内容。

□地形の侵食輪廻 ➡ 幼年期→壮年期→老年期→準平原と繰り返す。

□永久凍土 ➡ シベリアなどの地下の氷層。温暖化で溶解が進む。

## 4 地名など 重要度 ★★

□ベーリング海峡 ➡ ユーラシア大陸と北アメリカ大陸の間。

□マラッカ海峡 ➡ スマトラ島とマレー半島の間。交通量は多い。

□ジブラルタル海峡 ➡ スペイン南端。イギリスが管理する。

□ドーバー海峡 ➡ イギリスとフランスの間。海底にユーロトンネル。

□マゼラン海峡 ➡ 南アメリカ大陸とフエゴ島の間。

□**黄河**と**揚子江** ➡ それぞれ中国華北と華中を流れる大河川。

□ヴォルガ川 ➡ 「ロシアの母」と呼ばれる。運河でドン川と接続。

□アフリカ三大河川 ➡ ナイル川、ニジェール川、コンゴ川。

□**ミシシッピー川** ➡ 約6000㎞。メキシコ湾に流入。

□**カスピ海** ➡ 世界最大の湖(協定により海と定義)。

□ヴィクトリア湖 ➡ アフリカ地溝帯の淡水湖。アフリカ最大。

□スペリオル湖 ➡ アメリカとカナダの国境が通る。五大湖中最大面積。

□紅海 ➡ 北にスエズ運河がある。地中海とインド洋をつなぐ。



覚 天才(テンサイ)をつくる食物砂糖大根

思想

# 01 西洋思想史①(古代〜中世)

日付 ／

頻出度 **B**

●思想史の出題頻度はさほど高くはないが、教育史などと関連する部分も多く、要点はつかんでおきたい。
●古代・中世ではギリシャの3大思想家(ソクラテス・プラトン・アリストテレス)が重要である。

## 1 自然哲学者

出題 長野(高)　重要度 ★★

世界を自然の中に存在する**万物の根源**となるもの(**アルケー**)で説明。前6C頃〜。

| | | |
|---|---|---|
| タレス | 水 | **自然哲学の祖** |
| ピタゴラス | 数 | 万物の調和を重視。**三平方の定理** |
| ヘラクレイトス | 火 | 「**万物は流転する**」 |
| **デモクリトス** | **アトム**(それ以上分割不可能なものの意味) | |
| **パルメニデス** | **不変不動の実体**(「あるものはある。ないものはない」) | |

## 2 ソフィスト

出題 長野(高)　重要度 ★★

知恵ある者の意。演説や討論などの弁論術を教える。後、詭弁学派と称される。

□**プロタゴラス** ➡ 真理の**相対主義**を唱える=「**人間は万物の尺度**」

□**ゴルギアス** ➡ **懐疑主義**：人は真理を知り得ない

## 3 ギリシャ3大哲学者(前5〜前4C)

出題 長野(高)　重要度 ★★★

| | |
|---|---|
| ソクラテス | 真理探究の出発点を、自分が真理について何も知らないという自覚(**無知の知**)に求め、真理探究の方法として**問答法**(**産婆術**)を唱えた |
| プラトン | 世界を**イデア界**(理性でのみとらえられる世界)と**現象界**(感覚によってとらえられる世界)に二分する**イデア論**を主張。本質はイデア界にあるとする。**哲人政治**を理想とした |
| アリストテレス | プラトンのイデア論を批判し、本質は現象界の個物に内在する(=**エイドス**)とする**一元論**を主張<br>人間の理想として**中庸**の選択を挙げ、そうした徳が完成するためにはポリスにおける社会生活が必要であるとした=「**人間はポリス的(社会的)動物である**」 |

## 4 ヘレニズム期の哲学

出題 長野（高） 重要度 ★★

□**ゼノン** ➡ **禁欲主義（ストア派）**：欲望を制して理性にしたがって生きる → **アパテイア（不動心）**

□**エピクロス** ➡ **快楽主義（エピクロス派）**：快楽（精神的快楽）を求め、外からの刺激を避けて生きる → **アタラクシア（心の平安）**

## 5 古代・中世のキリスト教哲学

重要度 ★★

### ユダヤ教とキリスト教

□**ユダヤ教** ➡ **ヤハウェ**を唯一神とするユダヤ人の民族宗教であり（**選民思想**）、神の律法への絶対服従を要求する（**神との契約**）。『**旧約聖書**』

□**キリスト教** ➡ 神の前における平等。神の愛、神への愛、人間同士の愛の３つの側面をもつ**アガペー**。迫害の後、**ローマ帝国の国教**に。『**新約聖書**』

＊**アガペー**＝神の愛。神が罪人たる人間に対して一方的に恩寵を与える自己犠牲的な行為で、キリストの愛として『新約聖書』にあらわれた思想。

### キリスト教の発展

□**コンスタンティヌス帝** ➡ 313年、**ミラノ勅令**（**キリスト教を公認**）。325年、**ニケーア宗教会議**（**三位一体説**を正統に、アリウス派を追放）

□**テオドシウス帝** ➡ 392年、キリスト教を**ローマ帝国の国教**に

□**教父哲学** ➡ **アウグスティヌス**：**最大の教父**。**教会**の権威を絶対化。『**告白録**』『**神の国**』（5世紀初頭）

□**スコラ哲学** ➡ **トマス＝アクィナス**：アリストテレス哲学に基づいてキリスト教の教義を正当化。『**神学大全**』（13世紀後半）

## 6 ルネサンス期の思想

重要度 ★★

□**ピコ＝デラ＝ミランドラ**（伊） ➡ 『**人間の尊厳について**』（1486＝人間は自由意志によって自分の存在のあり方を決定できること、その点にこそ人間の尊厳があることを強調）

□**エラスムス**（蘭） ➡ 近代自由主義の先駆者。『**愚神礼賛**』（1511＝宮廷人や教皇を含む聖職者、学者などの権威者を風刺。しばしば発禁に）

□**トマス＝モア**（英） ➡ 『**ユートピア**』（1516）

□**マキャベリ**（伊） ➡ 現実主義的政治理論を創始。『**君主論**』（1532＝目的のためには手段を選ばない権力的な統治様式〈＝**権謀術数《けんぼうじゅっすう》主義**〉を主張）

思想
02
# 西洋思想史②（近世）

日付 ／

頻出度
**A**

●大陸合理論とイギリス経験論の特徴と代表的な思想家を理解すること。
●社会契約説のホッブズ、ロック、ルソーについて、それぞれの主要概念や違いをおさえておくこと。

## 1 宗教改革期の思想　重要度 ★★

□**ルター** ➡ **聖書主義**：信仰は聖書にのみ基づく（＝教会の権威を否定）。**万人司祭説**：神父の権威も否定。

□**カルヴァン** ➡ **予定説**：個々人の救済は神が予め決めているとする。**職業召命説**：職業は神が天職として与えたのであり、それに励むことが（結果としての蓄財も）神の栄光をあらわすことであるとする。当時勃興しつつあった市民階級（商工業者）に支持され、資本主義の発展に大きな影響を与えた。

＊カルヴァン派の呼び方：オランダ＝ゴイセン／イギリス＝ピューリタン／フランス＝ユグノー／スコットランド＝プレスビテリアン

## 2 西洋近代思想の萌芽　出題 長野　重要度 ★★★

**大陸合理論**　認識の源泉として「理性」重視。「生得観念」の立場をとる

□**デカルト** ➡ **合理論の開祖**。これまでに確実とされているすべての事柄を疑い得る（**方法的懐疑**）が、疑っている「私」の存在だけは疑えない⇒「**われ思う、ゆえにわれあり**（cogito, ergo sum）」（『**方法序説**』1637）／**演繹法**：確実で普遍的な原理から経験によらずに論理的に個々の確実な法則を導き出す方法／**物心二元論**：それ自体で存在するものを**実体**と呼び、思惟を本質とする**精神**と、空間的広がりをもつ**物体**がそれぞれ独立して存在するとする

□**スピノザ** ➡ **汎神論**：唯一の実体は神であるという**一元論**の立場

**イギリス経験論**　真理の源泉を「経験」に求める。「習得観念」の立場をとる

□**フランシス＝ベーコン** ➡ **経験論の開祖**。「**知は力なり**」とし、個別的な経験から一般的な法則を導き出す**帰納法**を重視。主著『**ノヴム・オルガヌム**（**新機関**）』で、人間の正しい認識を阻むものを**イドラ**（偶像＝偏見・先入観）とし、イドラを除去することの必要性を述べる＝４つのイドラ（①種族のイドラ・②洞窟のイドラ・③市場のイドラ・④劇場のイドラ）

□**ロック** ➡ **タブラ＝ラサ（白紙）説**：生得観念を否定し、誕生時の人間の心は白紙であり一切の知識（観念）は**経験**に由来する。『**人間悟性論**』（1690）

**モラリストの思想**　人間の本性・生き方を自由に追求

□**モンテーニュ** ➡ **「われ何をか知る」**：内省的態度で人間性を追求。謙虚に生きることを説く。『エセー（随想録）』（1588）

**パスカルの『パンセ』の中の言葉。「人間は一茎の葦にすぎない」と説き起こす**

□**パスカル** ➡ **「人間は考える葦である」**と述べ、人間を偉大と悲惨・虚無の中間者と捉える。

## 3 社会契約説

出題　長野　　重要度 ★★★

国家の起源を自由で平等な個人相互の自発的な契約に求め、それによって政治権力の正統性を説明しようとする。

**【基本用語】自然権**：人間が生まれつきもっている権利／**自然法**：人間の本性に基づく法・理性の声／**自然状態**：仮想された国家成立以前の状態

| 思想家 | **ホッブズ（英）** | **ロック（英）** | **ルソー（仏）** |
|---|---|---|---|
| 生没年 | 1588〜1679 | 1632〜1704 | 1712〜1778 |
| 人間観 | どんなことでもする**利己的存在** | 神の被造物。社会的・**理性的存在** | 自己愛と思いやりをもつ**自然人** |
| 自然権 | 自己保存の原理 | 生命・自由・財産保有の権利 | 素朴な自然人として生きる権利 |
| 自然状態 | **万人の万人に対する闘争**。人が人に対して狼となる | 自由、平等と平和が比較的保たれた状態だが不安定 | 自由、平等と平和が理想的に保たれた状態 |
| 社会契約の方法 | **自然権を放棄**（譲渡）して君主（主権者）に**服従**し、その**保護**を受ける | 自然権を政府に**信託**するが、**抵抗権**をもつ | **一般意志**（理性的な共通の意志）を**直接民主制**によって実現。**政府は一般意志の執行機関** |
| 政治への影響 | 王権神授説にかわる合理的根拠として**絶対王政を擁護**。**主権在君** | **名誉革命**を理論づけた。**主権在民** | **人民主義**の立場から鋭い社会批判、文明批判＝**フランス革命の導火線**に |
| 著　作 | 『リヴァイアサン』 | 『**統治論**』（『**市民政府二論**』）『**人間悟性論**』 | 『**社会契約論**』『**人間不平等起源論**』『**エミール**』 |

**ポイント** ロックのタブラ＝ラサ説は「教育原理」でもよく扱われる

思想 03

# 西洋思想史③(近代〜現代)

日付 ／

頻出度 A

- 実存主義の5人の思想家は最重要なので、主要概念や著作名は覚えておくこと。
- 近現代の西洋思想では他にドイツ観念論や功利主義、プラグマティズムが出題される機会が多い。

## 1 ドイツ観念論

出題 長野　重要度 ★★

□**カント** ➡ イギリス経験論と大陸合理論を「**コペルニクス的転回**」(認識が対象に従わなければならない → 対象こそが認識に従わなければならない)によって総合して**批判哲学**(**ドイツ観念論**)を樹立。認識は**直観**と**思考**から成り立ち、前者は**感性**、後者は**悟性**として機能し、両者が相まって認識が成立。『**純粋理性批判**』『**実践理性批判**』『**判断力批判**』(三批判書)

□**ヘーゲル** ➡ **ドイツ観念論の完成者**。**弁証法哲学**：正(テーゼ)→反(アンチテーゼ)→合(ジンテーゼ：止揚)←社会発展、人間精神の向上も弁証法的に発展する過程ととらえる。後のマルクス主義に影響を与えた。『**精神現象学**』(1807)『**法の哲学(法哲学綱要)**』『**歴史哲学講義**』

## 2 19〜20世紀の思想

出題 長野　重要度 ★★

### 功利主義

ある行為が結果として快をどれくらい増したかという結果主義的観点から行為を判断する立場。快＝善という功利の原理に立つ

| | |
|---|---|
| ベンサム | 「最大多数の最大幸福」＝**量的功利主義**：快楽の質的相違は問わず、量的にはかれる |
| ミル | 「満足した豚よりも不満足な人間であるほうがよい」＝**質的功利主義**：精神的快楽のほうが肉体的快楽より高級 |

### プラグマティズム(実用主義)

米独自の思想。行動(プラグマ)に対する実際的効果を重視

| | |
|---|---|
| パース | 創始者・**実際的効果**：観念の意味を行動に対する実際的な効果、影響という点から考える |
| デューイ | 完成者・**道具主義**：知性＝環境に適用するための道具 |

デューイは価値多元論を唱え、民主主義的教育を重視。**問題解決学習**を提唱

**実存主義**

真の実存の完成（主体性の確立）をめざす思想

| | |
|---|---|
| **キルケゴール**<br>（有神論的実存主義） | 私にとっての真理（**主体的真理**）を追究。**実存の3段階**を経て**絶望**を乗り越え、神の前に**単独者**として立つことで真の実存に達する。『**死に至る病**』 |
| **ヤスパース**<br>（有神論的実存主義） | 死・苦・争い・罪責などの人生の壁（**限界状況**）に出会って、自己の無力さを感じるとき、人間は**包括者**（神）を初めて感得する |
| **ニーチェ**<br>（無神論的実存主義） | 「**神は死んだ**」と述べてキリスト教の**ニヒリズム**を克服し、「**権力への意志**」を体現して新しい価値観を創造する**超人**こそ来るべき人間像であるとした。『**ツァラトゥストラはかく語りき**』 |
| **ハイデガー**<br>（無神論的実存主義） | 人間（**現存在**）は世界に投げ出された**世界内存在**であり、日常性へ頽落した「ひと（**ダス・マン**）」となっているが、死への自覚（**先駆的決意性**）によって本来性を取り戻しうる。『**存在と時間**』 |
| **サルトル**<br>（無神論的実存主義） | 人間は「**実存は本質に先立つ**」存在として、自己の本質を選ぶ自由があり、社会参加（**アンガージュマン**）の中で自己が実現できる。『**存在と無**』 |

**構造主義**

全体構造から部分の意味が決まる。主にフランスで展開

| | |
|---|---|
| **ソシュール** | **構造主義言語学**。「**ラング**」と「**パロール**」：**パロール**（**発話**）の意味は**ラング**（**文法体系**）で成立している関係によって決定 |
| **フーコー** | **エピステーメー**：ある特定の時代における知の総体的枠組みで、当該社会の権力関係を反映／**知の考古学**：エピステーメーを解明する試み |

**マルクス主義**　社会主義・共産主義の理論を大成（科学的社会主義）

| | |
|---|---|
| **マルクス** | **疎外**：産業化による主体性の喪失／**上部構造**と**下部構造**：物質が精神を規定→経済がそれ以外の社会的側面を規定 |

**精神分析**　**無意識**の発見

| | |
|---|---|
| **フロイト** | **エス**（**イド**）：無意識的衝動／**超自我**：家族や社会に由来する道徳規範意識、エスを抑圧／**自我**：エスと超自我を調停 |
| **ユング** | **集合的無意識**：人類共通の普遍的無意識。神話や伝説などにあらわれている |



**ポイント** カントとカント以前、カント以後の認識論をおさえよう

思想

# 04 中国の思想

日付 ／

頻出度 B

●中国思想史では、諸子百家の時代がよく出題される。特に儒家と道家の主要思想家については概念などをしっかり覚えておくこと。
●諸子百家の時代以外では、朱子学と陽明学をおさえておくとよい。これらの思想は近世日本にも大きな影響を与えている。

## 1 諸子百家

重要度 ★★

□**諸子百家** ➡ 春秋戦国時代に現れた多くの思想家を総称する言葉。

□諸子百家の主要な思想家とその思想

| 学派 | 思想家 | 思想の内容 |
|---|---|---|
| 儒家 | **孔子・孟子** | **人倫**を説く |
| 墨家 | **墨子** | **兼愛**(無差別の愛)・**非攻**(非戦論) |
| 道家 | **老子・荘子** | **無為自然**を説く |
| **法家** | **商鞅《しょうおう》・韓非《かんぴ》** | **法治主義**を説く |
| **名家** | **公孫竜** | 言葉の定義や意味を吟味 |
| 兵家 | **孫武《そんぶ》・孫臏《そんぴん》** | 戦略・戦術の研究 |
| **縦横家《じゅうおうか》** | **蘇秦《そしん》・張儀《ちょうぎ》** | **合従連衡**を説く |

## 2 儒家

重要度 ★★★

**孔子** (紀元前551? ～紀元前479)

衰微した周の封建的秩序が回復して平和の中で人々が親愛の情によって結ばれる社会の実現を理想とする。『**論語**』(孔子の言動、弟子との問答などを収録)

□**仁・礼** ➡ **仁**(人の心にある根本の徳)は人(主に身内)に対する親愛の情。仁が外に現れて規範化したものが**礼**。**忠**(偽りのない誠実な心)と**恕《じょ》**(他人への思いやりの心)によって現実化される。

□**徳治主義** ➡ 徳のある**君子**(仁の実践者)が国を治める → 道徳的修養が政治的指導者の使命。

易姓革命:君主の位は天命、徳を失った君主は天命によって交替させせられる

**孟子** (紀元前372? ～紀元前289)

□**性善説《せいぜんせつ》** ➡ 人間の本性は善。支配者は**仁**・**義**に基づき道徳的政治を行う(**王道政治** → **易姓革命**)⇔ **荀子**:**性悪説《せいあくせつ》**＝人の本性は悪であるので**礼**が必要。

## 3 墨家　重要度 ★★

□**墨子**(紀元前450? ～紀元前390?) ➡ **墨家**《ぼくか》の始祖。**兼愛**：私利から離れた無差別な平等愛／**非攻**：侵略戦争の否定。実際に諸侯に説いて攻撃を断念させた。／**尚賢**《しょうけん》：貴賤を問わず賢者を官に登用。(これらを**墨家十論**という)

## 4 道家　重要度 ★★

**老子**　(生没年不詳)

**道家**の始祖(実在を疑問視する説も)。素朴で自然な人間の生き方を求めた。

□**道**《たお》 ➡ 諸物の原始。諸物を超越したものでありとらえることができない＝無

□**無為自然** ➡ 諸物をあるがままに受け入れ、人為的・作為的なことを排除し、道にしたがって生きること。儒家の人倫の道は人間の作為として批判。

□**小国寡民** ➡ 少ない民で自給自足の村落共同体。自然に帰する理想社会。

**荘子**　(生没年不詳)

人間の知識の範囲は限定され、是非の判断も相対的で、終局的には生死の差別もないとする自由自在の境地に達した。

□**道の思想** ➡ 万物の諸相や変化などに**内在する理法**を**道**とする(老子の「道」が万物の根本実在としてとらえるのとは対照的)。

□**万物斉同**《せいどう》 ➡ 万物は道の観点から見れば等価値であり、貴賤などの現実の社会にある礼法秩序や、つきつめれば生死ですら相対的であるとする。

□**真人**《しんじん》 ➡ 心の平安と自由の境地にある理想の人間。

## 5 その他の思想家　重要度 ★★

□**韓非**(? ～紀元前233?) ➡ **法家**思想を集大成。**法治主義**：性悪説の立場から礼より拘束力のある**法**で国家を支配しようとする／**信賞必罰**：君主が家臣を統制してゆくためには一定の基準によって賞罰を与えることが必要。

□**朱熹**《しゅき》(1130～1200) ➡ 宋代の儒家。**朱子学**の始祖。**性即理の思想**＝人間は本然の性(**理**)と気質の性(**気**)からなる(**理気二元論**)。貴賤尊卑は気質の差による必然。学問の目的を「**窮理居敬**(理の探究と気の制御)」におく。

□**王陽明**《おうようめい》(1472～1528) ➡ 明代の儒家。**陽明学**の始祖。**心即理の思想**＝人間の心(性・情)自体が**理**であり、知(認識)と行(実践)は心の作用の表裏ととらえて、万人の良知を窮めて仁を実現(＝**理一元論**)すると説く。学問の目的を「**知行合一**(真の知は実践される)」におく。

思想

# 05 日本の思想

日付 ／

頻出度 **B**

●仏教史は確実に！　特に鎌倉仏教については、宗派と開祖、教義内容についておさえておくこと。
●江戸時代の思想では、儒学は朱子学・陽明学・古学に分かれ、後期には儒学以外にも国学や蘭学・洋学が出てくることに注意！

## 1 日本仏教

出題 長野(高)　重要度 ★★

□**奈良仏教** ➡ 仏教による国内統一を目的とした国家仏教(**鎮護国家**思想)。
→ 各国に**国分寺・国分尼寺**《こくぶんにじ》の建立計画(総国分寺として**東大寺**)
→ **南都六宗**＝三論・法相《ほっそう》・華厳《けごん》・律・成実《じょうじつ》・倶舎《くしゃ》の六宗。

□**平安仏教** ➡ 前期には密教が、中期には浄土教(**末法思想**に基づき阿弥陀仏の力による極楽浄土への往生を本願とする)が登場。

| | |
|---|---|
| 最澄(法華経) | **日本天台宗。一切衆生悉有仏性**《いっさいしゅじょうしつうぶっしょう》：あらゆるものには仏になる性質が備わっており、菩薩衆(大乗)によって成仏できる |
| 空海(真言密教) | **真言宗。三密**：修行によって大日如来と一体化し、即身成仏できるとした |
| 空也(浄土教) | **市聖**《いちのひじり》：民衆に分け入り、浄土教を広める |
| 源信(浄土教) | **厭離穢土**《おんりえど》・**欣求浄土**《ごんぐじょうど》：この世は汚れているので極楽浄土をめざす |

□**鎌倉仏教**

**浄土宗系＝他力信仰**

| | |
|---|---|
| 法然 | **浄土宗。専修念仏**：ただひたすら念仏を唱える |
| 親鸞 | **浄土真宗。絶対他力信仰**：何もかも阿弥陀仏のおかげ／**悪人正機説**：悪人でも極楽浄土に行くこと(往生)が可能 |
| 一遍 | **時宗。**踊り念仏による布教をし、捨聖・遊行上人と呼ばれた |

**禅宗系＝自力信仰**

| | |
|---|---|
| 栄西 | **日本臨済宗。公案**：坐禅時に与えられたテーマについて考える |
| 道元 | **日本曹洞宗。只管打坐**《しかんたざ》：ひたすら坐禅 → **身心脱落**：悟りの境地 |

**日蓮宗(法華宗)**

| | |
|---|---|
| 日蓮 | **法華経**こそ仏陀の真の教え → **立正安国論**：法華経を信じれば国が治まる → **題目／折伏**《しゃくぶく》：他宗を排撃する戦闘的布教活動 |

## 2 江戸時代の思想家

重要度 ★★

### 日本の儒学思想

**新儒教**

| | |
|---|---|
| 林羅山 | **朱子学**。**上下定分の理**：封建社会を肯定 → 幕府の官学に |
| 中江藤樹 | **日本陽明学**。**孝**：人を愛し敬う心の働き、人倫の基本 |

古学派：**原典主義**

| | |
|---|---|
| 山鹿素行《やまがそこう》 | **古学**。**士道**：儒教＝武士が学ぶべき倫理 |
| 伊藤仁斎 | **古義学**。**仁愛**：仁＝愛 → 根底には誠 |
| 荻生徂徠《おぎゅうそらい》 | **古文辞学**。**安天下の道**：中国古代の法・制度にしたがって国を治める → 経世済民 |

### 日本独自の思想

| | |
|---|---|
| 本居宣長《もとおりのりなが》 | **国学**：日本人本来の心（まごころ）を探究。また、平安文学の本質を「**もののあはれ**」と呼び、『源氏物語』を高く評価した |
| 石田梅岩《ばいがん》 | **石門心学**《せきもんしんがく》。**町人哲学**：町人の営利活動を肯定／**町人道徳**：正直、倹約、知足安分 |
| 安藤昌益《しょうえき》 | **万人直耕**《ばんにんちょっこう》：すべての人が農民になり自給自足 → 封建社会を否定／**自然世**：自給自足の理想的社会 |
| 二宮尊徳 | **天道と人道**：農業には自然の働きと人間の活動とが必要／**報徳思想**：他人から受けた恩に徳でもって報いる |

## 3 近代日本の思想

出題 長野（高）　重要度 ★★

| | |
|---|---|
| 佐久間象山 | **「東洋道徳、西洋芸術」**：道徳的なことは東洋（朱子学）から、科学技術に関しては西洋から学ぶ、**和魂洋才** |
| 福沢諭吉 | **天賦**《てんぷ》**人権論**：人権は生まれながらにして備わっている → **独立自尊**：個人の独立 → 国家の独立 → これらを実現するために実学を学ぶべき |
| 中江兆民 | **東洋のルソー**。天賦人権論：わが国の民族は恩賜的民権 → **恢復的民権**《かいふくてきみんけん》（民衆が自分で勝ち取る）と進むべきと説く |
| 内村鑑三 | **不敬事件**：教育勅語に敬礼をせず教職を辞職／**非戦論**：日露戦争に反対／**2つのJ**：日本とキリスト教に生涯を捧げる／**無教会主義**・聖書主義 |
| 西田幾多郎《きたろう》 | **純粋経験**（**主客未分**《しゅかくみぶん》）：主観、客観の前に純粋経験がある |
| 和辻哲郎《わつじてつろう》 | **間柄的存在**：相互に前提しあっているもの（人と人との間）として人間をとらえ、個人と社会との対立を調停 |



**ポイント** 鎌倉仏教は日本史でも教育史でも扱われるので大切だ

芸術 01

# 西洋美術史①

日付 ／

頻出度 A

●ルネサンス美術は3大画家（ダ＝ヴィンチ、ラファエロ、ミケランジェロ）を中心におさえておこう。
●それぞれの時代の建築様式はよく出題される。それぞれの特徴の違いと、代表作を覚えておくこと。

## 1 古代　重要度 ★

### ギリシャ

□**クレタ文明** ➡ **クノッソス宮殿**（エヴァンズが発掘）

□**神殿建築** ➡ **ドーリア式柱**（パルテノン神殿）、**イオニア式柱**（ニケ神殿）、**コリント式柱**（オリュンピェイオン）

## 2 中世　重要度 ★★★

### 初期キリスト教美術

□**カタコンベの壁画** ➡ 古代ローマではキリスト教が弾圧されていたので、カタコンベ（地下墓所）で集会が行われた。その壁に宗教絵画が描かれた。

□**教会建築のはじまり** ➡ 4世紀にキリスト教が公認されると、地上に教会が建築されるようになった。

### 教会建築の様式　重要！

| ビザンティン美術 | ロマネスク美術 | ゴシック美術 |
| --- | --- | --- |
| ビザンツ帝国の美術。天井部の**ドーム**と壁面のモザイク画が特徴。<br>**セント＝ソフィア大聖堂**（15世紀以降、イスラム教のモスクになった） | 11～12世紀、南フランスを中心とした美術。重々しい荘厳さが感じられる。半円形アーチ、**厚い石壁**、**小さな窓**が特徴。<br>**ピサ大聖堂** | 12～15世紀、北フランスを中心とした美術。明るく伸び伸びとした印象が強い。**薄い壁**、**大きな窓**、**ステンドグラス**が特徴。<br>**ノートルダム大聖堂** |

□**ロマネスク**と**ゴシック** ➡ 上表でもわかるように、荘厳で重々しいロマネスク様式に対して、ゴシック様式は明るく伸び伸びとしており、尖塔がそびえ、天井も高い。

## 3 ルネサンス　出題 長野　重要度 ★★★

### ルネサンス　重要！

□**ルネサンス絵画の特徴** ➡ **均衡**や調和を重視し、**遠近法**を用いた。

| 初期ルネサンス | 盛期ルネサンス | マニエリスム |
| --- | --- | --- |
| 絵画：**マザッチオ**『貢の銭』、**ボッティチェリ**『ヴィーナスの誕生』<br>彫刻：**ギベルティ**『天国の門』 | 絵画：**レオナルド・ダ＝ヴィンチ**『最後の晩餐』、**ラファエロ**『アテネの学堂』、**ミケランジェロ**『最後の審判』<br>彫刻：**ミケランジェロ**『ダヴィデ』 | 故意に不均衡な構図にして劇的な効果を生む。バロック美術への橋渡しとしての役割を果たす。 |

□**北方ルネサンス** ➡ イタリア＝ルネサンスに比べると、写実的な絵画作品が多い。**ブリューゲル**『雪中の狩人』、**デューラー**『四人の使徒』、ボス『快楽の園』、ファン＝アイク兄弟『ヘントの祭壇画』

□**エル＝グレコ** ➡ マニエリスムの画家。神秘的な宗教画を中心に描く。細長く人物をデフォルメしている。『**受胎告知**』『オルガス伯の埋葬』など。

## 4 バロック美術

出題 長野　重要度 ★★★

### バロック絵画

重要!

□**バロック絵画の特徴** ➡ 動的で躍動感あふれ、**明暗法**を駆使。

□**ルーベンス** ➡ 写実的で動的な筆致。『十字架立て』『三美神』など。

□**レンブラント** ➡ 明暗法に優れ、「光の画家」と呼ばれる。『夜警』

□**ベラスケス** ➡ スペインの宮廷画家。写実的な作風。『ブレダの開城』『ラス＝メニーナス（侍女たち）』など。

□**フェルメール** ➡ オランダの風俗画家。『牛乳を注ぐ女』

### バロック建築

重要!

□**ヴェルサイユ宮殿** ➡ ルイ14世が建立。ル＝ヴォーとマンサールが設計。幾何学的な庭園と「鏡の間」が有名。

## 5 ロココ美術

重要度 ★★

### ロココ絵画

□**ロココ絵画の特徴** ➡ 繊細で優美な筆致が多い。ロココ美術は、18世紀のフランスの宮廷社会で生まれた装飾様式で、曲線や渦巻きをあしらった装飾が多い。

□**雅宴画** ➡ 雅な男女が庭園で集い楽しむ様子を描いた絵画。ヴァトー『シテール島の巡礼』やブーシェ『ディアナの水浴』などがその代表作。

□**ゴヤ** ➡ スペインの宮廷画家。宮廷画家時代は優美なロココ絵画を描いたが、ナポレオンの侵略を契機に独自の作風に変わる。『**着衣のマハ**』『**カルロス４世一家の肖像**』『5月3日の処刑』など。

覚 オランダはEメールよりフェルメール

芸術

# 02 西洋美術史②

日付　／

頻出度 **A**

●印象主義・後期印象主義は個々の作家の特徴まで問われる。作品をよく見て、その特徴をつかんでほしい。
●20世紀はさまざまな流派が登場した。それぞれの画家がどの派に属するか、そして各派の特徴をおさえておこう。

## 1 19世紀絵画　重要度 ★★★

### 新古典主義

□**ダヴィッド** ➡ 男性的な作品が多い。『ホラティウス兄弟の誓い』

□**アングル** ➡ ダヴィッドの弟子。女性像を得意とする。『泉』

### ロマン主義　重要!

□**ジェリコー** ➡ 新古典主義が理性的な筆致であるのに対して、ロマン主義は感情の赴くままに描く絵画。人間の極限状態を描いた『**メデューズ号の筏《いかだ》**』が有名。

□**ドラクロワ** ➡ 劇的な筆致で歴史事件を多く描いた。ギリシャ独立戦争を題材とした『**キオス島の虐殺**』、フランスの七月革命を題材にした『**民衆を率いる自由の女神**』など。

### 自然主義（バルビゾン派）　重要!

□**コロー** ➡ パリの南東のバルビゾン村で創作活動をした画家をバルビゾン派という。代表作は『マントの橋』と『**真珠の女**』。

□**ミレー** ➡ 働く農民に宗教的な敬虔さを見出した。『**落ち穂拾い**』『晩鐘』

### 写実主義

□**クールベ** ➡ ありのままの現実の姿を描くことを提唱。『画家のアトリエ』など。

### 印象主義　重要!

□**印象主義**の特色 ➡ 色彩と**光**を重視し、**色調分割**の手法を用いている。全体として明るい都会的な作品が多い。また日本の**浮世絵**の影響を受けている。

□**モネ** ➡ 『印象・日の出』『睡蓮』など。

□**マネ** ➡ 『笛を吹く少年』『草の上の昼食』など。

□**ドガ** ➡ バレリーナや競馬など、パリの風俗を描いた。『エトワール』

□**ルノワール** ➡ 優美で明るい都会的な作風で、人物画を多く描いた。『桟敷《さじき》席』『ムーラン=ド=ラ=ギャレット』など。

### 後期印象主義　重要!

□**後期印象主義**の特色 ➡ **印象主義**の反動と修正として形成された美術。個々の作家の個性が強く、様式上のまとまりはない。**浮世絵**の影響も強い。

□**セザンヌ** ➡ 堅固な構図と色彩をめざした。「自然を円錐・円柱・球に還元してとらえる」という芸術観は、**ピカソ**に大きな影響を与えた。『**水浴**』など。

□**ゴッホ** ➡ 「**炎の画家**」と呼ばれる。色彩の激しさが特徴。『**ひまわり**』『夜のカフェ』など。

□**ゴーギャン** ➡ **タヒチ島**に移り、創作活動をした。平面的な画面構成と鮮やかな色彩が特徴。『**タヒチの女たち**』『神の日』など。

### 後期印象主義の影響　重要!

| | |
|---|---|
| セザンヌ | ピカソやブラックなど、キュビスムの画家に影響を与えた。 |
| ゴーギャン | ナビ派(若手の抽象絵画の画家たち)に影響を与えた。 |

## 2 20世紀絵画　出題 長野　重要度 ★★★

### フォービスム　重要!

□**フォービスム**の特色 ➡ 原色の対比と大胆な筆致の絵画。野獣派。

□**マティス** ➡ 平面的な描写と原色の対比が特徴。『**ダンス**』『**赤い画室**』

□**ヴラマンク** ➡ 風景画を多く描く。『冬の田舎道』

### キュビスム　重要!

□**キュビスム**の特色 ➡ **セザンヌ**の影響を受け、物体を球体や円錐形に分解し、点・線・面で再構成する美術。

□**ピカソ** ➡ 独自の手法で個性的な作品を描く。『**アヴィニョンの娘たち**』『ゲルニカ』など。

### シュルレアリスム　重要!

□**シュルレアリスム**の特色 ➡ 詩人アポリネールやフロイトの心理学などの影響を受けて生まれた**超現実主義**の絵画。既成概念や規範を無視して独自の内面世界を描く。

□**ダリ** ➡ 特異な幻覚を写実的に表現。『**記憶の固執**』『**内乱の予感**』

□**ミロ** ➡ 対象を記号化して描いた。『**アルルカンのカーニバル**』

### エコール=ド=パリ　重要!

□**エコール=ド=パリ**の特色 ➡ 第1次世界大戦後、パリに修業に来たさまざまな個性の画家たち。日本人では**藤田嗣治《つぐはる》**が有名。

□**モディリアーニ** ➡ 首の細長い人物像が特徴。『おさげ髪の少女』

芸術

# 03 日本美術史

日付 ／

頻出度 A

●日本美術史では、主に近世の浮世絵や近代絵画を中心に問われやすいので整理しておこう。
●日本史と関連づけて各時代の美術の特徴を理解するとわかりやすい。

## 1 中世

出題 愛知・愛媛　重要度 ★

### 室町文化

□**北山文化** ➡ **鹿苑寺金閣**（1階は寝殿造、2階は観音殿、3階は禅宗様）

□**東山文化** ➡ **慈照寺銀閣**（1階は書院造[*1]、2階は禅宗様）

### 桃山文化

□**城郭** ➡ **安土城**、伏見城、**大坂城**など、石垣の上に天守閣を有する。

□**障壁画** ➡ **狩野永徳**『洛中洛外図屏風』

## 2 江戸時代

出題 愛知・愛媛　重要度 ★★★

□**数《す》寄《き》屋《や》造《づくり》** ➡ 書院造に**茶室**の様式を取り入れたもの。桂離宮、修学院離宮

□**絵画** ➡ **狩野探幽《たんゆう》**『大徳寺方丈襖絵』、**俵《たわら》屋《や》宗達《そうたつ》**『風神雷神図屏風』

### 元禄文化

□**絵画** ➡ **尾形光琳《こうりん》**『紅白梅図屏風』、**菱川師宣《もろのぶ》**『見返り美人図』（浮世絵）

□**工芸** ➡ **野々村仁清《にんせい》**『色絵藤花文茶壷』（京焼）、円空（仏像彫刻）

### 化政文化

□**浮世絵** ➡ 江戸時代の風俗画。美人画や役者絵、風景版画などがある。西欧の印象派や後期印象派にも大きな影響を与えた。

| | |
|---|---|
| 鈴木春信 | 錦絵を創始。美人画などが多い。『弾琴美人』など |
| 喜多川歌麿 | 大首絵による美人画。『婦女人相十品』 |
| 東洲斎写楽 | 大首絵による役者絵や力士絵。『市川蝦蔵の竹村定之進』 |
| 葛飾北斎 | 風景版画。『富嶽三十六景』『北斎漫画』 |
| 歌川広重 | 風景版画。『東海道五十三次』 |

□**文人画** ➡ 文人や学者が描いた絵画。渡辺崋山（蘭学者）『鷹見泉石像』、与謝蕪村（俳人）と池大《いけのたい》雅《が》の共作『十便十宜図』など。

用語 ＊1　書院造…床の間や違い棚など、現代の和風建築の起源となった。

## 3 近代絵画

出題 愛知・愛媛　重要度 ★★★

### 日本画　重要!

□**東京美術学校** ➡ 1887年、**岡倉天心**と**フェノロサ**らが創設。

□**狩野芳崖《ほうがい》** ➡ 東京美術学校の創立に尽力した。『悲母観音』

□**橋本雅邦《が ほう》** ➡ 東京美術学校で教鞭をとる。『竜虎図』

□**横山大観** ➡ 岡倉天心と橋本雅邦に師事する。朦朧体《もうろうたい》という手法で描く。『**生々流転**』『屈原』など

□**安田靫彦《ゆきひこ》** ➡ 天心が設立した日本美術院の中心画家。歴史画を得意とした。『黄瀬川陣』『卑弥呼』など

浅井忠と黒田清輝は対照的な作風なので、よく出題される

### 洋画　重要!

□**工部美術学校** ➡ 明治時代、工部省が設立した官立の美術学校。油絵教授として、イタリアからフォンタネージを招聘した。

□**高橋由一** ➡ 近代日本洋画の先駆者。純写実主義をとり、『鮭』が有名。

□**浅井忠と黒田清輝** ➡ 両者は対照的な作風であった。

| | |
|---|---|
| 浅井忠《ちゅう》 | **明治美術会**を創始。ミレーの影響を受け、農村を題材とした。暗い色調の絵が多いので、脂派とも呼ばれた。『収穫』『春畝』 |
| 黒田清輝《せい き》 | **白馬会**を創始。ラファエル＝コランに師事。明るい色彩表現をしたので、外光派とも呼ばれる。『湖畔』『読書』 |

□**青木繁** ➡ 古事記や日本書紀を題材とした『海の幸』『わだつみのいろこの宮』などが有名である。

□**二科会**の画家 ➡ 二科会は、大正時代に作られた在野の洋画団体である。

| | |
|---|---|
| 梅原龍三郎 | **浅井忠**とルノワールに師事。洋画でありながら東洋的な画風を描いた。『紫禁城』『桜島』など |
| 安井曽太郎 | **浅井忠**に師事。チャイナドレスを着た女性を描いた『金蓉』が代表作 |

□**岸田劉生《りゅうせい》** ➡ 北方ルネサンスのデューラーやファン＝アイク兄弟の影響を受けた。フュウザン会を創設。娘の麗子を描いた『**麗子像**』は有名である。

□**坂本繁二郎** ➡ 馬や牛を題材にしている。『放牧三馬』など。

## 4 近代彫刻・建築

重要度 ★★

□**高村光雲** ➡ 東京美術学校教授。『**老猿**』『西郷隆盛像』など。

□**高村光太郎** ➡ 光雲の息子。詩人でもある。『**手**』が代表作。

□**荻原守衛《もり え》** ➡ 号は碌山《ろくざん》。**ロダン**の影響を受けた。『女』

□**建築** ➡ 片山東熊《とうくま》『**赤坂離宮**(現迎賓館)』、**コンドル**『ニコライ堂』

覚 高村光太郎の『手』が荻原守衛の『女』をまねく

芸術 04

# 西洋音楽史

日付 ／

頻出度 A

●バロック音楽から印象主義音楽までを、それぞれの特色と代表的な音楽家・作品を整理して覚えよう。
●ロマン派には有名な作曲家が多い。出題頻度も高いので、それぞれの作曲家の特徴と代表作をおさえておこう。

## 1 バロック音楽　重要度 ★★★

### ソナタとオペラ

□**ソナタ** ➡ バロック時代には、**ソナタ**(多楽章の独奏曲)が生まれ、協奏曲や組曲も作られるようになった。

□**オペラ** ➡ 古代ギリシャの悲劇の研究から**イタリア**でオペラ(歌劇)が誕生した。古典派の時代まではイタリア語で上演するのが通常であった。

### バロックの音楽家　重要!

| | |
|---|---|
| ヴィヴァルディ | バッハに大きな影響を与えた。バイオリン協奏曲『**四季**』 |
| バッハ | 宗教曲や器楽曲を手がける。『**トッカータとフーガニ短調**』『マタイ受難曲』『**G線上のアリア**』 |
| ヘンデル | ドイツ出身。イギリスの宮廷音楽家として活躍。『水上の音楽』、オラトリオ『**メサイア**』(ハレルヤ＝コーラスで有名) |

□**オラトリオ** ➡ 聖書を題材とした宗教音楽で、語り手が進行役を務め、独唱、合唱、管弦楽で上演される。ただし歌唱のみで演技は伴わない。

## 2 古典派音楽　重要度 ★★★

### 古典派の特徴と音楽家　重要!

□**形式重視**の音楽 ➡ **古典派音楽**は形式を重視した音楽で、理性的、客観性を求めた。絶対音楽(標題音楽の対義語で、情景や物語描写といった音楽外的要素を排して、純粋に音の構築物として作曲される)が主流。

□**ハイドン** ➡ 「**交響曲の父**」。『驚愕』『軍隊』など、100曲以上の交響曲を作曲。

□**モーツァルト** ➡ 天才作曲家。オペラ『**フィガロの結婚**』『**魔笛**《まてき》』、交響曲『プラハ』など。

□**ベートーヴェン** ➡ 聴力を失いながら名曲を作った。交響曲第５番『**運命**』、交響曲第６番『**田園**』、交響曲第９番『**合唱**』などが有名。

## 3 ロマン派音楽 重要度 ★★★

### ロマン派の特徴 重要!

□個性と感情重視の音楽 ➡ 形式重視の古典派音楽に対して、**ロマン派**は**個性**や**感性**を重んじる音楽で、19世紀の音楽の主流となった。

| | |
|---|---|
| シューベルト | 歌曲中心。『**冬の旅**』『野ばら』『アヴェ＝マリア』 |
| シューマン | 『謝肉祭』『**子供の情景**』(『トロイメライ』は有名) |
| ショパン | ピアノ曲中心。『**英雄ポロネーズ**』『小犬のワルツ』 |
| リスト | ピアノ曲が多い。『ハンガリー狂詩曲』『ラ・カンパネラ』 |
| ワーグナー | **楽劇**を創始。『トリスタンとイゾルデ』『ニーベルングの指環』 |
| ロッシーニ | オペラの作曲家。『セビリヤの理髪師』『**ウィリアム＝テル**』 |
| ヴェルディ | オペラの作曲家。『**椿姫**』(小デュマの原作) |
| ビゼー | オペラの作曲家。『**カルメン**』(メリメの原作) |
| ブラームス | 古典派的な作風。『**大学祝典序曲**』 |

## 4 国民楽派音楽 重要度 ★★★

### 国民楽派の特徴 重要!

□**民族意識高揚の音楽** ➡ 19世紀後半、ロシアや東欧などで、**民族意識**や**国民意識**を背景として生まれた音楽。

### ロシア 重要!

□**ムソルグスキー** ➡ スラブ民族色が濃厚。『**展覧会の絵**』『はげ山の一夜』

□**チャイコフスキー** ➡ スラブ民族色にヨーロッパ音楽の要素を取り入れた。『**白鳥の湖**』、序曲『1812年』など。

### ボヘミア(チェコ) 重要!

□**スメタナ** ➡ 交響詩『**わが祖国**』、オペラ『売られた花嫁』

□**ドヴォルザーク** ➡ 交響曲第9番『**新世界より**』(祖国ボヘミアから単身渡米し、望郷の念をこめて作曲。第2楽章は『**家路**』としてよく知られている。)

□**その他の作曲家** ➡ **グリーグ**(ノルウェー)『ペール＝ギュント』、**シベリウス**(フィンランド)『フィンランディア』

## 5 印象主義音楽 重要度 ★★★

### 印象主義音楽の特色と音楽家 重要!

□**印象主義絵画の影響** ➡ 印象主義絵画に通ずるような情景や雰囲気の描写。

□**ドビュッシー** ➡ 『牧神の午後への前奏曲』

# 人文科学

# 一問一答 チェック!

次の（　　）にあてはまる語を答えなさい。

## 国語

**Q1** 次の波線の漢字をひらがなに、カタカナを漢字にしなさい。
杜撰（①）　山車（②）
貸し借りをソウサイする。（③）

**A1** ①ずさん
②だし
③相殺

**Q2** 次の波線のカタカナを漢字にしなさい。
運賃をセイサン（①）・過去をセイサン（②）

**A2** ①精算
②清算

**Q3** 次の(　)に漢字を入れ、四字熟語を完成させなさい。
五里（①）　（②）雀羅　危機（③）

**A3** ①五里(霧中)
②(門前)雀羅
③危機(一髪)

**Q4** （①）は文節を細かく分けた意味上で最も小さい単位で、それを意味や機能、形によって分類したものを（②）という。参照▶P.24

**A4** ①単語
②品詞
自立語・附属語なども理解したい

**Q5** 動詞の活用には「見る」のような(①)活用や「来る」のような（②）活用などがある。参照▶P.25

**A5** ①上一段
②カ行変格

**Q6** 「きこす」は「(①)」の尊敬語で、その謙譲語は「(②)」となる。参照▶P.28

**A6** ①聞く
②うけたまはる

**Q7** １句の字数が５文字で４句からなる漢詩を(①)といい、第２・４句が（②）する。参照▶P.29

**A7** ①五言絶句
②押韻

**Q8** 「いづれの御時にか」で始まるのは(①)が著した『(②)』で、(③)時代の作品である。参照▶P.30

**A8** ①紫式部
②源氏物語
③平安

**Q9** 勅撰和歌集の最初は『(①)』で、歌の雰囲気が女性的･繊細であることから（②）と呼ばれた。参照▶P.31

**A9** ①古今和歌集
②たをやめぶり
六歌仙・八代集などもおさえること

**Q10** 軍記物語の最高傑作といわれる『(①)』は、琵琶法師が（②）にのせて語ったものであり、根底に（③）が流れている。参照▶P.32

**A10** ①平家物語
②平曲
③仏教的無常観

**Q11** ☐ 鎌倉末期に成立した『（ ① ）』は（ ② ）が著した随筆の傑作といわれる。参照▶P.33

**A11** ①徒然草 ②吉田兼好
三大随筆は特徴を確実に把握

**Q12** ☐ （ ① ）・松尾芭蕉らは元禄時代に活躍し、（ ① ）には町人物の『（ ② ）』が、芭蕉には東北や北陸を巡る紀行文『（ ③ ）』がある。参照▶P.34・35

**A12** ①井原西鶴 ②世間胸算用 ③おくのほそ道

**Q13** ☐ 『破戒』の（ ① ）や田山花袋は（ ② ）主義に属し、花袋の『（ ③ ）』は私小説の最初といわれる。参照▶P.37

**A13** ①島崎藤村 ②自然 ③蒲団

**Q14** ☐ 『羅生門』を代表作とする（ ① ）は（ ② ）主義と呼ばれ、多くの短編作品を残した。参照▶P.38

**A14** ①芥川龍之介 ②新現実

**Q15** ☐ 戦後いち早く登場したのは、『パンドラの匣』や『斜陽』を書いた（ ① ）などの（ ② ）と呼ばれた一群であった。参照▶P.41

**A15** ①太宰治 ②無頼派（新戯作派）

**Q16** ☐ 『金閣寺』の（ ① ）や『砂の女』の（ ② ）は、（ ③ ）と呼ばれる。参照▶P.41

**A16** ①三島由紀夫 ②安部公房 ③第２次戦後派

**Q17** ☐ 17世紀初頭のイギリスの（ ① ）には、四大悲劇といわれる『（ ② ）』『オセロ』『リア王』『マクベス』がある。参照▶P.42

**A17** ①シェークスピア ②ハムレット

**Q18** ☐ ロシア文学には、『罪と罰』の（ ① ）、『戦争と平和』の（ ② ）がいる。参照▶P.44

**A18** ①ドストエフスキー ②トルストイ

## 英語

**Q19** ☐ 「まさかのときの友こそ真の友。」
A friend in ( ① ) is a friend ( ② ).

**A19** ① need ② indeed

**Q20** ☐ 「お疲れのようですね。どうしたのですか？」
You look tired. What is the ( ① ) with you?

**A20** ① matter
「心配」の意味。

**Q21** ☐ 「すみません。お願いがあるのですが。」
Excuse me. Will you ( ① ) me a favor?

**A21** ① do
favorは「願い、親切な行い」の意味。

**Q22** 「君のおじさんに2年前に会ったのを覚えています。」
I remember ( ① ) your uncle two years ago.

**A22** ① seeing
rememberの目的語が動名詞のときは「〜したことを覚えている」、to不定詞の場合は「忘れないで〜する」の意味。

**Q23** 「金持ちが必ずしも幸せとは限らない。」
The rich ( ① ) not ( ② ) happy.

**A23** ① are
② always
the richはrich peopleのこと。not alwaysは部分否定。

**Q24** 「水なしでは何物も生きることができないだろう。」
( ① ) water, nothing could live.

**A24** ① Without
仮定法に相当する語句。(=But for)

## 日本史

**Q25** 縄文時代の遺跡としては、東京の（ ① ）貝塚と青森の（ ② ）遺跡が有名である。参照▶ P.56

**A25** ①大森
②三内丸山

**Q26** ヤマト政権は（ ① ）制度で豪族を束ね、土地制度の（ ② ）制を導入し、中央集権化をはかった。参照▶ P.56

**A26** ①氏姓
②私地私民

**Q27** ( ① )は、鎮護国家のため、全国に( ② )・( ③ )を建て、東大寺に大仏を造営した。参照▶ P.58

**A27** ①聖武天皇
②国分寺
③国分尼寺

**Q28** 藤原氏の（ ① ）の全盛期は、（ ② ）・頼通父子の時代である。その後、上皇による（ ③ ）が行われた。参照▶ P.59

**A28** ①摂関政治
②藤原道長
③院政

**Q29** 執権( ① )は、連署や( ② )を設置し、最初の武士の成文法である（ ③ ）を制定した。参照▶ P.60

**A29** ①北条泰時
②評定衆
③御成敗式目

**Q30** 室町幕府3代将軍（ ① ）は、（ ② ）と正式に国交を結び、( ③ )関係による勘合貿易を行った。参照▶ P.61

**A30** ①足利義満
②明
③朝貢

**Q31** （ ① ）は、楽市・( ② ）で商業の自由化をはかり、宗教政策として（ ③ ）を保護した。参照▶ P.62

**A31** ①織田信長
②楽座
③キリスト教

**Q32** 徳川吉宗は、( ① ）の改革で、上米を行い、( ② )を設置して、庶民の意見を集めた。参照▶ P.65

**A32** ①享保
②目安箱

**Q33** 日清戦争後に締結した（ ① ）では（ ② ）を割譲させたが、ロシア·ドイツ·フランスによる（ ③ ）で清に返還した。参照▶P.67

**A33** ①下関条約 ②遼東半島 ③三国干渉

**Q34** （ ① ）内閣は、1925年に（ ② ）と治安維持法を制定した。参照▶P.68

**A34** ①加藤高明 ②普通選挙法

**Q35** （ ① ）内閣の時、ソ連と（ ② ）に調印した結果、ようやく日本は（ ③ ）に加盟できた。参照▶P.71

**A35** ①鳩山一郎 ②日ソ共同宣言 ③国際連合

## 世界史

**Q36** （ ① ）が直接民主政を確立するのは、（ ② ）の後である。（ ③ ）戦争後、社会は衰退した。参照▶P.73

**A36** ①ギリシャ ②ペルシア戦争 ③ペロポネソス

**Q37** （ ① ）帝国が最大領域になったのは、（ ② ）帝の時代である。しかし、（ ③ ）世紀末に東西に分裂した。参照▶P.73

**A37** ①ローマ ②トラヤヌス ③4

**Q38** 周は（ ① ）制、秦は（ ② ）制、前漢は（ ③ ）制を導入した。参照▶P.74

**A38** ①封建 ②郡県 ③郡国

**Q39** 元の民族政策は（ ① ）人第一主義を、清は官僚の登用には（ ② ）を採用した。参照▶P.75

**A39** ①モンゴル ②満漢併用

**Q40** 10世紀、（ ① ）1世は、ローマ教皇に戴冠され、（ ② ）帝国を建国した。参照▶P.76

**A40** ①オットー ②神聖ローマ

**Q41** （ ① ）2世は、（ ② ）公会議で（ ③ ）の遠征を決定した。参照▶P.77

**A41** ①ウルバヌス ②クレルモン ③十字軍

**Q42** スペインは、（ ① ）の海戦で、（ ② ）帝国を破り、制海権を握った。参照▶P.79

**A42** ①レパント ②オスマン

**Q43** 権利の（ ① ）が出された後、ピューリタン革命が起き、（ ② ）革命の後、権利の（ ③ ）が発布された。参照▶P.80

**A43** ①請願 ②名誉 ③章典

**Q44** ドイツの（ ① ）の外交の目的は、（ ② ）を封じ込めるものであった。イタリアとオーストリアとともに（ ③ ）を結んだ。参照▶P.82

**A44** ①ビスマルク
②フランス
③三国同盟

**Q45** （ ① ）に対して、（ ② ）はニューディール政策を、イギリスと（ ③ ）はブロック経済を形成した。参照▶P.84

**A45** ①世界恐慌
②アメリカ
③フランス

**Q46** （ ① ）＝ドクトリンを契機に東西の（ ② ）が始まったが、1989年12月、米ソ首脳による（ ③ ）会談で終結した。参照▶P.85

**A46** ①トルーマン
②冷戦
③マルタ

## 地理

**Q47** チリとアルゼンチンの国境には（ ① ）山脈、ルーマニアとブルガリアの国境には（ ② ）川が利用されている。参照▶P.86

**A47** ①アンデス
②ドナウ

**Q48** 竹島問題は日本と（ ① ）の間の、尖閣諸島問題は日本と（ ② ）の間の領土問題である。参照▶P.87

**A48** ①韓国
②中国
北方領土問題はロシアとの間。

**Q49** 本初子午線はロンドンの旧（ ① ）天文台を通る経線で、日本の標準時子午線は東経（ ② ）度の経線である。参照▶P.88

**A49** ①グリニッジ
② 135
世界標準時との時差は＋９時間。

**Q50** カルスト地形は石灰岩の主成分の（ ① ）を炭酸水が溶食した地形で、（ ② ）県の秋吉台はよく知られている。参照▶P.89

**A50** ①炭酸カルシウム
②山口

**Q51** 中緯度高圧帯から極方向に吹く恒常風が（ ① ）であり、赤道方向に吹く恒常風が（ ② ）。参照▶P.91

**A51** ①偏西風
②貿易風

**Q52** 日本列島の太平洋側を南から流れる暖流が（ ① ）潮で、北から流れてくる寒流が（ ② ）潮で、潮目（潮境）をつくる。参照▶P.97

**A52** ①黒
②親
日本海側の暖流が対馬海流。

**Q53** 亜寒帯気候の針葉樹林は（ ① ）とよばれ、その下には（ ② ）という灰白色のやせた酸性土壌が分布する。参照▶P.92

**A53** ①タイガ
②ポドゾル
熱帯雨林の下がラトソル。

**Q54** 米と小麦の最大の生産国は(①)であるが、トウモロコシは(②)が最大の生産国である。参照▶P.93

**A54** ①中国
②アメリカ

**Q55** 地球表面の約(①)割が陸であるが、さらに陸の約(②)割が森林である。参照▶P.88・92

**A55** ①3
②3
陸:海=3:7

**Q56** 世界最大の発電量をもつ国は長らく(①)であったが、近年は(②)となっている。参照▶P.94

**A56** ①アメリカ
②中国

**Q57** 日本は国土面積の約(①)割が山地・丘陵であり、森林が占める面積は約(②)分の2と広いが、木材自給率は約4割。参照▶P.96・99

**A57** ①7
②3
日本の耕地率は約12%。

**Q58** 日本の三大工業地帯は、中京、(①)、(②)の各工業地帯で、太平洋ベルト地帯の工業の中核をなしている。参照▶P.99

**A58** ①阪神
②京浜
(順不同)

**Q59** 等角航路が直線になるため海図に利用されてきたのが(①)図法、航空図に主に利用されているのが(②)図法である。参照▶P.102

**A59** ①メルカトル
②正距方位
②は国連旗に利用されている。

**Q60** フィリピンでさかんな宗教は(①)、インドネシアで盛んな宗教が(②)である。参照▶P.106

**A60** ①カトリック
②イスラム教
②はスンニ派。

**Q61** インド北部からバングラデシュを流れるのが(①)川で、チベット高原からパキスタンを流れるのが(②)川である。参照▶P.106・107

**A61** ①ガンジス
②インダス

**Q62** EUやNATO本部があるのがベルギーの首都の(①)、赤十字やILOの本部があるのがスイスの(②)である。参照▶P.108・109

**A62** ①ブリュッセル
②ジュネーブ
国連本部はニューヨーク。

**Q63** 北アメリカ大陸と南アメリカ大陸の間にあるのが(①)運河、ユーラシア大陸とアフリカ大陸の間が(②)運河である。参照▶P.110・115

**A63** ①パナマ
②スエズ

**Q64** 国連の安全保障理事会の5カ国とは、アメリカ、ロシア、中国、(①)、(②)である。参照▶P.112

**A64** ①イギリス
②フランス
(順不同)

## 思想

**Q65** 「人間は万物の尺度」といったのは（ ① ）であり、「人間はポリス的動物」と言ったのは（ ② ）である。参照▶P.116

**A65** ①プロタゴラス
②アリストテレス
①はソフィスト

**Q66** デカルトは（ ① ）の開祖とされ、ベーコンは（ ② ）の開祖とされる。参照▶P.118

**A66** ①(大陸)合理論
②(英)経験論
②はロックもおさえたい

**Q67** （ ① ）を樹立した（ ② ）のその論は「（ ③ ）的転回」と呼ばれた。参照▶P.120

**A67** ①ドイツ観念論
②カント
③コペルニクス

**Q68** 「神は死んだ」と唱えた（ ① ）は（ ② ）主義者と呼ばれ、他に『存在と無』の（ ③ ）などがいる。参照▶P.121

**A68** ①ニーチェ
②実存
③サルトル

**Q69** 「性善説」を唱えた（ ① ）などは（ ② ）といわれ、「無為自然」を唱えた（ ③ ）は道家といわれる。参照▶P.122・123

**A69** ①孟子
②儒家
③老子

**Q70** 近代日本の思想家として、「二つのＪ」に生きた（ ① ）や人間を「間柄的存在」としてとらえた（ ② ）がいる。参照▶P.125

**A70** ①内村鑑三
②和辻哲郎

## 芸術

**Q71** （ ① ）絵画の特徴は、均衡や調和を重んじ、（ ② ）という手法を用いた点である。参照▶P.126

**A71** ①ルネサンス
②遠近法

**Q72** （ ① ）は「光の画家」と呼ばれ、（ ② ）による手法で、『夜警』などの名作を描いた。参照▶P.127

**A72** ①レンブラント
②明暗法

**Q73** モネやマネは、日本の（ ① ）の影響を受けた（ ② ）の画家で、光と（ ③ ）を重んじた。参照▶P.128

**A73** ①浮世絵
②印象主義
③色彩

**Q74** （ ① ）は明治美術会を、（ ② ）は白馬会を設立し、近代洋画の発展に尽力した。参照▶P.131

**A74** ①浅井忠
②黒田清輝
明治美術会は脂派、白馬会は外光派とも呼ばれた。

**Q75** 形式を重視する（ ① ）の音楽家としては、モーツァルト、ベートーヴェン、「（ ② ）の父」と呼ばれた（ ③ ）がいる。参照▶P.132

**A75** ①古典派
②交響曲
③ハイドン
ベートーヴェンは「楽聖」という。

# 社会科学

時事

経済

政治

政治
# 01 社会契約説

日付　／

頻出度 **B**

●ロックやルソーは教育史でも出題される。彼らの政治論や教育論を、彼らの哲学思想と関連づけておさえると、より理解が深まる。
●社会契約説の思想が与えた社会的影響を、世界史と関連づけて理解しよう。

## 1 社会契約説

出題 長野　重要度 ★★★

### 社会契約説の基本的な概念

□理論構成 ⇨ 一切の社会的秩序のない**自然状態**を想定し、そこから個人がその**自然権**を確保するために相互に**社会契約**を結び、その結果として国家が設立される。

□代表的論者 ⇨ **ホッブズ**、**ロック**、**ルソー**

### ホッブズの社会契約説

ロックは統治機関を立法機関と執行機関とに分割するとした

□主著 ⇨ **『リヴァイアサン』**

□自然権 ⇨ **自己保存権**（自己の生命身体を保全するために必要な一切のことをなす権利）。

□自然状態 ⇨ 人間は自由で平等であるが、**各人が自己保存権の実現を求めるために相互不信と恐怖が生まれ**、自然状態は「**万人の万人に対する闘争**」状態となる。

□契約 ⇨ 人民は、**自己の自然権である自己保存権を唯一の人間または唯一の合議体に委譲する契約を人民相互に結び**、主権をもった国家が設立される。

□抵抗権 ⇨ 国家は、再び自然状態へと転落する危険性を回避するために絶対・不可分・不可侵の主権をもち、これに対する**抵抗・反逆は許されない**。

### ロックの社会契約説

□主著 ⇨ **『統治論』**（**『市民政府二論』**）

□自然権 ⇨ **生命**、**自由**、**財産**に対する権利。

□自然状態 ⇨ 一応は平和な状態であるが**不安定**で潜在的には常に闘争状態へと転落する可能性がある。

□契約 ⇨ 不安定状態を脱却して自然権の享受を確実なものとするために人民は契約によって共同社会を形成し、次いでそこに**統治機関を設立してその権力を信託する**。

□**抵抗権** ⇨ 政府が設立目的に反する活動をした場合、**人民には一方的に信託を取り消し、政府を交代させる権利が留保されている**。

**ルソーの社会契約説**

□主著 ⇨『**人間不平等起源論**』『**社会契約論**』

□自然状態 ⇨ 人間は相互の依存関係を欠いた**完全に孤立した状態**であり、自由で自足的な幸福を享有している。

□現実社会（文明社会） ⇨ 自然状態で人間が有していた善性や自由や平等が失われ、**私有財産制**に基づく**不平等**と**支配**と**悪徳**のはびこる**社会**である。

□契約 ⇨ 人間性が堕落した現実社会を改めて人間性を回復するために、各人は自身のもつすべての権利とともに自分自身をも共同体に完全に委譲する（ここで成立する共同体の意思が**一般意志**）。

□**一般意志** ⇨ **一般意志**は、常に公共の利益をめざし、決して誤りを犯すことがないものとされており、それゆえに人民は一般意志に服従することを義務づけられる。

**【社会契約説のポイント】**

| 思想家 | ホッブズ | ロック | ルソー |
|---|---|---|---|
| 主　著 | 『リヴァイアサン』 | 『統治論』 | 『社会契約論』 |
| 自然状態 | 万人の万人に対する闘争<br>→無秩序状態 | 自然法に基づく平和<br>→不安定 | 他者のいない平和<br>→現実は堕落 |
| 契約目的 | 自己保存のまっとう | 財産権の確保 | 人間性の回復 |
| 抵抗権 | なし | あり | ― |

16世紀から17世紀のヨーロッパでは、絶対君主の権力を根拠づけるための理論として王権神授説が用いられていた

**確認テスト** **次の①～③のことがらと最も関係の深い人名を1つ選びなさい。（解答P.144）**

□ ①人民には政府を交代させる抵抗権が留保されている。

**ア** ホッブズ　**イ** ロック　**ウ** ルソー

□ ②文明社会は不平等と支配と悪徳のはびこる社会である。

**ア** ホッブズ　**イ** ロック　**ウ** ルソー

□ ③自然状態は「万人の万人に対する闘争」状態となる。

**ア** ホッブズ　**イ** ロック　**ウ** ルソー

**ポイント** 社会契約説の社会契約の方法と政治への影響もおさえておこう

政治 02

# 民主政治と選挙

日付 ／

頻出度 **A**

●選挙については、選挙区制と代表法が頻出である。それぞれの選挙区制がどの代表法に当たるのかも理解しておきたい。
●日本の選挙制度は近年目まぐるしく変化している。時事としても出題されるので整理しておこう。

## 1 選挙

出題 京都市・愛媛　重要度 ★★★

### 選挙の基本原則

□**普通選挙** ⇨ 財産、納税額、信仰、人種、性別などを選挙権の要件としない制度。

□**平等選挙** ⇨ 選挙権の価値は皆に平等、すなわち**1人1票**を原則とし、**1票の価値的平等**も要請される制度。

□**直接選挙** ⇨ 有権者が直接候補者に投票して、公職者を選出する制度。

□**秘密選挙** ⇨ 有権者がだれに投票したかを秘密にするよう工夫された制度。

### 選挙区制

□**選挙区** ⇨「代表者選出の資格を有する投票者の集団」と定義され、通常は地理的な区分によって設定される。

□**小選挙区制** ⇨ 1選挙区から1人の代表者を選出する選挙区制（**衆議院議員選挙**に導入）。

□**大選挙区制** ⇨ 1選挙区から2人以上の代表者を選出する選挙区制（参議院議員選挙に一部導入）。

### 代表法

□**少数代表法** ⇨ 少数派の支持を受けた候補者や政党にもある程度まで当選の可能性を残す選挙方法。

□**多数代表法** ⇨ 民意における多数派の比率を拡大して議席率に反映させるもの。場合によっては選挙区において多数の票を獲得した政党が議席を独占する制度。

□**比例代表法（制）** ⇨ 民意における多数派・少数派のそれぞれに対して、支持率に見合った議席数を保証する代表法で、政党の**得票数**に応じて**議席を配分する制度**。


P.143の確認テストの解答　①イ　②ウ　③ア

## 2 日本の選挙制度

出題 京都市・愛媛　重要度 ★★★

### 衆議院議員

□**小選挙区比例代表並立制** ⇨ **衆議院議員**（定数465、任期４年、解散あり）を選出する選挙制度。

□選挙区 ⇨ 全国を**289**の**小選挙区**に分けて**289**議席を選出する。

□比例代表区 ⇨ 全国を**11ブロック**に分けた**比例代表区**から**176**議席を選出する。

□名簿の方式 ⇨ 比例代表制は、各政党が**事前に候補者の当選順位を付した**名簿にしたがう**絶対拘束名簿式**を採用し、議席配分方式は**ドント式**を採用。

□**重複立候補** ⇨ 小選挙区の候補者が比例代表選挙の名簿に名を連ねる重複立候補が可能（**復活当選**）。

### 参議院議員

□**選挙区比例代表並立制** ⇨ **参議院議員**（定数248、任期６年、解散なし）を選出する選挙制度。なお、参議院議員選挙は**3年ごと**に定数の**半数**が改選される。

□選挙区 ⇨ 選挙区は全国**45**選挙区となり、**148**議席を選出する。各選挙区に人口に応じて２～12議席が配分されるが、３年ごとに半数ずつ改選されるため、２人区は実質的に小選挙区制となる。

□比例代表区 ⇨ **全国一区**とする比例代表区からは**100**議席を選出する。

□名簿の方式 ⇨ 参議院議員選挙の比例代表制では、政党が**予め当選順位を記載しない非拘束名簿式**を採用し、一部に**拘束名簿式**の**特定枠**を導入。

□重複立候補 ⇨ 選挙区の候補者が比例代表選挙の名簿に名を連ねる重複立候補は**不可**。

### その他の規定

□選挙運動期間 ⇨ 選挙期日が公示あるいは告示された日以降に選挙運動が可能。衆議院総選挙では、届け出後、投票日の前日までの12日間。参議院選挙では、届け出後、投票日の前日までの17日間。

□**マニフェスト** ⇨「政党本部が発行するパンフレットや書籍で、国政に関する重要政策などを記載したもの」であり、本来は政党の政策綱領を示すものだが、通常は政党などの政権公約を意味する。2003年から導入されている。

□選挙権 ⇨ 2015年６月、選挙権を20歳から18歳に引き下げる改正公職選挙法が成立した。国政選挙では2016年の参議院選挙から適用された。

**ポイント** 選挙制度の基本原則と衆参両院議員選挙制度は覚えておこう

政治 03

# 権力分立

日付 ／

頻出度 B

●ロックの権力分立論については、彼の社会契約説の思想と関連させてとらえること。
●議院内閣制と大統領制のそれぞれの特徴と、その制度を採用している代表的な国についておさえておくこと。各国の違いについても把握しておきたい。

## 1 権力分立論

出題 京都市・愛媛　重要度 ★★★

### ロックの権力分立論

□権力分立 ⇨ 国家権力を**立法権**、**執行権**（**行政権**および**同盟権**）の２つに分割。

□権力の関係 ⇨ 国民の信託を受けた議会の**立法権**が**最高の権力**であり、国王の権限とされる執行権に優越する。

□主著 ⇨ 『**統治論**』

### モンテスキューの権力分立論

□権力分立 ⇨ **立法権**、**行政権**（**執行権**）、**司法権**（**裁判権**）の三権が分割される。

□権力の関係 ⇨ それぞれが独立した機関に属し、相互に**抑制**と**均衡**を保つ。

□主著 ⇨ 『**法の精神**』

権力分立モデル

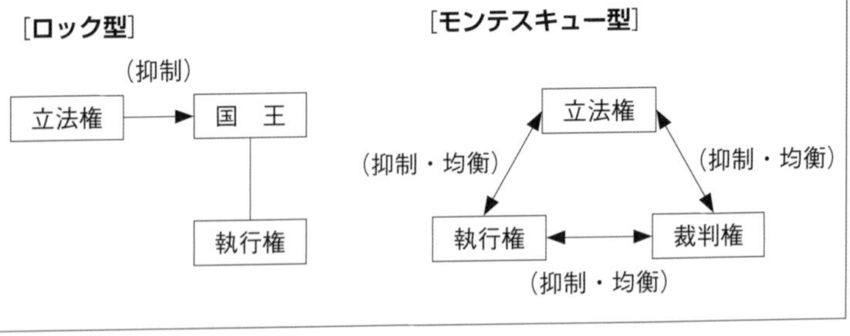


権力分立の原理は、個人の自由を国家権力の濫用から守るという自由主義的思想から誕生した考え方である

## 2 具体的形態

出題 京都市・愛媛　重要度 ★★★

### 議院内閣制

□制度の特徴 ⇨ **行政府(内閣)が立法府(議会)**の**信任**の上に成立している政治制度。行政府に対する立法府の優位を体現した**イギリス**において発展。

□首相 ⇨ 一般的に**議会の第一院における多数派から首相が選出**され、選出された**首相が内閣を組織**し、内閣は議会に対して**連帯して**責任を負う。

□内閣 ⇨ 内閣を構成する閣僚は国会議員の中から選出されることが多い。

□機関の関係 ⇨ 立法府と行政府が協力関係にあり、この協力関係が維持されなくなった場合に国民の審判を仰ぐ(内閣には**議会の解散権**、議会には内閣に対する**不信任決議権**がそれぞれ付与されることがある)。

### 大統領制

□制度の特徴 ⇨ **行政府の長である大統領にきわめて強い権限が与えられている**制度。

□大統領 ⇨ 行政を担当する大統領は、立法を担当する議会とは無関係に選出されることが多く、原則として議会に対して**責任を負わない**。

□機関の関係 ⇨ 立法府と行政府の役割が厳格に分離されることによって両者の権能が明確化されているため、議会による大統領の不信任決議権や大統領による議会の解散権などは存在しないことが多い。

**【議院内閣制と大統領制の比較】**

| 制度 | 議院内閣制 | 大統領制(アメリカ型) |
|---|---|---|
| 意義 | 政府＝内閣が、議会＝国会の信任を得て行政を行う制度。政府は議会に対して連帯して責任を負う。<br>政府は議会の不信任決議を受けると総辞職するのが原則となるが、政府が対抗して議会を解散することもある。 | 政府と議会を厳格に分離し、政府を１人の大統領に担当させる制度。大統領も議会の議員もそれぞれ選挙によって国民から選ばれる。<br>不信任決議や解散権はなく、また大統領の法案提出権もないが、法案につき**拒否権**を有する。 |
| 長所 | 解散や総辞職により国民の意思を確認するので民意に忠実。 | 大胆な政策が実行でき、政治が安定する。 |
| 短所 | 内閣の支持基盤が弱いと、解散や総辞職が頻繁となり、政治が不安定になるおそれ。 | 大統領の資質に負うところが大きく、政治の停滞のおそれ。 |

※議院内閣制は、**イギリス**、**ドイツ**、**日本**など、大統領制は、**アメリカ**、**フランス**などで採用されている。

**ポイント** 議院内閣制と大統領制の特徴の違いは確実におさえよう

政治 04

# 基本的人権①

日付 ／

頻出度 A

●日本国憲法の3大基本原則は憲法の条文とともに理解しておきたい。
●自由権については、精神的自由、経済的自由、人身の自由の3つを日本国憲法で保障。憲法の条文だけでなく代表的な判例についても知っておくとよい。

## 1 日本国憲法の基本原則　出題 神奈川・長野・愛媛　重要度 ★★

□**基本的人権の尊重** ⇨ 国家権力の濫用を阻止してすべての人の人権を保障する。また、人権はすべての人が生まれながらにして当然に有する権利である。

□**国民主権** ⇨ 国家の政治を最終的に決定する権力が国民にあるということを意味し、民主主義と同義であると考えてよい。

□**平和主義** ⇨ 憲法９条において、「国権の発動たる戦争」、「武力による威嚇」、「武力行使」を永久に放棄するとして、平和主義を採ることを明らかにしている。

## 2 精神的自由権　出題 神奈川・長野・愛媛　重要度 ★★★

□**精神的自由権** ⇨ 人の精神生活およびその結果としての行動の自由についての権利である。

□**思想**・**良心の自由**（19条）⇨「思想・良心」とは、人生観、世界観、道徳的価値観のことをいい、これは**内心にとどまる限り絶対的に保障される**。

### 信教の自由（20条）

□**信教の自由** ⇨ 信教の自由は、**信仰の自由**、**宗教的行為の自由**、**宗教的結社の自由**の内容に分けることができる。

□**信仰の自由** ⇨ 宗教を信仰する自由、信仰しない自由、さらに信仰する宗教を選択し、または変更する自由をいう。

□**宗教的行為の自由** ⇨ 個人が単独でまたは他人とともに、礼拝や祈祷といった宗教上の祝典、儀式、行事などを行う自由をいう。

□**宗教的結社の自由** ⇨ 特定の宗教を宣伝し、または共同で宗教的行為を行うことを目的とする団体を結成する自由をいう。

□**政教分離原則** ⇨ 国や地方公共団体が、宗教から**中立の立場**に立たなければならないことをいう。

### 表現の自由（21条）

□**表現の自由** ⇨ 人が自分の意見、考えを表明する自由である。

□**知る権利** ⇨ 情報を受け取ることを国家権力によって妨げられない自由、および国家など情報を集中的に管理する者に対して、情報の開示を請求する権利を意味する。

□**検閲** ⇨ 出版物や放送の内容を検閲して、その発表や放送を禁止することを一切禁じている。

### 学問の自由（23条）

□学問の自由 ⇨ **学問研究の自由**、その**研究成果を発表する自由**、またその**研究を教授する自由**のことをさす。

## 3 経済的自由権

出題 神奈川・長野・愛媛　重要度 ★★★

□**居住**・**移転の自由**（22条）⇨ いかなる場所に居住・移転することも自由であることをいい、外国に移住したり、国籍を離脱する自由も保障されている。

□**職業選択の自由**（22条）⇨ 自分の希望する職業を選択する自由のほかに、選択した職業を遂行していく自由（**営業の自由**）をも含むものである。

□**財産権**（29条）⇨ 自分の有する**私有財産**の不可侵が原則的に保障される。ただし、財産権は公共の福祉による合理的制限が認められる場合も多い。

## 4 人身の自由

出題 神奈川・長野・愛媛　重要度 ★★

□**奴隷的拘束からの自由**（18条）⇨ 非人道的な身体の拘束を禁止したものであり、奴隷的拘束は一切の例外なく禁止される。また犯罪による処罰を除いては、**その意に反する苦役**に服させられない。

□適正手続の保障（31条）⇨ 人に刑罰を科するには、必ず法律によってその手続が適正かつ明確に定められなければならない。

□拷問・残虐な刑罰の禁止（36条）⇨ 公務員による拷問・残虐な刑罰は絶対的に禁止される。

**確認テスト** 次の①～③の自由権の内容として最も妥当なものを選びなさい。（解答P.150）

□ ①**信教の自由**　**ア** アクセス権　**イ** 信仰の自由　**ウ** 職業選択の自由

□ ②**学問の自由**　**ア** 教授の自由　**イ** プライバシーの権利　**ウ** 職業選択の自由

□ ③**表現の自由**　**ア** 営業の自由　**イ** 知る権利　**ウ** 宗教的行為の自由

**用語** 公共の福祉…人権相互の矛盾・衝突を調整するための実質的公平の原理

**ポイント** 教授の自由については高校までは一定の制限がある

政治 05

# 基本的人権②

日付 ／

頻出度 A

●基本的人権については、憲法の条文が最重要である。憲法の条文を何度も読み返すこと。
●また、過去の判例が出題されることもあるので、どのような判例が出されたか、その内容をおさえておくとよい。

## 1 社会権的基本権

出題 神奈川・長野・愛媛　重要度 ★★★

**社会権**

⇨ 人間らしい生活を保障するよう**国に対して要求できる**権利。

□**生存権**(25条) ⇨ 健康で文化的な最低限度の生活を営む権利をいう。しかし、この憲法25条の規定は、**プログラム規定**といわれており、国に対して、国民がこの規定によって直接最低限度の生活を保障するよう請求することまではできないと解されている。

□**教育を受ける権利**(26条) ⇨ 個人が人格を発展させるために不可欠な権利であると同時に、民主主義の確立・維持のためにも欠かすことができない権利。また、子どものみならず、**大人**に対しても保障される。

□勤労の権利(27条) ⇨ 国家に対して就職の提供を求め、それでも就職できないときには適切な処置(雇用保険など)を要求する権利。

□**労働基本権**(28条) ⇨ 労働者と使用者の立場を対等にするため、労働者に対して**団結権**、**団体交渉権**、**団体行動権**の労働三権を認めている。

⇨ 労働基本権の具体的な内容を定めるために、**労働関係調整法**、**労働基準法**、**労働組合法**が定められている(労働三法)。

## 2 参政権

出題 神奈川・長野・愛媛　重要度 ★★

**参政権**

⇨ 国民が国の意思決定に参加する権利のこと。

□**公務就任権** ⇨ 公務員になる権利も広義の参政権の性格を有する。

□**選挙権・被選挙権**(15条) ⇨ 選挙権は、国民が自らの代表者となる公職者を選ぶ権利をいい、被選挙権は、国民が自ら議員として選ばれる被選挙権、すなわち立候補の自由のことをいう。

 P.149の確認テストの解答　①イ　②ア　③イ

## 3 受益権（国務請求権） 出題 神奈川・長野・愛媛 重要度 ★

### 受益権（国務請求権）

⇨ 個人が人権侵害を受けた場合に、国や地方公共団体に対し積極的にその救済を求めていく権利のことであり、人権を具体的に守るための権利である。

□**請願権**（16条）⇨ 国または地方公共団体に対して、損害の救済、公務員の罷免、法律・命令または規則の制定、廃止または改正その他の事項に関する希望を述べる権利である。

□**国家賠償請求権**（17条）⇨ 公務員の不法行為によって損害を受けたときは、国または地方公共団体に対して損害賠償を請求することができる。

□裁判を受ける権利（32条）⇨ 公平な司法機関に対して、すべての個人が平等に権利・自由の救済を求める権利であり、かつ、**公平な裁判所**以外の機関によって裁判されない権利のことである。

## 4 その他 出題 神奈川・長野・愛媛 重要度 ★

### 包括的基本権

□**幸福追求権**（13条）⇨ 憲法に列挙されていない**新しい人権**の根拠となる一般的包括的な権利とされている。

**【新しい人権】**

| | |
|---|---|
| プライバシーの権利 | 私事や私生活をみだりに公開されない権利。なお個人情報保護の見地から、自己に関する情報をコントロールする権利とも考えられている。 |
| 肖 像 権 | みだりに自己の容姿などを撮影されない権利 |
| 環 境 権 | 健康で快適な生活を維持するために、よい環境を享受する権利 |
| アクセス権 | マスメディアへ接近（アクセス）する権利で、意見広告や反論記事の掲載などの方法がある。知る権利に関連して主張されるようになった。 |

### 法の下の平等

□**法の下の平等**（14条）⇨「すべて国民は、法の下に平等であつて、人種、信条、性別、社会的身分又は門地により、政治的、経済的又は社会的関係において、差別されない」としている。

### 国民の義務

□国民の義務 ⇨ 日本国民として果たさなければならない国民の義務として、①**子女に教育を受けさせる義務**（26条2項）②**勤労の義務**（27条1項）③**納税の義務**（30条）の3つを定めている。

**ポイント** 社会的基本権としての教育を受ける権利は、教職では特に重要

政治

# 06 統治機構①

日付
／

頻出度
A

●三権のうち、国会について最もよく出題される。憲法に書かれていることはすべて理解するつもりで取り組みたい。
●基本的人権とは違って、判例が出題されることはほとんどない。むしろ国会法を併せておさえておこう。

## 1 わが国における三権分立　重要度 ★★

□立法権 ⇨ **国会**に属する。
□行政権 ⇨ **内閣**に属する。
□司法権 ⇨ **裁判所**に属する。

わが国においては、三権分立は憲法上の規定として実現されている

## 2 国会　出題 神奈川・長野　重要度 ★★★

□国会の地位 ⇨ 憲法では、国会について、「国会は、**国権の最高機関**であつて、国の唯一の**立法機関**である」(41条)と定めている。

□二院制 ⇨ 日本の国会は**衆議院**と**参議院**からなり、これを二院制という。二院制を採用する理由として、両議院の抑制・均衡により、議会への権力集中と専制化を防止できる、民意の忠実な反映が行われる、といった点が挙げられる。

**衆議院の優越**

⇨ 国会の意思が二分化した場合、**一定の事項については衆議院に優越を認めて意思統一が円滑になるようにしている**。

⇨ 議案は衆議院と参議院の両院で可決されたときに成立するのが原則だが、一定の事項については**衆議院の議決だけで成立することもある**。また、**衆議院のみに認められた権能もある**。

□**法律案の議決権** ⇨ 法律案は、両議院の可決によって成立するのが原則であるが、参議院が法律案を否決した場合、衆議院は出席議員の**3分の2以上**の多数による**再可決**で法律を成立させることができる(59条)。また、参議院が、衆議院の議決後、国会休会中の期間を除いて**60日以内**に議決しないときは、衆議院は、参議院が法律案を**否決したものとみなす**ことができる。

□**予算案・条約の承認・内閣総理大臣の指名** ⇨ 衆議院と参議院とで意見が異なった場合には**両院協議会**を開かなければならない。また、参議院が衆議院の議決後、国会休会中の期間を除いて定められた期間内(予算案、条約の承認については**30日以内**、内閣総理大臣の指名については**10日以内**)に議決をしない場合には、**衆議院の議決が国会の議決となる**(60条、61条、67条)。

□**衆議院の内閣不信任** ⇨ 衆議院は、内閣に対する**不信任決議**を行うことができる(69条)。

### 国会の活動

□国会の種類 ⇨ 国会には、通常国会(常会)、臨時国会(臨時会)、特別国会(特別会)の3種類がある。

□**参議院の緊急集会** ⇨ 衆議院が解散されて総選挙が行われ、特別会が召集されるまでの間に国会の開会を要する緊急の事態が発生したときに、内閣の求めに応じて参議院が国会の権能を代行すること。

### 国会の機能

□財政の監督権 ⇨ 国の財政は、国会の議決に基づいて、行使しなければならない。予算も、国会の承認を得なければ成立せず、決算も国会に報告しなければならない。

□**弾劾《だんがい》裁判所設置権** ⇨ 弾劾裁判所は、罷免の訴追を受けた裁判官を裁判するために、両議院の議員によって構成される裁判所である。

□憲法改正の発議権 ⇨ 憲法の改正要件は、**各議院の総議員の3分の2以上の賛成**による国会発議と**国民投票**における**過半数の賛成**である。

### 国会議員の地位と特権

□両議院の兼職の禁止 ⇨ 何人も同時に両議院の議員たることはできない。

□議員の歳費受領権 ⇨ 両議院の議員は国庫から相当額の歳費を受ける。

□議員の不逮捕特権 ⇨ 国会議員は、法律の定める場合を除いて、国会の会期中逮捕されず、また会期前に逮捕されたときは、その議院の要求があれば会期中釈放されるとされている。

□議員の免責特権 ⇨ 国会議員は、議院で行った演説、討論または表決について、院外で責任を問われないとされている。

**確認テスト** **国会に関する次の文章の空欄①〜③に当てはまる語句として妥当なものをア〜ウの中から選びなさい。(解答P.154)**

- **参議院が、衆議院の議決後、国会休会中の期間を除いて( ① )に議決しないときは、衆議院は、参議院が法律案を否決したものとみなすことができる。**
- **憲法の改正要件は、各議院の総議員の( ② )の賛成による国会発議と国民投票における( ③ )の賛成である。**

**ア** 3分の2以上 **イ** 過半数 **ウ** 60日以内

**ポイント** 国会、衆議院の優越などについては比較的よく出題されている

政治 07

# 統治機構②

日付 ／

頻出度 A

●内閣と裁判所についても、憲法に書かれていることはすべて理解するつもりで学習しよう。
●内閣・裁判所も判例が出題されることはまれである。内閣については内閣法、裁判所については裁判所法も確認しておこう。

## 1 内閣

重要度 ★★★

### 内閣の組織

□内閣 ⇨ **首長**たる**内閣総理大臣**および**その他の国務大臣**で組織される**合議体**のことをいう。

□**閣議** ⇨ 内閣の構成員である国務大臣らの出席する会議であり、内閣は閣議によって職権を行う。

□内閣の構成員たる要件 ⇨ **文民**《ぶんみん》でなければならないことと国務大臣の**過半数**は国会議員の中から選ばれること。

□内閣の権限 ⇨ ①法律を誠実に執行し、国務を総理すること。②**条約の締結**。③予算の作成と国会への提出。④政令の制定。⑤天皇の**国事行為**に関する**助言**と**承認**。⑥最高裁判所長官の指名、最高裁判所裁判官および下級裁判官の任命

**【主要な官職の指名・任命】**

| 主要官職 ＼ 任命等行う側 | 国会 | 内閣 | 天皇 |
|---|---|---|---|
| 内閣総理大臣 | 指名 | — | 任命 |
| 国務大臣 | — | (首相が)任命 | 認証 |
| 最高裁判所長官 | — | 指名 | 任命 |
| 最高裁判所裁判官 | — | 任命 | 認証 |

### 内閣総理大臣

□内閣総理大臣の地位 ⇨ 内閣総理大臣は、内閣という合議体の「**首長**」である。

□内閣総理大臣の権限 ⇨ 国務大臣の**任免権**を有しており、これは内閣総理大臣に一身専属的な権限とされている。

内閣総理大臣は文民であるとともに国会議員でなければならない

 P.153の確認テストの解答 ①ウ ②ア ③イ

## 2 裁判所　重要度 ★★★

□裁判所の組織 ⇨ 裁判所は、**最高裁判所**と**下級裁判所**からなる。下級裁判所は、高等裁判所、地方裁判所、簡易裁判所、家庭裁判所に分類される。

□**三審制** ⇨ 一般的な事件については、**地裁→高裁→最高裁**の順に上訴される。

□特別裁判所の禁止 ⇨ 特別裁判所は、特殊な人または特殊の事件について裁判を行う組織で、通常裁判所の組織系列に属さない裁判機関のことであり、その設置が原則禁止されている。

⇨国会の各議院が行う議員の資格争訟裁判と弾劾裁判所は、憲法自身が例外的に認めている。

### 裁判所の権能

□**違憲立法審査権** ⇨ 法律、命令（政令、条例）、規則、処分など、一切の国家行為に対し、それらが憲法に違反しないかどうかを審査する権限をいう。

□裁判の公開 ⇨ 裁判の**対審**及び**判決**は、公開法廷でこれを行うこととしている。

### 司法権の独立

□裁判所の独立 ⇨ 裁判所は、それぞれ独立して司法権を行使する機関であり、したがって、下級裁判所は、上級裁判所の一般的な指揮・命令を受けることはない。

□裁判官の職権行使の独立 ⇨ 公正な裁判を行うために、裁判官は一切の外部的圧力から独立していなければならないため、憲法は、「その**良心**に従ひ独立してその職権を行ひ、この**憲法**及び**法律**にのみ拘束される」と定めて（76条３項）、裁判官の独立を特に明文で定めている。

□裁判官の良心 ⇨ 裁判官個人の主観的な信念ではなく、裁判官としての客観的良心、すなわち**裁判官**の**職業倫理**であるというのが通説である。

□裁判官の身分保障 ⇨ 裁判官は、裁判により、**心身の故障のために職務を執ることができない**と決定された場合と**公の弾劾**による場合にのみ罷免《ひめん》される（78条）。なお、最高裁判所裁判官については**国民審査**による罷免がこれに加えられる（79条２項、３項）。

□最高裁判所裁判官の国民審査 ⇨ 国民審査の方法は、特に罷免すべきと思う裁判官に×印をつけ、それ以外の裁判官については何ら記載しないという方法が採用されている。この国民審査制度は、国民による裁判官の解職制度、すなわちリコール制と解されている。

**ポイント** 司法権の独立は極めて重要な理念だ。しっかりと理解しよう

政治

# 08 国際連合

日付 ／

頻出度 A

●国際連合が設立された歴史的経緯について、特に国際連盟との比較で理解しよう。
●国際連合とその主要機関について理解しよう。

## 1 国際連合　重要度 ★★★

□国際連合 ⇨ **国際連合憲章**に基づき、国際の平和と安全の維持を目的として1945年に設立された国際機関で、**本部**は**アメリカ**の**ニューヨーク**におかれている。**日本**は、**1956**年に加盟している。

□**国際連合憲章**（**国連憲章**）⇨ 国際連合の組織および基本活動の原則を定めたもの。

□国連の主要機関 ⇨ **総会**、**安全保障理事会**、**経済社会理事会**、**信託統治理事会**、**国際司法裁判所**および**事務局**の６つ。

## 2 国際連合の機関　重要度 ★★★

### 総会

□目的と構成 ⇨ すべての国連加盟国で構成され、討議・勧告を職務の中心とする国連の**最高機関**である。年１回の定期総会と、安全保障理事会または加盟国の過半数の要請によって開かれる特別総会がある。

□議決 ⇨ 議決は**一国一票**による**多数決**を原則とするが、重要事項とされる実質事項に関しては３分の２以上の同意を要する。ただし総会での決定は、原則として加盟国に対する**拘束力**を**有しない**。

### 安全保障理事会

□目的と構成 ⇨ 国際の平和と安全の維持を目的としている。現在では、**アメリカ**・**イギリス**・**ロシア**・**フランス**・**中国**の５カ国の**常任理事国**と任期を２年とする10カ国の非常任理事国の計15カ国で構成されている。特に国際平和と安全の維持に関しては、総会に優越する権限を有する。

□議決 ⇨ 安全保障理事会で決議する事項のうち、手続事項は15カ国中９カ国の賛成で成立するが、それ以外の**実質事項**については、**常任理事国すべての賛成を必要**とする。

□議決の効力 ⇨ 安全保障理事会の議決は、国連総会とは異なり、**国連加盟国を拘束する**。

□**拒否権** ⇨ 安全保障理事会の意思決定は大国一致が原則であり、常任理事国５カ国には拒否権が付与されている。したがって、５カ国中の１国でも拒否権を行使すると決議は成立しない。

### 経済社会理事会

□目的と構成 ⇨ 経済社会理事会は、国連総会の権威の下に、経済的および社会的な国際協力に関して、国連の任務を遂行する機関である。国連総会で選出された54カ国で構成され、任期は３年である。

□主な権能 ⇨ 経済的、文化的、社会的およびそのほかの幅広い分野に関係する国際的な事項について、協議、勧告などを行い、専門機関の活動を調整する権能、関係事項に関して総会の勧告を執行する権能などがある。

### 信託統治理事会

□目的 ⇨ 信託統治理事会は、国連の信託統治制度の下にある地域の施政に関して、国連総会の権限の下に監督的権限を有する機関である。1994年に最後の信託統治領であったパラオが正式に独立したのを受けて、活動を停止している。

### 国際司法裁判所

□目的 ⇨ 国際司法裁判所は、**国際紛争**を**平和的**(**司法的**)に**解決すること**を目的とする機関であり、オランダのハーグにおかれている。

□権能 ⇨ 国際司法裁判所規程は国連憲章と一体となっており、国連加盟国間で紛争が生じた場合、加盟国は裁判所に事態を付託し、その**判決にしたがう義務**がある。また、国際司法裁判所は、国際機関からの依頼により勧告的意見を提出することもできる。

### 事務局

□目的 ⇨ 国連の各機関の運営に関する事務を担当する機関である。

□**事務総長** ⇨ 事務局の長たる事務総長は、**安全保障理事会の勧告**により**総会**が**任命**することによって決定され、国連総会の招集、各機関の運営、その他の政治的機能を有しており、任期は５年が慣例である。

⇨2017年から、韓国出身の潘基文(パン・ギムン)氏に代わり、元ポルトガル首相の**アントニオ・グテーレス**氏が第9代国連事務総長に就任。

**確認テスト** **国際連合の安全保障理事会の常任理事国の数とその国名を答えなさい。****(解答P.158)**

# 市場機構

日付 /

頻出度 A

●需要と供給の関係については、グラフ上の曲線やその変化が何をあらわしているかをしっかり理解しよう。
●需要曲線、供給曲線については、その変化の意味が問われることも多い。具体的な例を思い浮かべながら学習するとよい。

## 1 需要と供給　出題 愛媛　重要度 ★★★

□**需要** ⇨ ある商品やサービスに対して、それらを購入したいと思う欲求。

□**供給** ⇨ ある商品やサービスを与えられた価格で販売し、提供すること。

□**市場** ⇨ 商品やサービスに対する需要と供給が出合い、それらに対する**価格**が**形成**されて取引が行われる場のこと。

## 2 市場メカニズム　出題 愛媛　重要度 ★★★

□**需要曲線** ⇨ ある商品やサービスに対する需要は、一般的に**与えられた価格**が**上昇**すると**減少**し、**下落**すると**増加**する。このため需要曲線は**右下り**に描かれる。

□**供給曲線** ⇨ ある商品やサービスに対する供給は、一般的に**与えられた価格**が**上昇**すると**増加**し、**下落**すると**減少**する。このため供給曲線は**右上り**に描かれる。

□**均衡価格** ⇨ 完全競争市場において、ある商品やサービスに対する**需要**と**供給**が**一致したところ**で決定される価格のこと。

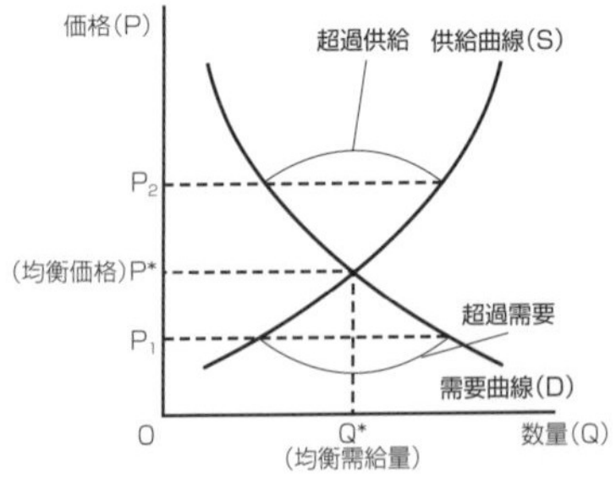


□**超過需要** ⇨ ある商品やサービスの価格における供給量を超える需要量の超過分のことをいい、**超過需要**が発生している場合、**価格**は**上昇**する。

 P.157の確認テストの解答　数：5　国名：アメリカ・イギリス・フランス・ロシア・中国

□**超過供給** ⇨ ある商品やサービスの価格における需要量を超える供給量の超過分のことをいい、**超過供給**が発生している場合、**価格**は**下落**する。

□**市場メカニズム** ⇨ 市場では、需給のバランスが崩れていても、**価格**の**変動**を媒介として、**均衡価格**が形成され、**需要量**と**供給量**が**一致**する。この作用を**市場メカニズム**(価格の自動調節機能、価格機構)という。

⇨ 市場メカニズムによって、需給が一致すれば、必要なものだけが必要な分だけ生産されることとなる。これを**資源**の**最適配分機能**という。

## 3 需要曲線と供給曲線の移動　出題 愛媛　重要度 ★★

□需要曲線の上方移動 ⇨ 需要者の所得が増加すると、財に対する購買意欲が高まる(需要の増大)から需要曲線は**上方**(**右側**)に移動する。

□需要曲線の下方移動 ⇨ 需要者の所得が減少すると、財に対する購買意欲が低くなる(需要の減少)から需要曲線は**下方**(**左側**)に移動する。

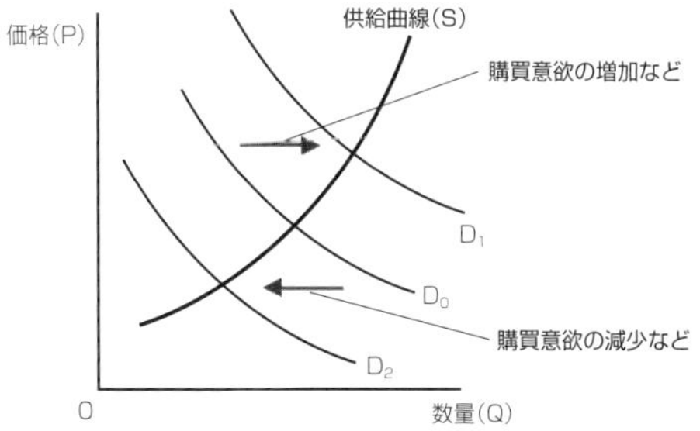


□供給曲線の上方移動 ⇨ 生産者において、天候不順や政府の規制強化などによる**生産性**の**低下**があった場合、供給曲線は**上方**(**左側**)に移動する。

□供給曲線の下方移動 ⇨ 生産者において、技術革新(イノベーション)や合理化などによる**生産性**の**上昇**があった場合、供給曲線は**下方**(**右側**)に移動する。

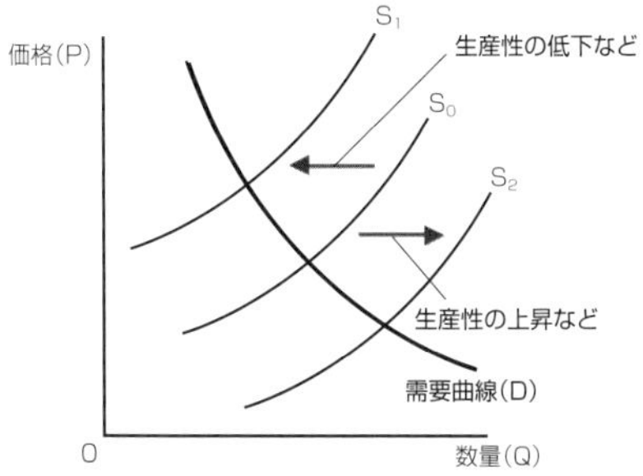




**ポイント** 需要曲線と供給曲線の価格の上昇、下降による影響は逆になる

経済 02

# 寡占市場と市場原理の限界

日付 ／

頻出度 **B**

- 寡占の態様は学校でも学習するものなので、必ずおさえておこう。
- 市場の失敗として、外部効果・公共財・費用逓減産業の3つをおさえておこう。

## 1 寡占市場

出題 愛媛　重要度 ★★

□**寡《か》占《せん》市場** ⇨ 少数の企業だけで市場を支配する状態のこと。

□**独占** ⇨ ある企業1社のみが市場を支配すること。

### 寡占市場の特徴

□**管理価格**の形成 ⇨ 市場メカニズムを通じてではなく、市場支配力をもった少数の企業によって決定・維持される価格のことをいう。特に、寡占市場で最も有力な企業が**プライスリーダー**となって有利な価格を設定し、他の企業もこれに追随することを、**プライス・リーダーシップ**という。

□**価格**の**下方硬直性** ⇨ 管理価格が形成されると、価格が需給関係では決定されず、供給超過やコストダウンが生じても価格が下がりにくくなる。

□**非価格競争** ⇨ 寡占市場で行われる商品の品質やブランド、宣伝広告やアフターサービスなど、価格以外による競争が生ずること。

### 寡占の態様

□**カルテル** ⇨ 同種の製品を生産する企業が価格や生産量、販売地域などについて**協定**を結び、高い利潤を確保しようとするもの。各企業は独立性を維持したまま**協定**を結ぶ。

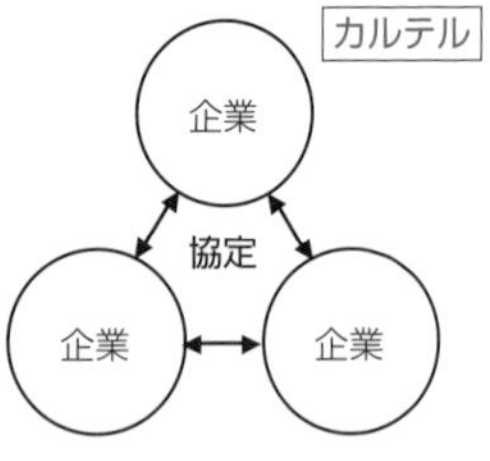


□**トラスト** ⇨ 同種の生産部門における競争を排除するため、企業が独立性を失い、1つの企業として行動すること。これには合同形態と株式買収による支配権の獲得などがある。

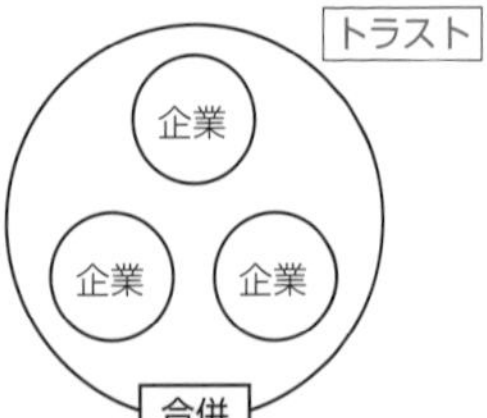

□**コンツェルン** ⇨ 巨大企業が複数の企業の株式を保有することによってそれらを支配下におくものをいう。支配下の企業は水平的・垂直的に結合しており、実質的独立性は失われている。

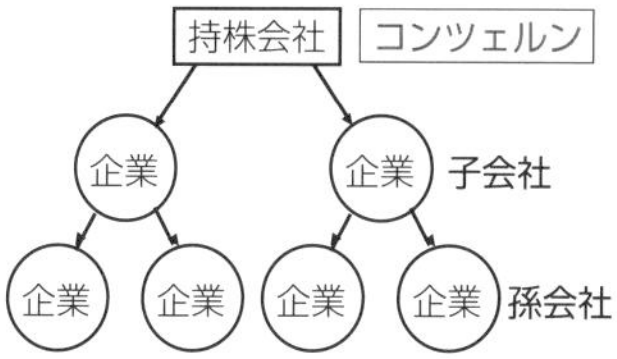


□独占禁止法 ⇨ 寡占・独占を防ぐために独占禁止法(私的独占の禁止及び公正取引の確保に関する法律)があり、同法に基づき公正取引委員会が企業間のカルテルや談合などの防止に努めている。

## 2 市場原理の限界

出題 愛媛　重要度 ★★

□**市場の失敗** ⇨ 寡占市場のように、現実の社会では、市場メカニズムを阻害する要素が存在する。この市場原理の限界のことを**市場の失敗**という。

□**外部効果** ⇨ ある経済主体の活動が、市場取引などを経由せず、まったく関係のない他の経済主体の経済活動に影響を及ぼすことを**外部効果**という。

⇨ 外部効果には、他者に利益や便益を与える**外部経済**と他者に損失や不利益を与える**外部不経済**がある。

□**公共財** ⇨ 市場機構を通じて提供されるような財ではなく、**政府**が**提供する財**で、各個人が共同消費を行うことができる。例えば警察、一般道路、行政サービス、国防などが挙げられる。

□**非排除性** ⇨ 公共財の特徴の1つで、財・サービスの消費にあたって対価を支払わなくともその消費から排除されないことをいう。

□**非競合性** ⇨ 公共財の特徴の1つで、ある人がその財・サービスを消費したとしても、ほかの人の消費に影響を与えないことをいう。

□**費用逓減産業** ⇨ 大規模な固定設備を必要とし、当初は巨額な設備投資が必要とされるが、その後は比較的低い費用で生産活動が可能となる産業のこと。例えば、鉄道や電力、ガスなどの公益事業が挙げられる。

⇨ 費用逓減産業では、事業を開始する際に莫大な固定費用がかかるため、資金調達能力や財務基盤の弱い企業は産業からの撤退を余儀なくされる傾向にあり、結果的に資金調達能力や財務基盤の強い企業が残ることとなる。

⇨ 一般的に費用逓減産業においては**自然独占**の状態が発生しやすくなる。そのため政府は、基本的にはこの独占を承認しつつ、非効率が発生しないように特別な規制を行うことになる。

経済
03
# 国民所得と景気

日付
／

頻出度
B

●国民経済の指標としてGDP（国内総生産）が重要視されている。GDPの変化で景気動向を図ることができるので、しっかりと理解しておこう。
●インフレーションやデフレーションの原理や種類をしっかりと把握すること。

## 1 国民経済の指標 出題 愛媛 重要度 ★★★

□**国内総生産**（**GDP**） ⇨ **国内**において、**一定期間**（**1年間**）に**生産されたすべての財・サービス**の**付加価値を合計したもの**。これは国民によるものであれ外国人によるものであれ、国内で生産された付加価値の合計として計上されるものをさす概念。通常、景気やマクロ経済動向をあらわす指標として、国内総生産（GDP）を利用。

□**国民総所得**（**GNI**） ⇨ **国民**が提供した資本や労働などの生産要素を用いて一定期間（1年間）に生産したすべての財・サービスの付加価値を合計したもの。これは、生産される場所が国内であれ外国であれ、国民の所得として計上されるものをさす概念である。基本的には国民総生産（GNP）と同一のもの。

□**国富** ⇨ 国民の資産全体を合計したものを国富といい、これは国民生活をフローではなく、蓄積された資産というストック面から見るもの。

## 2 景気の変動 出題 愛媛 重要度 ★★

□景気変動 ⇨ 一国の経済活動は、経済成長が著しい状況もあれば、長く停滞する場合もあり、これを**景気変動**（**景気循環**）という。

⇨ 景気変動（景気循環）には、**好況**、**後退**、**不況**、**回復**の4つの局面があり、これらが**波形**を描きながら循環している。

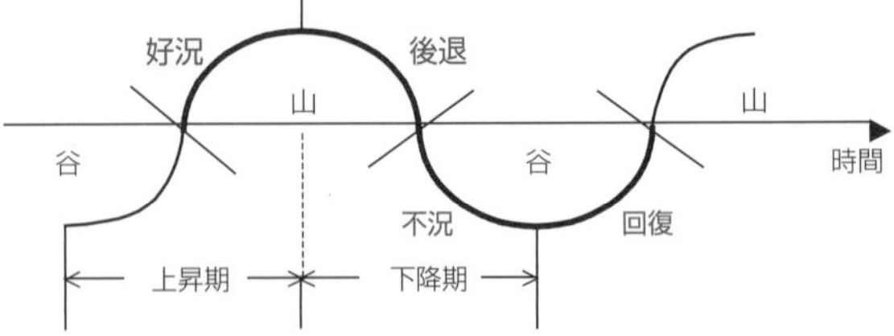

## 景気変動の周期

□景気変動の周期分類 ⇨ 景気変動の周期は、その長さの違いから、**キチン循環**、**ジュグラー循環**、**クズネッツ循環**、**コンドラチェフ循環**などに分類される。

| 景気循環の名称 | 周　期 | 景気循環が引き起こされる要因 |
|---|---|---|
| キチン循環 | 約40カ月 | 在庫投資の増減が原因となって発生するといわれている。 |
| ジュグラー循環 | 約10年 | 設備投資の循環が原因となって発生するといわれている。 |
| クズネッツ循環 | 約20年 | 建設需要の増減が影響を与えて発生するといわれている。 |
| コンドラチェフ循環 | 約50年 | 技術革新、大規模な戦争などの要因が挙げられる。 |

# 3 インフレーション

出題 愛媛　重要度 ★★

□**インフレーション** ⇨ 一般的に物価が相当な期間にわたって継続的に上昇する現象のこと。

## インフレーションの種類

□ディマンド・プル・インフレーション ⇨ 主要因が**超過需要**にあるインフレーション。

□コスト・プッシュ・インフレーション ⇨ 労働賃金や原材料費などの**生産コスト**の**上昇**を原因として起きるインフレーション。

□**ハイパー・インフレーション** ⇨ 物価水準が短期間で急激に数十倍にまで上昇する状態。

インフレーションは、本来、通貨供給の膨張と貨幣価値の下落のことをいう

## インフレーション関連用語

□**デフレーション** ⇨ 物価が持続的に下落する現象のこと。

□**デフレスパイラル** ⇨ 物価下落と景気後退が相互作用(スパイラル：らせん状)的に進行すること。物価下落が企業収益の悪化をもたらし、これがさらに所得減少・雇用悪化→消費低迷→物価下落→企業収益の悪化という悪循環に陥って不況が深刻化していくことをさす。

□**スタグフレーション** ⇨ **不況下**の**物価高**のことで、失業と物価上昇とが同時に発生している状態など。スタグフレーションという言葉は景気停滞(スタグネーション)と物価上昇(インフレーション)からの造語。

**ポイント** インフレーションの中にも様々な種類があるので、要チェック

経済

# 04 財政

日付
／

頻出度 **A**

●財政の機能を理解し、わが国の財政政策について
しっかりとおさえよう。
●租税の原則や種類など、租税についても理解を深
めよう。

## 1 財政

出題 福井　重要度 ★★★

□**財政** ⇨ 財政とは、**政府**つまり**国**・**地方公共団体**が行う**経済活動**のこと。

□**財政の役割** ⇨ 市場メカニズムが機能するような条件整備やその欠陥を補完すること。これを実現するため、**資源配分の調整**、**所得の再分配**、**経済の安定化**という３つの機能を果たしている。

### 財政の３機能

□**資源配分の調整** ⇨ 経済活動を市場原理に任せておくと、かえって経済に非効率が生じてしまうため、政府がこれに介入して効率的な経済の実現を図る。

⇨ 具体的には、**公共財**の提供、**外部経済**の調整、**費用逓減産業**への規制など。

□**所得の再分配** ⇨ 資源配分の効率性と所得分配の公正の基準が同一でないことなどから、市場を通じて実現される所得分配が、必ずしも公正な分配を達成できるとは限らないので、政府が介入して公正な所得分配を図る。

⇨ 具体的には、歳入面における**累進税率**の適用や、歳出面における**社会保障給付制度**などが挙げられる。

□**経済の安定化** ⇨ 好況や不況などの景気変動に対して、政府が介入して景気調整を行う。以下の２つの機能が挙げられる。

□**財政の自動安定化機能**（**ビルト・イン・スタビライザー**） ⇨ 財政に制度的に内蔵されており、時期が来れば自動的に働く点に特徴がある。所得税や法人税などの累進課税や、失業手当などの社会保障給付などが挙げられる。

□**裁量的な財政政策**（**フィスカル・ポリシー**） ⇨ 経済状況に応じて、政府が裁量的に財政政策を実施すること。不況期には公共投資の増加や減税などを行う。

## 2 租税

出題 福井　重要度 ★★★

□租税 ⇨ 国・地方公共団体の行政サービスに必要な経費を賄う目的で、直接の反対給付なしに徴収されるもの。租税のあり方を示すものが**租税原則**であり、**公平**・**簡素**・**中立**といった原則が挙げられる。

### 租税原則

□**公平の原則** ⇨ 税負担は各人の負担能力に応じて公平に配分されなければならないという原則。担税力が大きい者ほど大きい税負担を負うという**垂直的公平**と、等しい担税力を有する者は等しい税負担を負うという**水平的公平**がある。

□**簡素の原則** ⇨ 課税のシステムや納税の手続きが簡単で、その際に要する費用が最小となるような課税が望ましいとする原則。

□**中立の原則** ⇨ 税が人々の経済活動に影響を及ぼさないことをいい、効率的な市場での経済上の決定に対する干渉を最小にして、資源配分を撹乱《かくらん》しないような税が望ましいとする原則。

### 直接税と間接税

□**直接税** ⇨ **納税義務者**と**税負担者**が**同一の税**である。具体的には、所得税、法人税(以上、所得課税)、相続税・贈与税(以上、資産課税等)などがある。

□**間接税** ⇨ 納税義務者と税負担者が異なる税である。具体的には、消費税、酒税、たばこ税、揮発油税(いずれも消費課税)などがある。

## 3 公債

重要度 ★★

□**公債** ⇨ 国および地方公共団体が資金の借り入れのために発行する金銭債権のことである。広義では、国の債務一般を**国債**という。

□**建設国債の原則** ⇨ 財政法４条は、公共事業費、出資金および貸付金の財源に充てる場合にのみ国債を発行できると規定している。この規定に基づいて発行される国債を**建設国債**という。

□**特例公債**(**赤字公債**) ⇨ 国の歳入不足を補うために発行される公債で、発行ごとに特例法を制定して発行する。

□**市中消化の原則** ⇨ 財政法５条は、日本銀行引受けによる国債の発行を原則として禁止している。

経済

# 05 金融

日付 ／

頻出度 A

●金融では、特にわが国の中央銀行である日本銀行の金融政策に注目しよう。
●通貨制度は、日本史や世界史でその変動の歴史が出題されることがある。歴史と関連づけて理解するほうがよい。

## 1 通貨制度　重要度 ★★

□**金本位制度** ⇨ 通貨の価値が**金**によって裏づけられている通貨制度。この制度の下では、素材価値と額面価値の一致する金を本位貨幣とし、金との交換が可能な**兌換**《だかん》**紙幣**が発行される。

□**管理通貨制度** ⇨ 通貨と金が結び付くことなく、**中央銀行の裁量**により、**経済動向**に基づいて**通貨量**を**管理する制度**。中央銀行の発行する紙幣は**不換紙幣**で金と交換することはできない。

## 2 金融と銀行の業務　重要度 ★

□**金融** ⇨ 金融は、経済活動の資金の融通を図ることをいい、その資金の需要と供給が出合う取引の場を金融市場という。

□**直接金融** ⇨ 企業などが資金を調達するに際して、株式や社債を発行し、証券市場を通じて個人や企業が引き受ける形式のこと。

□**間接金融** ⇨ 銀行などの金融機関が集めた預金を金融機関の判断で企業などに貸し出す形式のこと。その際、銀行では、**信用創造**によって預金総額を上回る貸付けを実施することができる。

□銀行の業務 ⇨ ①預金業務（受信業務）、②貸付業務（与信業務、授信業務）、③為替業務がある。

| | |
|---|---|
| 預金業務 | 家計や企業から貨幣を預かること |
| 貸付業務 | 預金を元手に貨幣を貸し出すこと |
| 為替業務 | 遠距離取引における決済につき、銀行が振込・振替で仲介すること |

## 3 中央銀行と金融政策　重要度 ★★★

□中央銀行の性格 ⇨ 中央銀行は具体的には、**銀行券の発券業務**、**銀行のための銀行業務**、**政府の銀行業務**を行い、さらに**金融政策**を行っている。わが国の中央銀行は日本銀行である。

### 日本銀行の代表的金融政策

#### (1) 公開市場操作

□**公開市場操作（オープン・マーケット・オペレーション）** ⇨ 日本銀行が、公社債市場と手形市場において、有価証券の売買を行うことで通貨量の調整を行い、資金需給を変化させ、金利に影響を与える。**売りオペレーション**と**買いオペレーション**がある。

□**売りオペレーション** ⇨ 景気が過熱気味でインフレーションが発生する可能性がある場合、日本銀行は保有している有価証券を売却して市中の現金を有価証券化することで、通貨量を減少させて**金融引締め**を行う。

□**買いオペレーション** ⇨ 景気が停滞して経済活動が不活発なときには、日本銀行が有価証券を購入してこれを現金化することで、通貨量を増加させて**金融緩和**を行う。

#### (2) 支払準備率操作

□**支払準備率操作** ⇨ 支払準備率を引き上げると、市中の通貨残高が減少して**金融引締め**効果が期待でき、引き下げると通貨残高は増加して**金融緩和**効果が期待できる。

□**支払準備率** ⇨ 銀行などの金融機関は、預金額の一定割合を支払準備金（預金準備金）として手元に残すが、これとは別に、日本銀行に一定割合の現金を預金しておかなければならず、この割合のこと。

#### (3) 公定歩合操作

□**公定歩合操作** ⇨ 日本銀行の貸出金に適用される基準金利（公定歩合＊1）を上下させることで間接的に市中銀行の貸出金利などに影響を与えて経済を調整すること。

⇨ 景気が上向きの場合には、公定歩合を引き上げる金融引締めを行い、景気が低迷している場合には、公定歩合を引き下げて金融緩和を行う。

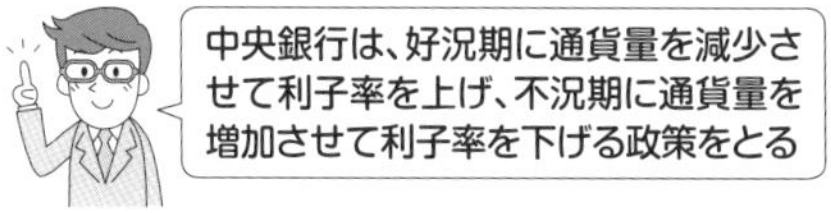


**用語** ＊1　公定歩合…2006年8月、日本銀行は従来「公定歩合」として表現されてきた基準金利の名称を「基準割引率および基準貸付利率」に変更した。公定歩合は、かつての規制金利時代においては、銀行預金金利などの各種金利が連動していたため、代表的な金融政策金利であったが、1990年代に金利自由化が実現したため、代表的な金利としての意義を失っていた。



**ポイント** 紙幣は日本銀行、硬貨は財務省が発行

経済

# 06 国際経済

日付 ／

頻出度 **B**

●国際経済では、貿易についての基礎的な理解が大切で、特に為替レートの変動と輸出入の関係の理解は必須となる。
●国際収支統計は、現在BPM6方式に移行している。それぞれの収支項目と式をしっかりとおさえておこう。

## 1 国際分業と貿易

出題 福岡　重要度 ★★★

### 国際分業

□**垂直的分業** ⇨ 発展途上国と先進工業国間での分業で、主に発展途上国における１次産品や労働集約的な製品と先進国における高度工業製品の貿易が行われる。

□**水平的分業** ⇨ 先進国相互間の分業で、完成品あるいは工業製品を中心とした貿易が行われる。

国ごとに商品の生産条件などが異なるので、国際分業は発達した

### 貿易

□貿易の意義 ⇨ 貿易とは国家間における商取引のことであり、輸入と輸出からなる。輸入は国内の需要を満たすために海外から商品を購入することで、輸出は国内の生産物を海外へ販売することである。

□**自由貿易** ⇨ 貿易における輸出入に関して国が干渉せず、各経済主体が自由に貿易を行うこと。

□**保護貿易** ⇨ 国内の産業を保護するために、輸出に税の優遇や補助金を付けて助成したり、輸入を禁止ないし制限したりすること。

## 2 国際収支

出題 福岡　重要度 ★★

□**国際収支統計** ⇨ 日本人および日本企業と外国人および外国企業との間で行われたすべての経済取引を、複式簿記の原則に基づいて記録したもの。
⇨ 国際収支統計は、**経常収支**、**資本収支**、および**外貨準備増減**などからなる。

□**経常収支** ⇨ 経常収支は「モノ」や「サービス」の流れを記録するもので、「**貿易・サービス収支**」、「**所得収支**」、「経常移転収支」が計上される。

□**資本収支** ⇨ 資本収支は、対外資産・負債の増減、つまり「カネ」の流れを記録するもので、「投資収支」と「その他資本収支」に区分される。

□外貨準備増減 ⇨ 通貨当局が保有する外貨準備の増減のこと。

## 3 外国為替

出題 福岡　重要度 ★★★

### 国際通貨制度

□外国為替相場 ⇨ 国際間における商取引の決済の際に適用する**2国通貨の交換比率**のことをいい、為替レートとも呼ばれる。

□**固定為替相場制** ⇨ 外国為替相場の変動をまったく認めないか、変動幅をきわめて狭い範囲に限定する制度のこと。

□**変動為替相場制** ⇨ 為替相場が外国為替市場の需給関係で決定される制度のことであり、理論上は、為替相場が変動することによって自動的に国際収支の調整がなされ、国際収支は均衡することになる。

### 為替相場の変動と輸出入

□為替相場の変動 ⇨ 変動為替相場において、為替相場は市場の需給バランスによって決定される。つまり、円が高くなるという現象は市場で円需要が増加するために起こり、円が安くなるという現象は市場で円需要が減少するために起こる。

□輸出入への影響 ⇨ 為替相場の変動は国際貿易における輸出入に影響を与える。一般に、円高ドル安は、日本の輸出には不利、輸入には有利な要因として働き、逆に、円安ドル高は、日本の輸出には有利、輸入には不利な要因として働くといえる。

**【事例　為替相場が円高ドル安となった場合の輸出入への影響】**

| 事例 | 1ドル=200円 ⇨ 1ドル=150円<br>になったときの価格変動 | 日本の輸出入への影響 |
|---|---|---|
| 米国で10ドルの商品A<br>(日本でも輸入し販売) | 米国：10ドル ⇨ 10ドル<br>日本：2000円 ⇨ 1500円 | 輸入·販売価格の下落<br>輸入の促進·増加 |
| 日本で3000円の商品B<br>(米国へも輸出し販売) | 米国：15ドル ⇨ 20ドル<br>日本：3000円 ⇨ 3000円 | 輸出·販売価格の上昇<br>輸出の停滞·減少 |

**確認テスト** **次の文章の空欄1～2にあてはまる語句として妥当なものをア～ウから選びなさい。****(解答P.170)**

国際分業において、先進国相互間での分業で、完成品あるいは工業製品を中心とした貿易が行われることを(　1　)という。また、貿易における輸出入に関して国が干渉せず、各経済主体が自由に貿易を行うことを(　2　)という。

**ア**　保護貿易　　**イ**　水平的分業　　**ウ**　自由貿易

経済

# 07 日本経済史

日付 ／

頻出度 **B**

●戦後日本経済を理解するには、戦後復興期、高度成長期、バブル経済期などのように、まとめて特徴を理解しよう。
●この分野は戦後日本史への十分な知識が欠かせない。日本史と関連づけて理解しよう。

## 1 終戦直後の日本経済　重要度 ★★

□**経済の民主化政策** ⇨ 戦後、ＧＨＱの占領政策により、経済民主化が強力に推進された。その柱として実施された主要な改革は、「**財閥解体**」、「**農地改革**」、「**労働の民主化**」の３つである。

□**財閥解体** ⇨ 戦前日本経済を支配してきた**財閥**を解体し、企業間の自由競争の促進をめざした。

□**農地改革** ⇨ 戦前の小作制度を廃止し、**自作農**を増やすために行われた。

□**労働の民主化** ⇨ 労働組合の結成促進を中心とする労働改革を実現するため、**労働組合法**（1945年公布、翌年施行、その後1949年に改正）、**労働関係調整法**（1946年公布施行）、**労働基準法**（1947年公布施行）のいわゆる労働三法が制定。

**経済復興政策**

□**傾斜生産方式** ⇨ 1946年に採られた、産業の基幹をなす石炭・鉄鋼・電力・肥料に集中して資金・資材を投入し、これらの部門を起点に他の関連産業の生産拡大をめざす政策。**復興金融金庫**が設立され（1947年）、傾斜生産方式の資金面でのバックアップが行われた。

□**ドッジ・ライン** ⇨ **１ドル＝360円**の**単一為替レートの設定**（1949年）と**財政の収入**と**支出の均衡**をめざす**政策**のこと。しかし、厳しい均衡財政政策を原因とする**安定恐慌**と名づけられた不況に陥ることとなった。

□**特需景気** ⇨ 日本は、アメリカ軍が介入した朝鮮戦争（1950年）によりもたらされた特需景気によって、ドッジ・ラインを原因とする安定恐慌から回復した。

## 2 高度経済成長期　重要度 ★★

□**神《じん》武《む》景気**（1954年～1957年） ⇨ 民間設備投資の増加が景気拡大を支え


P.169の確認テストの解答　1 イ　2 ウ

た。

□**岩戸《いわと》景気**(1958年～1961年) ⇨ 民間設備投資の高成長が景気を牽引し、神武景気を上回る経済発展をもたらした。

□**オリンピック景気**(1962年10月～1964年10月) ⇨ **東京オリンピック**準備のための需要増加を要因とする。日本は1964年に**ＯＥＣＤ**への加盟を果たした。

□**いざなぎ景気**(1965年10月～1970年７月) ⇨ わが国の20世紀における最長の景気拡大期となる。1968年、ＧＮＰが西ドイツ(当時)を抜いてアメリカに次ぐ資本主義世界第２位となる。

## 3 石油ショック 重要度 ★★

□第１次石油ショック ⇨ 1973年、第４次中東戦争をきっかけとして、原油価格がそれまでの４倍にも上昇。日本はその影響を強く受け、深刻なインフレーション(**狂乱物価**)と、スタグフレーションに見舞われた。

□第２次石油ショック ⇨ 1979年、イラン革命の影響を受けて原油価格が３倍近くに急騰。

## 4 １９８０年代の日本経済 重要度 ★★

□**プラザ合意** ⇨ 1985年にドル高を背景とした日本と欧米の貿易不均衡問題に対処するため、**外国為替市場**で**ドル安誘導の協調介入**を行う決定のこと。この結果、円相場は高騰した。

□**ルーブル合意** ⇨ 1987年にプラザ合意を原因とする過度の円高を是正し、為替レートの安定をめざした合意を行った。しかし、この合意以後も円高ドル安は進行し続けた。

□**円高不況** ⇨ プラザ合意後から急激に円高が進行したため、日本の輸出は深刻な影響を受けて、1986年末頃までの日本の経済は不況状態(円高不況)となった。

□**内需拡大策** ⇨ 円高のため輸出不振に陥った企業は、経営方針を輸出から国内販売にシフトさせることで不況を切り抜ける**内需拡大策**(内需主導型経済への転換)を採った。

□**平成景気**(1986年～1991年) ⇨ 円高不況を克服した日本経済は、**平成景気**(**バブル景気**)を迎えた。景気拡大局面は、いざなぎ景気に続く20世紀中では２番目の大型景気となった。

**ポイント** 様々な景気の種類があるので、混同しないように

時事 01

# 労働問題

日付 ／

頻出度 B

●わが国の労働分野については、日本的雇用慣行を理解しよう。そして、それが近年どのように変化しているかもおさえよう。
●失業率をはじめとする労働統計の知識も必要である。これらの数値は最新のものをおさえておくこと。

## 1 日本的雇用慣行

重要度 ★★

□**日本的雇用慣行** ⇨「**終身雇用制**」、「**年功序列賃金**」、「**企業別組合**」が特徴。

□**終身雇用制** ⇨ 新規学卒者が定年まで同一企業内で労働すること。

□**年功序列賃金** ⇨ 勤続年数に応じて職務が昇格し、賃金も昇給していくこと。

□**企業別組合** ⇨ 企業ごと、あるいは事業所ごとに労働組合が組織されていること。

## 2 労働市場の動向

重要度 ★★

### 労働統計の概念

□**労働力人口** ⇨ 15歳以上で、働いている人および働きたいと思っている人口をさす。2023年平均は6925万人。

義務教育を終えた15歳以上は潜在的労働力になり得る（労働可能人口）

□労働力率 ⇨ 労働力人口を労働可能人口で割った比率のことをいう。2023年平均は62.9%。

□非労働力人口 ⇨ 15歳以上の人口から労働力人口を引いたもの。2023年平均は4084万人。

□**就業者** ⇨ 現時点で仕事をしていたか仕事を休んでいたかのいずれかで、仕事をもっている人をさす。2023年平均は6747万人。

□雇用者 ⇨ 就業者のうち、会社、団体、官公庁または自営業主や個人家庭に雇われて給料、賃金を得ている者および会社、団体の役員のこと。

### 失業者と失業率

□**完全失業者** ⇨ 仕事がなく、求職中で、仕事があればすぐに就ける人（仕事をもたず求職活動を行わない人は、非労働力人口）のこと。2023年平均は178万人。

□**完全失業率** ⇨ 完全失業者数を労働力人口で割った比率のこと。2023年平均は2.6%。

□**自発的失業** ⇨ 自己の意思で失業している状態をいう。

□**非自発的失業** ⇨ 現行賃金での就職を希望しているが、職がない状態をいう。

□構造的失業 ⇨ 企業が求める人材と求職者のもつ特性（職業能力や年齢など）との間のミスマッチから生じる失業をいう。

□摩擦的失業 ⇨ 職探しの情報の不安定性や地域間移動、転職など労働状態の変更に伴う失業をいう。

## 3 近年の労働問題 重要度 ★★

□**フリーター** ⇨ 厚生労働省の統計に基づいて、フリーターを定義すると、15～34歳で、男性は卒業者、女性は卒業者で未婚の者のうち、①雇用者のうち「パート・アルバイト」の者、②完全失業者のうち探している仕事の形態が「パート・アルバイト」の者、③非労働力人口のうち希望する仕事の形態が「パート・アルバイト」で家事も通学も就業内定もしていない者、となる。

□フリーターの数 ⇨ 2003年に217万人とピークを迎えた後、徐々に減少（2023年は134万人）。

□**ニート**（**若年無業者**） ⇨ **ニート**は、わが国では、「15～39歳の非労働力人口のうち、家事も通学もしていない者」と定義して集計し、2023年は76万人。

## 4 労使関係 重要度 ★★

□労働組合 ⇨ 労働者が労働条件の改善やその他の経済的地位の向上を図るため自主的に組織する団体であり、使用者（企業）と対等な立場で労働条件などについての交渉を行う。

**労働組合の形態**

□職業別組合（クラフト・ユニオン） ⇨ 職業または職種別に組織され、熟練労働者の利益を守るための排他的・独占的組織のこと。

□一般組合（ゼネラル・ユニオン） ⇨ 各種の職業や産業に分散する非熟練労働者を広く単一の組合に組織するものをいう。

□**産業別組合**（**インダストリアル・ユニオン**） ⇨ 1つの産業に従事する全労働者を、熟練や職種の違いを問わず1つの組合に組織するもので、現在の欧米の労働組合の主流の組織形態となっている。

時事 02

# 社会保障と少子高齢化問題

日付 ／

頻出度 B

●わが国の社会保障制度をしっかり理解しておくこと。
●少子高齢化については、合計特殊出生率や高齢化率など最新の数値が問われる。白書などで確認しておこう。

## 1 わが国の社会保障

出題 奈良・高知　重要度 ★★

□**社会保障** ⇨ 一般的に、「国民に対する最低限度の生活保障（ナショナル・ミニマムの保障）である」とされ、その内容としては、「**公的扶助**」、「**社会福祉**」、「**社会保険**」、「**公衆衛生**・**医療**」の４つが挙げられる。

□**公的扶助** ⇨ 国が最低限度の生活水準（保護基準）を定めて、申請者の資力が不足する分に応じて補足する制度である。その代表は、**生活保護制度**。

□**社会福祉** ⇨ 社会的・経済的に何らかの保護を必要としている人々（弱者）に無償または軽い負担で施設・設備などの各種サービスを提供し、福祉を増進させること。具体的には、児童福祉、高齢者福祉などがある。

□**社会保険** ⇨ 何らかの社会的事故により所得を得ることが中断、または不可能になったときに保険制度に基づき、その所得を保障していく制度。

□社会保険の分類 ⇨ 「医療保険」、「年金保険」、「雇用保険」、「労働者災害補償保険（労災）」、「介護保険」の５つに分類できる。

□**公衆衛生**・**医療** ⇨ 国民の健康の維持・増進を図るため、生活環境の整備（上下水道・清掃）や予防衛生（予防接種など）を促進させること、および各種の疾病（成人病・感染症など）への対策など。

## 2 少子化の現状

出題 奈良・高知　重要度 ★★

□人口の状況 ⇨ 2024年５月１日時点の日本の総人口（概算値）は１億2393万人となり、前年同月と比べて約57万人減少。

□**合計特殊出生率** ⇨ 合計特殊出生率とは、15歳から49歳までの女子の年齢別出生率を合計したもので、１人の女子が一生の間に産む子ども数に相当する。長期的に人口を維持するには、この数値が2.07以上必要である（人口置換水準）。

□近年の合計特殊出生率 ⇨ 2023（令和5）年の合計特殊出生率は**1.20**で、出生数は72万7277人であった（令和5年人口動態統計月報年計（概数））。

## 3 高齢化の現状

出題 奈良・高知　重要度 ★★

□平均寿命 ⇨ 2022年における日本人の平均寿命は男性で81.05歳、女性で87.09歳となった。

□**高齢社会** ⇨ 高齢者（65歳以上人口）が総人口の７％を超えた社会を高齢化社会といい、高齢者が総人口の**14**％を超えた社会を**高齢社会**という（20％あるいは21％を超えた社会を超高齢社会ということもある）。

□高齢化率 ⇨ 2023年10月現在の65歳以上の高齢者の人口は、過去最高の3624万人となり、高齢化率も**29.1**％となった。

## 4 少子・高齢者対策

出題 奈良・高知　重要度 ★★

### 育児・介護休業法

□育児休業制度 ⇨ １歳未満の子どもを養育する男女の労働者に育児休暇を保障する。期間は**1**年で、休業が必要な事情があれば１年半まで延長可能。１年半に達した時点での申し出により最長**2年**まで再延長できる。また、父母がともに育児休業を取得する場合は、1歳2カ月までの間に1年間育児休業を取得可能とする**パパ・ママ育休プラス**制度がある。

□介護休業制度 ⇨ 家族を介護・看病するためのもので、対象となる家族１人について通算**93**日まで休暇取得が可能となっている。

□休業以外の支援策 ⇨ 時間外労働や深夜業の制限、３歳未満の子の養育または家族の介護を行う労働者には勤務時間の短縮、小学校就学前の子のための看護休暇を子どもが1人であれば年5日、2人以上で年10日取得可能とするなど。

### 介護保険制度

□被保険者 ⇨ 65歳以上の第１号被保険者と、40歳以上65歳未満の第２号被保険者に分かれている。

□要介護認定 ⇨ 要介護度を７段階（要支援２段階、要介護５段階）に分けて、その度合いに応じて給付限度額が設定されている。

□財源構成 ⇨ 利用者は費用の１割を**自己負担**、残り９割のうちの50％を公費で負担（国・都道府県・市町村）し、50％を保険料により負担する。

□介護保険制度改革 ⇨ ２割負担者のうち特に所得の高い層の負担割合が**3割**となる。特別養護老人ホーム入所は原則要介護３以上。

**ポイント** 社会保障・福祉に関連する問題は頻出。必ずおさえておこう

時事 03

# 環境問題

日付 ／

頻出度 A

●地球温暖化の対策としてパリ協定が策定された。その内容をしっかりおさえておきたい。
●ラムサール条約の対象地は、締約国会議で登録される。わが国の湿地が新規登録されることもあるので、締約国会議が開催された時は確認しておくこと。

## 1 地球温暖化問題　重要度 ★★★

□**地球温暖化** ⇨ 各国から大量に排出されている**温室効果ガス**は、地球の外に熱を発散させにくい温室効果をもつため、地球全体の**気温**が**上昇**する現象。異常気象や海水面の上昇などの問題が発生している。

□**気候変動枠組条約** ⇨ 1992年にリオデジャネイロで開催された「**国連環境開発会議**(**地球サミット**)」で採択された。気候に影響を及ぼさない水準での温室効果ガス濃度の安定化を最終的な目標としている。

□**京都議定書** ⇨ 1997年に京都で開催された地球温暖化防止京都会議において、大気中にある二酸化炭素などの温室効果ガスの量を、気候に危険な影響を及ぼさないレベルに安定化させることを目的として採択された。

□**パリ協定** ⇨ 2016年発効。産業革命前からの世界の平均気温上昇を2度未満(可能ならば1.5度未満)に抑えることを目的とする。

## 2 オゾン層の保護　重要度 ★★

□オゾン層破壊の影響 ⇨ フロンやハロンなどによって、オゾン層が破壊されると、有害な紫外線(UV - B)が地上にまで到達するようになり、皮膚ガンや白内障などの健康被害、植物やプランクトンの生育阻害などを引き起こすことが懸念される。

□国際的取組み ⇨ 「**オゾン層の保護のためのウィーン条約**」、「**モントリオール議定書**」など。

## 3 酸性雨の防止　重要度 ★★

□酸性雨の影響 ⇨ 酸性雨により、湖沼や河川の酸性化による魚類などへの影響、土壌の酸性化による森林への影響、建造物や文化財への影響など。

□国際的取組み ⇨ 「**長距離越境大気汚染条約**」、「**ソフィア議定書**」、「**オスロ**

**議定書**」など。

## 4 砂漠化への対処　重要度 ★

□砂漠化の影響 ⇨ 砂漠化については、世界の陸地の４分の１がその影響を受けているとされ、２億5000万人以上の人々が砂漠化の影響下にあり、約10億の人々が砂漠化の影響を受ける危険性があるといわれている。

□砂漠化の原因 ⇨ 干ばつ等の自然現象のほか、過放牧、過度の耕作、過度の薪炭材採取、不適切な灌漑による農地への塩分集積など。

□国際的取組み ⇨「**砂漠化対処条約**」など。

## 5 動植物の保護　重要度 ★★

### 生物の多様性

□**生物の多様性に関する条約** ⇨ 生物多様性の保全とその持続的利用、生物の遺伝資源から得られる利益の衡平な利用などをめざす条約。

⇨ 締約国には、生物多様性の保全のために国家戦略を策定して、重要地域や保護対象種の選定とモニタリング、保護地域の指定と管理、生息地の回復、栽培飼育下での保存や繁殖、野生への還元、といった保全策を講じることがうたわれている。

□**ワシントン条約** ⇨ 絶滅のおそれのある野生生物（動植物）や剥製《はくせい》・毛皮・牙などの部分や製品の保護を図るため、輸出国と輸入国の協力の下に**国際取引**を規制する条約。

⇨ 絶滅のおそれのある野生種を３ランクに分類し、国際的な商取引を原則全面的に禁止する種を「附属書Ⅰ」、商取引に輸出国の許可証が必要な種を「附属書Ⅱ」、国ごとに指定する種を「附属書Ⅲ」に記載している。

□**ラムサール条約** ⇨ **湿原**の保存に関する国際条約であり、水鳥にとって貴重な生息地である湿地を乱開発から保護することを目的とする。

**確認テスト** **次の①～③の環境問題に関する国際的な取組みとして最も関係の深いものを選びなさい。（解答P.178）**

□ **①地球温暖化**

**ア** 気候変動枠組条約　**イ** オスロ議定書　**ウ** ラムサール条約

□ **②酸性雨の防止**

**ア** ウィーン条約　**イ** 長距離越境大気汚染条約　**ウ** 京都議定書

□ **③オゾン層の保護**

**ア** 京都議定書　**イ** モントリオール議定書　**ウ** ワシントン条約

# 社会科学

# 一問一答 チェック!

次の（　　）にあてはまる語を答えなさい。

## 政治

**Q1** ホッブズの(①)は、各人が自己保存権の実現を求めるために、「万人の万人に対する(②)」となる。参照▶ P.142・143

**A1** ①自然状態
②闘争状態

**Q2** (①)は、政府が設立目的に反する活動をした場合、人民には政府を交代させる(②)が留保されているとした。参照▶ P.142・143

**A2** ①ロック
②抵抗権

**Q3** ルソーのいう(①)は、常に公共の利益をめざし、決して誤りを犯すことがないものとされている。参照▶ P.143

**A3** ①一般意志

**Q4** 財産、納税額、信仰、人種、性別などを選挙の要件としない制度を(①)という。参照▶ P.144

**A4** ①普通選挙
選挙の基本原則

**Q5** 1選挙区から1人の代表者を選出する選挙区制を(①)、2人以上の代表者を選出する選挙区制を(②)という。参照▶ P.144

**A5** ①小選挙区制
②大選挙区制

**Q6** 選挙において、民意を比較的反映する投票法で、政党の(①)に応じて議席を配分する制度を(②)という。参照▶ P.144

**A6** ①得票数
②比例代表法

**Q7** 衆議院議員選挙は、(①)が採用され、比例代表選挙での名簿の方式は(②)が採用されている。参照▶ P.145

**A7** ①小選挙区比例代表並立制
②絶対拘束名簿式
重複立候補が可能

**Q8** 参議院議員選挙は、(①)が採用され、比例代表選挙での名簿の方式は(②)を基本にしている。参照▶ P.145

**A8** ①選挙区比例代表並立制
②非拘束名簿式

**Q9** ロックは、権力を(①)と(②)とに分け、(①)が(②)に優越するとした。参照▶ P.146

**A9** ①立法権②執行権
執行権は、同盟権及び行政権

 P.177の確認テストの解答　①ア　②イ　③イ

**Q10** モンテスキューは、権力を( ① )、( ② )、( ③ )に分割し、相互に抑制と均衡を保つとした。参照▶P.146

**A10** ①立法権 ②行政権(執行権) ③司法権(裁判権) (順不同)

**Q11** 議院内閣制では、一般的に( ① )が( ② )の信任の上に成立している政治制度である。参照▶P.147

**A11** ①行政府(内閣) ②立法府(議会)

**Q12** 大統領制において、行政を担当する( ① )は、議会とは無関係に選出されることが多く、原則として議会に対して( ② )を負わない。参照▶P.147

**A12** ①大統領 ②責任

**Q13** 日本国憲法の基本原則は、基本的人権の尊重、( ① )、( ② )であり、( ② )は９条に規定されている。参照▶P.148

**A13** ①国民主権 ②平和主義

**Q14** 信教の自由における( ① )は、国や地方公共団体が、宗教から中立の立場に立たなければならないことをいう。参照▶P.148

**A14** ①政教分離原則 憲法20条3項

**Q15** 憲法では、出版物や放送の内容を( ① )して、その発表や放送を禁止することを一切禁じている。参照▶P.149

**A15** ①検閲 憲法21条2項

**Q16** 憲法 25 条で規定された、健康で文化的な最低限度の生活を営む権利を( ① )といい、本規定は( ② )といわれる。参照▶P.150

**A16** ①生存権 ②プログラム規定

**Q17** 憲法 28 条は、労働者に対して( ① )、( ② )、( ③ )の労働三権を認めている。参照▶P.150

**A17** ①団結権 ②団体交渉権 ③団体行動権 (順不同)

**Q18** 憲法は、「国会は、( ① )の最高機関であって、国の唯一の( ② )である」と定めている。参照▶P.152

**A18** ①国権 ②立法機関 憲法41条

**Q19** 衆議院で可決した法律案が( ① )された場合、衆議院における( ② )の( ③ )の多数による再可決で法律を成立させることができる。参照▶P.152

**A19** ①参議院で否決 ②出席議員 ③3分の2以上 憲法59条

**Q20** ( ① )は、内閣に対して法的効果を伴う( ② )を行うことができる。参照▶P.153

**A20** ①衆議院 ②不信任決議

**Q21** 憲法の改正要件は、各議院の総議員の（ ① ）の賛成による国会発議と（ ② ）における過半数の賛成である。参照▶P.153

**A21** ①3分の2以上
②国民投票
憲法96条

**Q22** （ ① ）とは、首長たる（ ② ）およびその他の（ ③ ）で組織される合議体のことをいう。参照▶P.154

**A22** ①内閣
②内閣総理大臣
③国務大臣

**Q23** 裁判所は、（ ① ）と（ ② ）からなり、（ ② ）は、高等裁判所、地方裁判所、簡易裁判所、家庭裁判所に分類される。参照▶P.155

**A23** ①最高裁判所
②下級裁判所

**Q24** 法律や政令、条例、処分など、一切の国家行為が（ ① ）に違反しないかどうかを審査する権限を（ ② ）という。参照▶P.155

**A24** ①憲法
②違憲立法審査権

**Q25** 国際連合は、（ ① ）に基づいて（ ② ）年に設立された。日本は（ ③ ）年に加盟している。参照▶P.156

**A25** ①国際連合憲章
②1945
③1956

**Q26** 国際連合の主要機関である総会の決議は、（ ① ）による（ ② ）を原則としている。参照▶P.156

**A26** ①一国一票制
②多数決

**Q27** 国際連合の安全保障理事会の常任理事国は、（ ① ）、イギリス、（ ② ）、ロシア、（ ③ ）の5カ国である。参照▶P.156

**A27** ①アメリカ
②フランス
③中国
（順不同）

## 経済

**Q28** 商品やサービスを購入したいと思う欲求を（ ① ）といい、それらを販売・提供することを（ ② ）という。参照▶P.158

**A28** ①需要
②供給

**Q29** 市場では、（ ① ）の変動を通じて、商品の需要量と供給量が一致する。この作用を（ ② ）という。参照▶P.159

**A29** ①価格
②市場メカニズム

**Q30** 少数の企業が支配している市場を（ ① ）といい、（ ① ）の特徴として（ ② ）や（ ③ ）、非価格競争などが挙げられる。参照▶P.160

**A30** ①寡占市場
②価格の下方硬直性
③管理価格の形成
（②、③順不同）

**Q31** 同種生産部門における競争排除のため、企業が（ ① ）を失い、1つの企業として行動することを（ ② ）という。参照▶P.160

**A31** ①独立性
②トラスト

**Q32** 公共財の特徴の1つで、対価を支払わなくとも財・サービスの消費から排除されないことを（ ① ）という。参照▶P.161

**A32** ①非排除性
ほかに非競合性がある

**Q33** （ ① ）は、国内で一定期間に生産されたすべての財·サービスの（ ② ）を合計したものである。参照▶P.162

**A33** ① GDP
②付加価値

**Q34** （ ① ）とは、不況下の物価高のことで、失業と物価上昇とが同時に発生している状態をいう。参照▶P.163

**A34** ①スタグフレーション

**Q35** 財政は、資源配分の調整、（ ① ）、（ ② ）という3つの機能を果たしている。参照▶P.164

**A35** ①所得の再分配
②経済の安定化
（順不同）

**Q36** 所得税、法人税、相続税など、納税義務者と税負担者が同一の税のことを（ ① ）という。参照▶P.165

**A36** ①直接税

**Q37** 財政法4条を根拠として発行される国債のことを（ ① ）といい、（ ② ）は、国の歳入不足を補うために発行される。参照▶P.165

**A37** ①建設国債
②特例公債
（赤字公債）

**Q38** 金本位制度の下では、（ ① ）との交換が可能な（ ② ）が発行される。参照▶P.166

**A38** ①金
②兌換紙幣

**Q39** 日本銀行が、保有する有価証券を売却して、市中の通貨量を減少させることを（ ① ）といい、金融引締め効果がある。参照▶P.167

**A39** ①売りオペレーション

**Q40** 国際分業の（ ① ）と（ ② ）のうち、（ ② ）は先進国相互間の分業で、完成品や工業製品中心の貿易が行われる。参照▶P.168

**A40** ①垂直的分業
②水平的分業

**Q41** （ ① ）は、為替相場が外国為替市場の需給関係で決定され、為替相場の変動によって（ ② ）は均衡する。参照▶P.169

**A41** ①変動為替相場制
②国際収支

**Q42** 戦後、ＧＨＱによる主要な経済民主化政策は、（ ① ）、（ ② ）、（ ③ ）の3つである。参照▶P.170

**A42** ①財閥解体
②農地改革
③労働の民主化
（順不同）

**Q43** 20世紀の高度経済成長期のうち最長の（ ① ）では、GNPが当時の（ ② ）を超え、資本主義世界第2位となった。参照▶P.171

**A43** ①いざなぎ景気 ②西ドイツ

## 時事

**Q44** 日本的雇用慣行の特徴として、（ ① ）、（ ② ）、（ ③ ）の3つが挙げられる。参照▶P.172

**A44** ①終身雇用制 ②年功序列賃金 ③企業別組合（順不同）

**Q45** 失業のうち、自己の意思で失業している状態を（ ① ）、現行賃金での就職を希望しても職がない状態を（ ② ）という。参照▶P.173

**A45** ①自発的失業 ②非自発的失業

**Q46** フリーターの数の推移をみると、2003年に（ ① ）とピークになった後は減少し、2023年には（ ② ）になった。参照▶P.173

**A46** ①217万人 ②134万人

**Q47** わが国の社会保障制度の内容として、（ ① ）、（ ② ）、（ ③ ）、公衆衛生·医療の4つが挙げられる。参照▶P.174

**A47** ①公的扶助 ②社会福祉 ③社会保険（順不同）

**Q48** （ ① ）の代表である生活保護制度は、最低限度の生活水準を定め、申請者の（ ② ）の不足分を補足する制度である。参照▶P.174

**A48** ①公的扶助 ②資力

**Q49** （ ① ）は、（ ② ）歳から（ ③ ）歳の女子の年齢別出生率を合計したもので、1人の女子が生涯に産む子どもの数に相当する。参照▶P.174

**A49** ①合計特殊出生率 ②15 ③49

**Q50** 65歳以上の高齢者人口が総人口の7%を超えた社会を（ ① ）といい、高齢者が総人口の14%を超えた社会を（ ② ）という。参照▶P.175

**A50** ①高齢化社会 ②高齢社会

**Q51** 1992年の（ ① ）で採択された（ ② ）は、（ ③ ）の濃度の安定化を目標としている。参照▶P.176

**A51** ①地球サミット ②気候変動枠組条約 ③温室効果ガス

**Q52** （ ① ）は、生物多様性の保全とその持続的利用、生物の（ ② ）から得られる利益の衡平な利用などをめざす条約である。参照▶P.177

**A52** ①生物の多様性に関する条約 ②遺伝資源

**Q53** （ ① ）は、絶滅のおそれのある野生生物などの（ ② ）を規制する条約である。参照▶P.177

**A53** ①ワシントン条約 ②国際取引

# 自然科学

- 地学
- 生物
- 化学
- 物理
- 数学
- 環境・科学

環境・科学
# 01 科学技術①

日付 ／

頻出度 **C**

●電池や半導体など、最近のニュースに出ている話題はチェックしておこう。
●ノーベル賞を受賞した科学技術も時事としてよく出題される。直近の受賞者については、日本の研究者だけでなく、海外の研究者の業績についても確認しておきたい。

## 1 電池

出題 福岡　重要度 ★

### 燃料電池

□燃料電池 ➡ 燃料と酸化剤を外部から供給し、その酸化還元反応のエネルギーを電気エネルギーとして取り出す装置。現在、**水素**と酸素を利用した燃料電池が実用化されている。

□燃料電池の具体例 ➡ **自動車**、**家庭用燃料電池**

### 太陽電池

□太陽電池 ➡ 半導体を利用して太陽の光エネルギーを電気エネルギーに変換する装置。夜間や悪天候では利用できないが、クリーンなエネルギーとして活用が進められている。

### リチウムイオン電池

□リチウムイオン電池 ➡ リチウムという金属を用いた充電可能な**二次**電池。内部抵抗が小さくて、起電力が高く、放電容量が大きいので、**携帯電話**、**ノート型パソコン**に使われる。また、メモリー効果が少なく、継ぎ足し充電に向いているので、**デジタルオーディオプレーヤー**などにも利用される。エネルギー密度が高いため、最悪発火現象を引き起こす可能性もあるので、安全性の確保が重要。

□**リチウム** ➡ 周期表の原子番号**3**に対応する金属元素。軟らかく反応性が高いのが特徴。塩湖や鉱石に含まれており、その量は豊富にあると試算されているのでレアメタルというわけではない。しかし、独占的供給による商業的ギャップが懸念されている。

燃料電池自動車は改良の余地はありますが、エネルギー効率、$CO_2$削減等、さまざまな問題解決に期待されています

## 2 ハイブリッド自動車

出題 福岡　重要度 ★

□ハイブリッド自動車 ➡ 作動原理が異なる２つ以上の動力源をもち、状況に応じて複数、あるいは１つの動力源を選択して用いる車のこと。一般的にはハイブリッド電気自動車をさす。

□通常の自動車とハイブリッド自動車の違い

| 車種 | 停車中のエンジン | ブレーキ |
| --- | --- | --- |
| 通常の自動車 | 動いているのでエネルギーを消費する | 摩擦熱を空気中に放出 |
| ハイブリッド | 停止する | 運動エネルギーを電気エネルギーとして回収 |

## 3 半導体

重要度 ★

### 半導体について

□半導体 ➡ **ケイ素**や**ゲルマニウム**は、抵抗率が電気を通しやすい物体と通しづらい物体の中間にある。

□半導体の性質

- 高温で電気を通しやすくなる。
- リンやアルミニウムを混ぜると、電気を通しやすくなる（不純物半導体）。

### 半導体を用いてできるもの

□ダイオード ➡ ｐ型半導体とｎ型半導体を接続したもの。

□発光ダイオード ➡ 半導体に電流を流し、電子がもつエネルギーを光エネルギーに変換することで、光を発する**発光ダイオード**（**ＬＥＤ**）になる。

**【発光ダイオードの応用例】**

| 種類 | 特徴 |
| --- | --- |
| 家庭用電球 | 白熱電球に比べて寿命が長い。 |
| **ブルーレイ** | 青色に発光する発光ダイオードを、記憶媒体に利用する。 |
| **有機ＥＬ** | 有機化合物に電気を流すと光を発する原理を応用した発光ダイオード。テレビ画面などに使われる。 |

□**集積回路** ➡ 多数の素子を１つにまとめた電子部品。

マメ 交通系のカードにも、集積回路が入っています

環境・科学

02

# 科学技術②・環境問題

日付 ／

頻出度 C

●環境問題は、用語を覚えるだけでなく原理をおさえると、理解が深まり、暗記が早くなる。
●環境問題は、時事として社会の中で出題されることもある。新聞はこまめに目を通すこと。

## 1 レアメタル　重要度 ★

### レアメタル

□レアメタル ➡ レアメタルとは、特定地域に偏在し、埋蔵量が極端に少ない希少金属で、パソコンや携帯電話機器に用いる半導体製造に欠かせないものである。

## 2 ｉＰＳ細胞　重要度 ★

### ｉＰＳ細胞

□ｉＰＳ細胞 ➡ **京都大学**の**山中伸弥教授**の研究グループが開発した、ヒトの皮膚細胞からＥＳ細胞（胚性幹細胞）と類似した能力をもつｉＰＳ細胞（人工多能性幹細胞）を作り出す技術の特許が、アメリカでも成立。

## 3 環境問題　重要度 ★★

□オゾン層の破壊 ➡ 成層圏の**オゾン層**は、太陽からの**紫外線**を吸収している。オゾン層の破壊が進行すると、有害な紫外線が増大し、皮膚がんなどが増えると危惧されている。**フロンガス**がオゾン層を破壊する。

□地球温暖化 ➡ 大気中の**二酸化炭素**などの**温室効果**ガスが増加し続けると、**温室効果**が強まり、温暖化を招くといわれる。

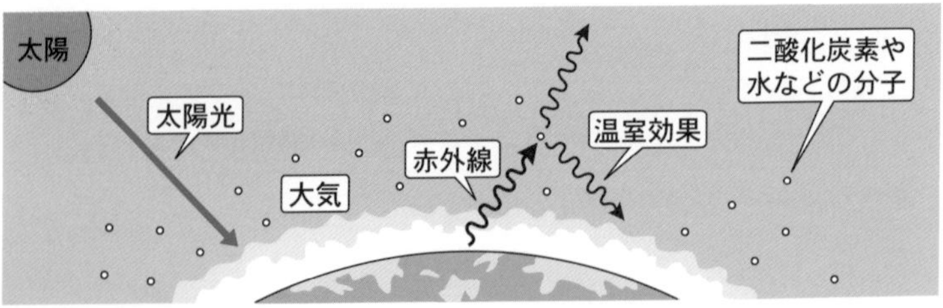

□酸性雨 ➡ 空気中に最も多く存在する窒素は、常温では反応しないが、車のエンジンなど高温下では反応し、**二酸化窒素**（**$NO_2$**）を始めとする$NO_x$ガス（ノックスガス）になってしまう。

水に溶け易い二酸化窒素は、雲（＝水蒸気）に溶けると高い酸化力をもつ硝酸に変わってしまう。この硝酸が酸性雨の正体である。

なお、硫黄酸化物（$SO_x$、ソックス）でも同じことがいえる。

□大気汚染 ➡ 化石燃料の燃焼によって、二酸化炭素のほか、煤塵《ばいじん》、粉塵《ふんじん》や$NO_x$、$SO_x$が放出される。

煤塵や粉塵は喘息の原因になるといわれている。また、$NO_x$、$SO_x$は酸性雨だけでなく、有害な**光化学スモッグ**の原因になっている。

□光化学スモッグ発生の原理

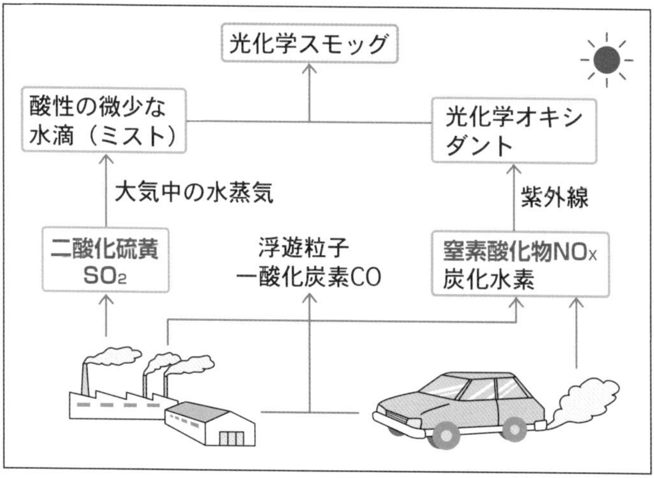


**水質汚染**

□**富栄養化** ➡ 河川や沿岸部に流入した生活廃水や、工業廃液が分解し、窒素化合物が増加する。

□**赤潮** ➡ 富栄養化が進むと、プランクトンが異常に増殖し海水の色が赤くなることがある。

**3R**

□**リデュース** ➡ ごみを軽減化する。

□**リユース** ➡ ビール瓶などを回収して再利用する。

□**リサイクル** ➡ 再生して利用する。

# 数学 01 数と式の計算

日付 ／

頻出度 A

●この項で大事なのは、最小公倍数の求め方、平方根の有理化、因数分解である。どれも重要なので計算の仕方を覚えてしまおう。
●因数分解については、自分で計算しても求められるが、計算式を暗記したほうが早い!

## 1 最小公倍数　出題 富山・長野・鹿児島　重要度 ★★★

### 最小公倍数の求め方

(例) 6、8、9の最小公倍数

2つ以上の数における共通因数で割る

② ) 6　8　9
③ ) 3　4　9
　　 1　4　3

[　　] の中の掛け算をする

$\underline{2}\times\underline{3}\times\underline{1}\times\underline{4}\times\underline{3}=\underline{72}$

**練習問題**

6で割っても、8で割っても、9で割っても3余る数の中で最小の数を求めよ。

**解答**　75

**解説**　求める数をxとすると、「xより3小さい数は、6、8、9で割り切れる」と解釈できる。したがって、x－3の最小公倍数は72であるから、求めるxは75となる。

## 2 式の計算　出題 青森・神奈川・福井・愛媛　重要度 ★★★

### 指数法則

□ $a^m \times a^n$ ➡ $\underline{a^{m+n}}$

□ $(a^m)^n$ ➡ $\underline{a^{m\times n}}$

□ $a^m \div a^n$ ➡ $\underline{a^{m-n}}$

### 展開と因数分解

□$m(a+b)=ma+mb$

□$(a+b)^2=a^2+2ab+b^2$

□$(a-b)^2=a^2-2ab+b^2$

□$(a+b)(a-b)=a^2-b^2$

□$(x+a)(x+b)=x^2+(a+b)x+ab$

□$(a+b)^3=a^3+3a^2b+3ab^2+b^3$

□$(a-b)^3=a^3-3a^2b+3ab^2-b^3$

□$a^2+b^2=(a+b)^2-2ab$

□$a^3+b^3=(a+b)^3-3ab(a+b)$

**練習問題**

$a+b=3$、$ab=2$のとき、$a^3+b^3$の値を求めよ。

**解答** 9

解説　$a^3+b^3=(a+b)^3-3ab(a+b)$より、

$a^3+b^3=3^3-3\times2\times3=9$

## 3 平方根

出題 富山・長野・鹿児島　重要度 ★★★

### 平方根

□2乗して$a$（$a>0$）となる数を$a$の平方根という。$a$の平方根には$\sqrt{a}$、$-\sqrt{a}$があり、$\sqrt{a^2}=|a|$である。

### 有理化

□分母に根号が含まれている場合、有理化して分母に根号を含まない形にする。

□$\dfrac{1}{\sqrt{a}}=\dfrac{1\times\sqrt{a}}{\sqrt{a}\times\sqrt{a}}=\dfrac{\sqrt{a}}{a}$

□$\dfrac{1}{\sqrt{a}+\sqrt{b}}=\dfrac{1\times(\sqrt{a}-\sqrt{b})}{(\sqrt{a}+\sqrt{b})(\sqrt{a}-\sqrt{b})}=\dfrac{\sqrt{a}-\sqrt{b}}{a-b}$

数学

# 02 方程式・不等式①

日付

頻出度

A

●方程式は、関数など他の分野で重要になってくるので、頻度にかかわらず学習しよう。
●不等式では、不等式の記号がどちらを向いているかを常に意識して計算しよう。正負が逆になったときは不等式の向きも逆になる。

## 1 2次方程式 出題 茨城・栃木・神奈川・富山・長野(高) 重要度 ★★

### 2次方程式の解法

□因数分解 $x^2-(\alpha+\beta)x+\alpha\beta=0$ ➡ **$(x-\alpha)(x-\beta)=0$**(この場合、**$x=\alpha,\ \beta$**となる)

□解の公式 $x=$ **$\dfrac{-b\pm\sqrt{b^2-4ac}}{2a}$** **($ax^2+bx+c=0$の解)**

### 2次方程式の解の判別

2次方程式 $ax^2+bx+c=0$ において、判別式は $D=$ **$b^2-4ac$** であらわされ、次のことが成り立つ。

□$D>0$のとき **異なる2実数解**

□$D=0$のとき **重解**

□$D<0$のとき **異なる2虚数解**

### 2次方程式の解と係数の関係

2次方程式 $ax^2+bx+c=0$ において、2次方程式の解を$\alpha$、$\beta$とすると、次の関係式が成り立つ。

□$\alpha+\beta=$ **$-\dfrac{b}{a}$**

□$\alpha\beta=$ **$\dfrac{c}{a}$**

**練習問題**

2次方程式 $x^2+2x-5=0$ の解を$\alpha$、$\beta$とするとき、$\alpha^2+\beta^2$の値を求めよ。

**解答**　14

**解説**　解と係数の関係より、

$\alpha+\beta=-2$　$\alpha\beta=-5$

$\alpha^2+\beta^2=(\alpha+\beta)^2-2\alpha\beta=(-2)^2-2\times(-5)=14$

## 2 不等式　出題 茨城・栃木・神奈川・富山・長野(高)　重要度 ★

### 1次不等式

□ $ax>b$ の範囲は、aの正負によって変化する。

aが正のとき⇒ $x>\frac{b}{a}$

aが負のとき⇒ $x<\frac{b}{a}$

### 2次不等式

□2次不等式 $ax^2+bx+c>0$ の範囲は、**$x<\alpha$**、**$\beta<x$**

□2次不等式 $ax^2+bx+c<0$ の範囲は、**$\alpha<x<\beta$**

ただし、$\alpha$、$\beta$ は2次方程式 $ax^2+bx+c=0$ の解( $\alpha<\beta$ )

**練習問題**

2次方程式 $x^2+ax+a=0$ が実数解をもたないようなaの範囲を求めよ。

**解答**　$0<a<4$

**解説**　実数解をもたないとは、判別式 $D<0$ が成り立つときである。

$D=a^2-4a<0$

2次方程式 $a^2-4a=0$ の解は、

$a(a-4)=0$ より、$a=0, 4$ であるから、

$a(a-4)<0$

$0<a<4$

数学 03

# 方程式・不等式②

日付 ／

頻出度 A

●速さ、食塩水の濃度、割合に関する問題が頻出。公式を覚えて式を立てられるようにしよう。
●速さや食塩水の濃度・割合の計算は、そのまま理科で用いることができる。理科での出題も多いので、しっかり理解しよう。

## 1 速さの公式　重要度 ★★★

**基本公式**　重要!

□距離＝**速さ×時間**　　時間＝**距離÷速さ**　　速さ＝**距離÷時間**

**2人が移動するとき**

□出会うとき ➡ 2人が離れていた距離＝**2人の速さの和×時間**

□追いつくとき ➡ 2人が離れていた距離＝**2人の速さの差×時間**

**練習問題**

10km 離れた地点にいるA、Bの2人が、同時に互いのいる方向に向かって出発したところ、2時間後に2人が出会った。AはBより時速 1 km だけ速いとすると、2人の速さはそれぞれいくらか。

**解答**　A＝3(km/時)　B＝2(km/時)

解説　A、Bの速さをそれぞれa、bとする。公式より、

$10=(a+b)\times 2 \quad \Rightarrow a+b=5$　……①

条件より、

$a-b=1$　……②

①、②より、a＝3(km/時)、b＝2(km/時)となる。

## 2 割合　重要度 ★★★

**割増・割引**

□x円の商品をa%値上げしたときの値段 ➡ $x\times\left(1+\frac{a}{100}\right)$円

□値下げであれば足し算でなく引き算になる。また、a割であれば$\frac{a}{10}$となる。

**練習問題**

ある商品を１個あたり100円で100個仕入れ、２割の利益が出るように定価をつけて売りに出したが、いくつか売れ残ったので、定価の１割引で売ったところすべて売れた。このときの利益は、すべて定価で売ったときより240円少なかった。定価で売れた個数はいくつか。

**解答**　80個

**解説**　100円の２割増は、100×（１＋0.2）＝120円であるから、すべて定価で売ったときの利益は20×100＝2000円である。したがって、実際の利益は2000－240＝1760円となる。

定価で売れた個数をｘ個、１割引で売れた個数を（100－ｘ）個とする。なお、１割引の値段は120×（１－0.1）＝108円であるから利益は８円となる。利益に関して、

$x \times 20 + (100 - x) \times 8 = 1760$

が成り立つので、これを解いて、ｘ＝80個となる。

## 3　濃度　　重要度 ★★★

**濃度の関係**　重要！

□食塩水の濃度＝$\dfrac{\textbf{食塩の量}}{\textbf{食塩水の量}}\times 100$　　食塩の量＝**食塩水の量**×$\dfrac{\textbf{濃度}}{100}$

□食塩水の濃度の問題は**食塩の量**について方程式を立てるとよい。

**練習問題**

濃度５％の食塩水に水を800ｇ混ぜたら、濃度が１％の食塩水になった。元の食塩水は何ｇあったか。

**解答**　200g

**解説**　元の食塩水の量をｘ ｇとする。すると、食塩の量は、

$x \times 0.05 = 0.05x$（ｇ）……①

となる。また、水を混ぜた後の食塩水は（ｘ＋800ｇ）となり、そこに含まれている食塩の量は、

$(x + 800) \times 0.01 = 0.01x + 8$（ｇ）……②

となる。水を混ぜる前後で食塩の量は変化しないので、①＝②が成り立つ。

$0.05x = 0.01x + 8$

これを解いて、ｘ＝200ｇとなる。

数学 04

# 関数

日付 ／

頻出度 **A**

●パターン化されたものが多いので、解法ごとに覚えるつもりで問題演習にあたろう。
●1次関数と2次関数について解けるようにしておくとよい。

## 1 関数

出題 青森・埼玉・長野・和歌山　重要度 ★★★

### 1次関数

xとyは逆にしないよう注意しよう

□1次関数 $y=ax+b$

□aは傾き $\left(\dfrac{y\text{の増加量}}{x\text{の増加量}}\right)$、bはy切片

**練習問題**

3直線① $x+y+2=0$、② $2x-3y-1=0$、③ $ax+y=0$ が1点で交わるとき、aの値はいくらか。

**解答**　$-1$

解説　①、②より、交点は $(x,\ y)=(-1,\ -1)$ となる。これを③に代入して、$a=-1$ となる。

### 反比例

□x、yが反比例の関係 ➡ $y=\dfrac{a}{x}$（aは定数）

### 2次関数　重要!

□ $y=ax^2$ のグラフは放物線とよばれる曲線で、原点を通り、y軸に関して対称である。

□**$a>0$**ならば、グラフは下に凸。**$a<0$**ならば、グラフは上に凸。

□ $y=ax^2$ のグラフをx軸方向にp、y軸方向にqだけ平行移動させた関数 ➡ **$y=a(x-p)^2+q$**　頂点の座標（**p**, **q**）

□2次関数 $y=ax^2+bx+c$ の頂点 ➡ $\left(-\dfrac{b}{2a},\ -\dfrac{b^2-4ac}{4a}\right)$

### 図形的な性質

□1次関数において傾きが同じグラフ同士は**平行**になる。

□1次関数 $y = ax$ に垂直な1次関数の傾きは $-\dfrac{1}{a}$

□2点 $(x_1, y_1)$、$(x_2, y_2)$ の距離 ➡ $\sqrt{(x_1 - x_2)^2 + (y_1 - y_2)^2}$

**練習問題**

2次関数 $y = x^2$ のグラフを、x軸に関して対称移動させてから、x軸方向に1、y軸方向に3平行移動させた2次関数を求めよ。

**解答** $-x^2 + 2x + 2$

解説　「x軸に関して対称移動」とは、次のようになる。

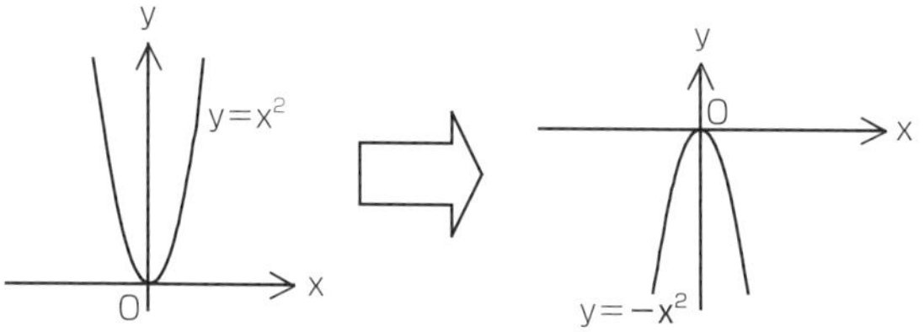


これにより $y = -x^2$ となる。これをx軸方向に1、y軸方向に3平行移動させる。

$$y = -(x - 1)^2 + 3$$
$$= -x^2 + 2x - 1 + 3$$
$$= -x^2 + 2x + 2$$

**練習問題**

$y = x^2$ と $y = x + 2$ の交点A、Bと、原点Oを結んで得られる△OABの面積を求めよ。

**解答** 3

解説　$y = x^2$ と $y = x + 2$ の交点は、2つの関数を連立してA(−1, 1)、B(2, 4)となる。$y = x + 2$ のy切片を点Cとすると、

△OAB＝△OAC＋△OBC

$$= \frac{1}{2} \times 2 \times 1 + \frac{1}{2} \times 2 \times 2$$
$$= 1 + 2$$
$$= 3$$

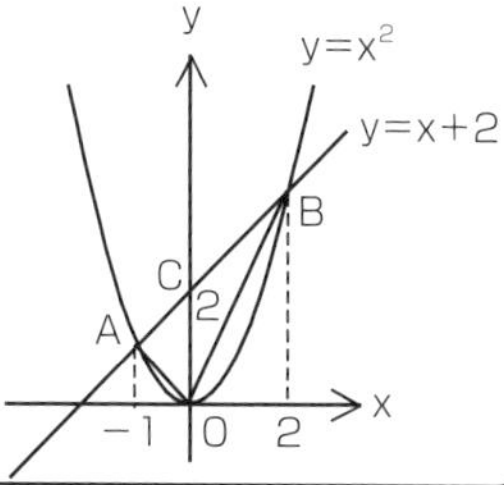


**ポイント** 交点＝方程式の解

数学 05

# 図形①

日付 /

頻出度 A

●図形の計量でもっとも大事である三平方の定理は完璧にしよう。
●三角形の相似は、対角線の長さの問題など、応用されて出題される。どの問題で使えるかを見極める力も必要である。

## 1 三平方の定理

★超頻出★ 重要度 ★★★

### 三平方の定理

□直角三角形において、$a^2 + b^2 = c^2$が成り立つ。(ただし、c が最も長い辺)

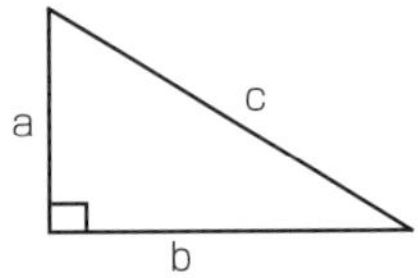


### 特殊な直角三角形 重要!

□辺の比が分かっている直角三角形は覚えるとよい。

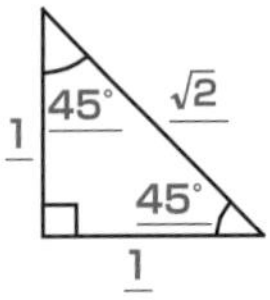


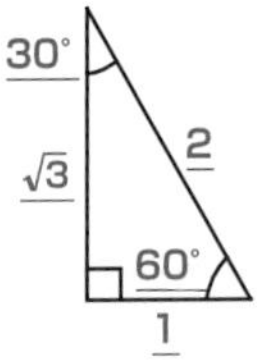


**練習問題**

図の△ＡＢＣにおいて、ＡＣの長さはいくらか。

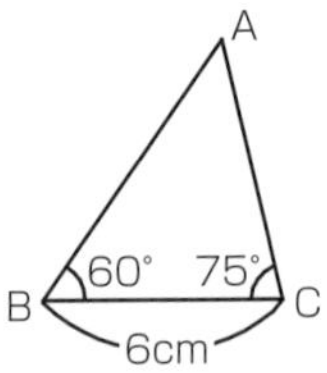


**解答** $3\sqrt{6}$ cm

解説　ＣからＡＢへ垂線を引き、交点をＨとする。

△ＣＢＨにおいて、ＢＣ：ＣＨ＝２：$\sqrt{3}$であるから、

ＢＣ＝６を代入してＣＨ＝$3\sqrt{3}$ cm となる。

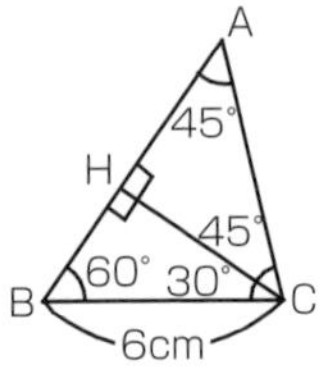

また、△ＣＡＨにおいて、ＣＨ：ＡＣ＝１：$\sqrt{2}$なので、ＡＣ＝$3\sqrt{6}$ cmとなる。

## 2 相似

★超頻出★　重要度 ★★★

### 三角形の相似条件

□**３組の辺の比がそれぞれ等しい。**

□**２組の辺の比が等しく、その間の角が等しい。**

□**２組の角がそれぞれ等しい。**

### 相似比

重要！

□２つの相似な図形において、対応する辺の長さの比（これを相似比という）は、**ほかの対応する辺の比と等しい。**

（例）

２つの相似な三角形△ＡＢＣと△ＤＥＦにおいて、対応する辺ＢＣ：ＥＦ＝１：２より、ＡＢ：ＤＥ＝１：２となる。したがって、ＤＥ＝８となる。

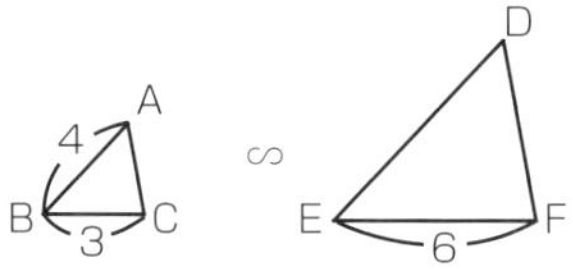


□相似比がａ：ｂの図形の

面積比は **$a^2 : b^2$**

体積比は **$a^3 : b^3$**

**練習問題**

図のような台形ＡＢＣＤに対角線を引き、その交点をＯとする。

（１）対角線ＢＤの長さが５cmのとき、ＢＯの長さはいくらか。

（２）△ＯＣＢの面積が９$\mathrm{cm}^2$のとき、△ＯＡＤの面積はいくらか。

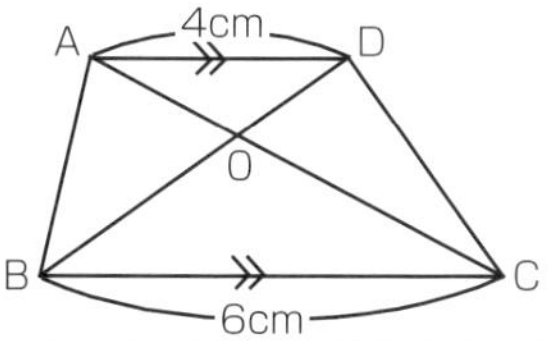


**解答**　（１）3cm　（２）4$\mathrm{cm}^2$

解説　（１）∠ OAD ＝∠ OCB、∠ ODA ＝∠ OBC（平行線の錯角）より△ＯＡＤ∽△ＯＣＢとなる。相似比は２：３であるから、ＯＤ：ＯＢ＝２：３になる。したがって、ＢＯ＝３cmとなる。

（２）相似な図形の面積比は相似比の２乗となるので、面積比は４：９となる。したがって、△ＯＡＤの面積は４$\mathrm{cm}^2$となる。

数学

06

# 図形②

日付 ／

頻出度 A

●円については円周角の性質がよく出題される。
●立方体の切断面は暗記することをおすすめ!

## 1 円について

★超頻出★　重要度 ★★

### 円の面積

□円の面積＝**$\pi$×半径$^2$**

□扇形の面積＝$\pi$×半径$^2$×$\dfrac{\textbf{中心角}}{\textbf{360°}}$

### 中心角と円周角の関係

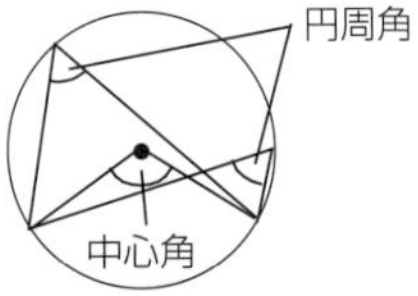


□中心角は円周角の**2倍**

□円周角を作る２点が固定されていれば、円周角の大きさは必ず等しくなる。

## 2 立体

出題 栃木・神奈川　重要度 ★★

### 円錐

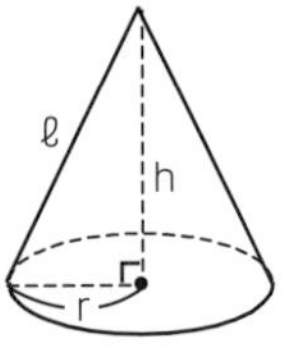


□体積 ➡ $\dfrac{1}{3}\times\pi r^2\times h$

□母線の長さ ➡ $\ell=\sqrt{r^2+h^2}$

□側面積 ➡ $\pi\times\ell\times r$

**練習問題**

母線の長さが10cm、高さが6cmの円である直円錐について、(1)円錐の体積を求めよ。
(2)表面積を求めよ。

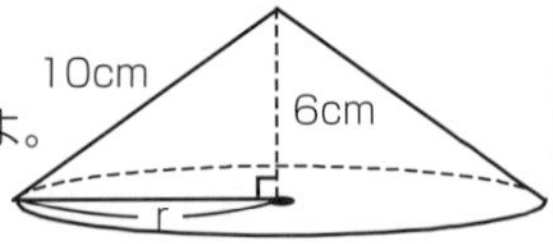


**解答**　(1)$128\pi$ $cm^3$　(2)$144\pi$ $cm^2$

解説　(1)三平方の定理より、$r=\sqrt{10^2-6^2}=8$cmになり、

よって、体積は、$\dfrac{1}{3}\times8^2\times\pi\times6=128\pi$ $cm^3$

(2)側面積は$\pi\times\ell\times r=80\pi$ $cm^2$

底面積は$\pi r^2 = 64\pi$ cm$^2$
したがって、表面積は、$80\pi + 64\pi = 144\pi$ cm$^2$

## 立方体

□立方体の切断面

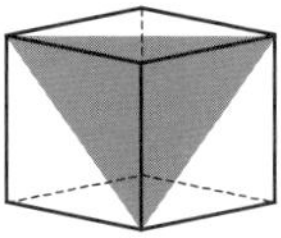
正三角形

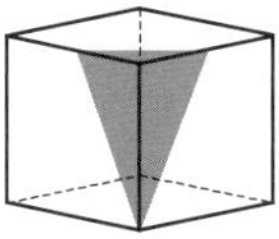
二等辺三角形

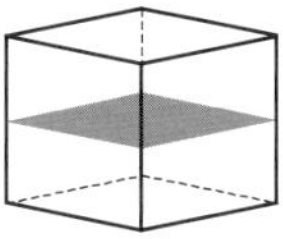
正方形

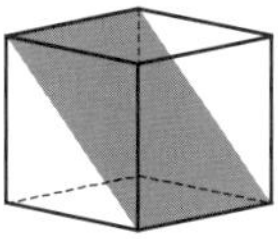
長方形

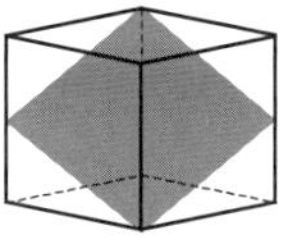
ひし形

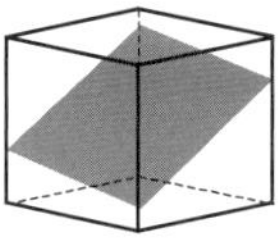
平行四辺形

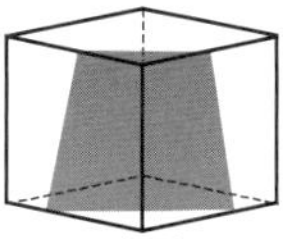
台形

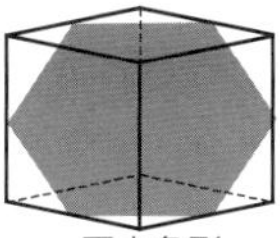
正六角形

〈ほかにできる面〉
- 五角形
- 六角形
- 鋭角三角形

〈できない面〉
- **正五角形**
- **七角形以上**
- 直角三角形
- 上記以外の四角形
- 鈍角三角形

### 練習問題

図のような立方体の2辺の中点A、B及び太線部以外のいずれかの辺の中点の3つの点を必ず通る平面の断面図として、ア～エのうちで、できるものをすべて挙げよ。

**ア** 正三角形
**イ** 正方形
**ウ** 正五角形
**エ** 正六角形

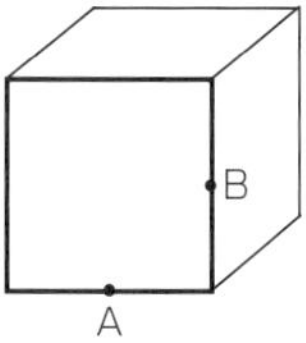


**解答** ア エ

解説 正三角形と正六角形ができる。正方形は底面に平行に切断していないのでできない。正五角形はどのように切断してもできない。

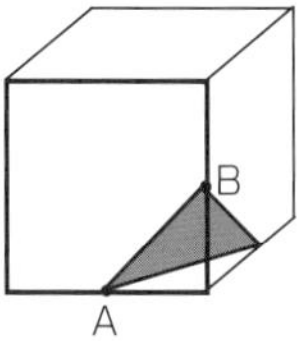


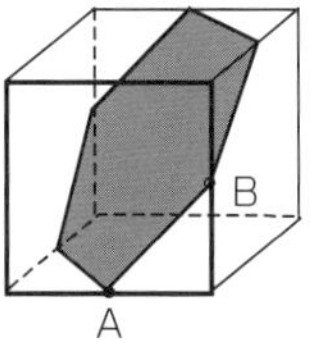

数学 07

# 場合の数・確率①

日付 ／

頻出度 A

●場合の数には多くの公式がある。公式に振り回されないよう適切な使い方を見極めよう。
●場合の数は、起こりうる組み合わせを全部書き出して解く方法もある。ただし数え間違いなどのミスが生じやすいので、きちんと計算できるようにしよう。

## 1 和の法則・積の法則　出題 青森・富山・和歌山　重要度 ★★★

### 和の法則・積の法則　重要!

□和の法則

A（a 通り）、B（b 通り）という２つの事象において、互いが同時に起こることがない場合、A または B が起こる場合の数は **a ＋ b** 通りとなる。

□積の法則

A（a 通り）、B（b 通り）という２つの事象において、A が起こる a 通りに対し、B が b 通り起こるなら、A かつ B が起こる場合の数は **a × b** 通りとなる。

**練習問題**

赤色が４枚、黄色が３枚、青色が２枚の計９枚のカードにそれぞれ異なる数が書かれている。ここから２枚のカードを選ぶとき、違う種類になる選び方は何通りあるか。

**解答**　26通り

解説　①（赤，黄）、②（黄，青）、③（赤，青）の選び方がある。
①の場合の数４×３＝12通り　②の場合の数３×２＝６通り
③の場合の数４×２＝８通り
したがって、12＋６＋８＝26通り

## 2 順列と組合せ　出題 青森・富山・和歌山　重要度 ★★★

### 順列　重要!

□順列

異なる n 個のものから r 個選び、それらを並べたときに起こり得る場合の数。

$${}_nP_r = \underbrace{n\times(n-1)\times(n-2)\times\cdots\cdots\times(n-r+1)}_{r\text{個}}$$

特に$_nP_n = n \times (n-1) \times (n-2) \times \cdots\cdots \times 2 \times 1 = n!$（nの階乗と読む）

（例）1、2、3、4、5、6の6種類の数字から3種類を取り出し、3桁の整数を作る。

$_6P_3 = 6 \times 5 \times 4 = 120$（通り）

□円順列

異なるn個のものを円形に並べたときの場合の数は$(n-1)!$通りとなる。

□区別がつかない順列

n個のものを並べるとき、そのうちr個のものとs個のものがそれぞれ区別がつかないとき、並べ方は、$\dfrac{n!}{r! \times s!}$通りとなる。

（例）1、1、2、2、2、3の6つの数字を並べて整数を作る。

「1」は2つ、「2」は3つ重複しているので、

$$\frac{6!}{2! \times 3!} = \frac{6 \cdot 5 \cdot 4 \cdot 3 \cdot 2 \cdot 1}{2 \cdot 1 \times 3 \cdot 2 \cdot 1} = 60\text{通り}$$

**組合せ** **重要！**

□組合せ

異なるn個のものからr個選んだときに起こり得る場合の数。組合せは「選ぶだけ」というところが順列と違う。

$$_nC_r = \frac{_nP_r}{r!}\text{通り}$$

（例）9枚のカードに1～9の異なる数が書かれている。ここから2枚のカードを選ぶときの選び方。

$$_9C_2 = \frac{9 \times 8}{2 \times 1} = 36\text{通り}$$

**練習問題**

5本の牛乳がある。これを毎日1本もしくは2本飲むとき、飲み方は何通りあるか。

**解答**　8通り

**解説**　①毎日1本ずつ飲む　②1日だけ2本飲み、3日は1本飲む　③2日は2本飲み、1日だけ1本飲む場合が考えられる。

①の場合は、1通りしかない。

②の場合は、2本飲む日を1～4日目から1日選ぶので$_4C_1 = 4$通りある。

③の場合は、2本飲む日を1～3日目から2日選ぶので$_3C_2 = 3$通りある。したがって、$1 + 4 + 3 = 8$通りとなる。

数学

# 08 場合の数・確率②

日付
／

●確率は、場合の数の応用である。苦手な人はまずは場合の数をしっかりマスターしよう。
●どのような場合に余事象の確率の計算が有効かをつかんでおくこと。

頻出度 A

## 1 最短経路　重要度 ★

### 最短経路の数え方

□図のようにm×nの経路があるとき、AからBまでの最短経路は、$_{m+n}C_m$通りある。

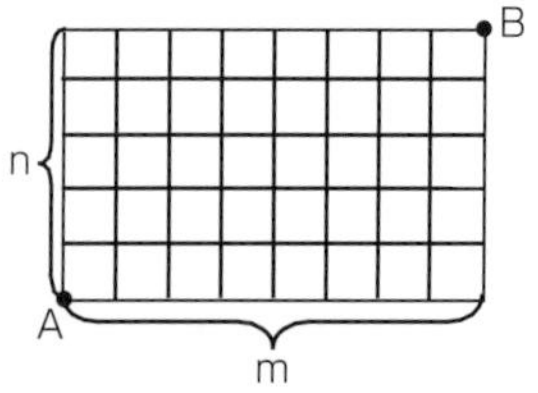


## 2 確率　出題 青森・富山・和歌山　重要度 ★★★

### 確率の定義

□全体でn通り起こり得る事象のうち、全体の一部である事象Aがa通り起こり得る場合、Aが起こる確率は、

$$\text{Aが起こる確率}=\frac{\text{事象Aが起こる場合の数}}{\text{起こり得るすべての場合の数}}=\frac{a}{n}$$

であらわされる。

**練習問題**

サイコロを3回投げて、1回目に出た目をa、2回目に出た目をb、3回目に出た目をcとするとき、a＝bcである確率はいくらか。

解答 $\frac{7}{108}$

解説　3回投げて出る場合の数は、6×6×6＝216通りである。
a＝bcとなる場合は、次の14通りがある。
(a, b, c)＝(1, 1, 1)(2, 1, 2)(2, 2, 1)(3, 1, 3)(3, 3, 1)(4, 1, 4)(4, 4, 1)(4, 2, 2)(5, 1, 5)(5, 5, 1)(6, 1, 6)

(6, 6, 1)(6, 2, 3)(6, 3, 2)

したがって、確率は$\dfrac{14通り}{216通り}=\dfrac{7}{108}$となる。

**練習問題**

10本中3本当りがあるくじがある。1本くじを引いて、それを戻し、また1本引いたとき、当りとはずれを1回ずつ引く確率はいくらか。

**解答** $\dfrac{21}{50}$

解説　1回目に当りを引いて、2回目にはずれを引く確率は、$\dfrac{3}{10}\times\dfrac{7}{10}=\dfrac{21}{100}$

1回目にはずれを引いて、2回目に当りを引く確率は、$\dfrac{7}{10}\times\dfrac{3}{10}=\dfrac{21}{100}$

よって、求める確率は、$\dfrac{21}{100}+\dfrac{21}{100}=\dfrac{21}{50}$

## 余事象の確率

□事象Aの確率をp、Aではない事象の確率を$\bar{p}$とすると、$p=1-\bar{p}$と考えることもできる。これはpの確率を求めるのが大変なときに有効な手段である。

**練習問題**

赤玉7個、白玉3個の合計10個の玉が入っている袋の中から、同時に3個の玉を取り出したとき、そのうち少なくとも1個が白玉である確率はいくらか。

**解答** $\dfrac{17}{24}$

解説　3個とも赤玉を取り出す確率を求める。

10個の玉から3個取り出す場合の数は$_{10}C_3=\dfrac{10\times9\times8}{3\times2\times1}=120$通り

7個の赤玉から3個取り出す場合の数は$_7C_3=\dfrac{7\times6\times5}{3\times2\times1}=35$通り

したがって、3個とも赤玉を取り出す確率は$\dfrac{35}{120}=\dfrac{7}{24}$となるので、求める確率は、$1-\dfrac{7}{24}=\dfrac{17}{24}$となる。

<余事象の使いどころ>
・「少なくとも」といわれたとき
・じゃんけんのあいこの確率

物理

# 01 力①

日付 ／

頻出度 **A**

●それぞれの公式についてしっかり覚え、計算できるようにしておこう。
●フックの法則を用いたばねの伸びの長さや弾力性の問題、アルキメデスの法則を用いた浮力の問題などがよく出されている。

## 1 力

出題 和歌山　重要度 ★★★

### 力のつりあい

□１つの物体にいくつかの力が同時にはたらいても、それらの合力が０であるとき、これらの力はつりあっているという。

### 重力

□質量 ➡ 物体そのものがもつ量。場所によらない。

□重力加速度 ➡ 地球上で物体が鉛直下方に受ける加速度。場所によって多少の差があるが、$g \fallingdotseq 9.8 m/s^2$であらわす。

□重力 ➡ **質量×重力加速度**（**mg**）であらわすことができる。鉛直下方にはたらく。

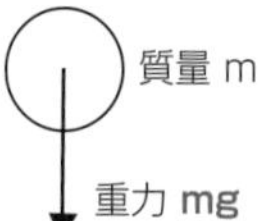


### その他の力　重要!

□フックの法則 ➡ $F = kx$

（F：ばねが物体を引っ張る力　k：ばね定数　x：ばねの伸び）

□ばね定数の合成

直列接続：$\dfrac{1}{k} = \dfrac{1}{k_1} + \dfrac{1}{k_2}$

並列接続：$k = k_1 + k_2$

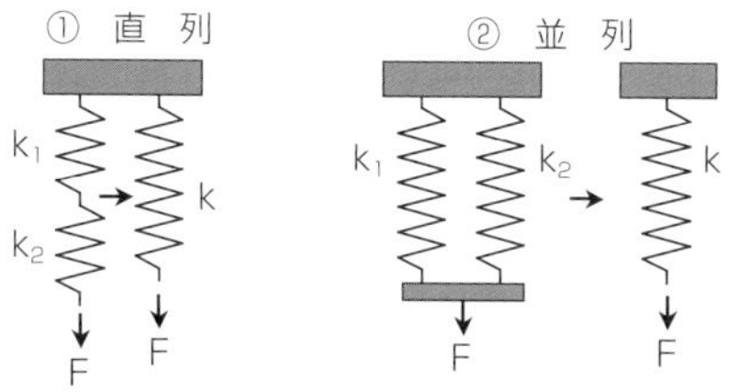


□アルキメデスの原理 ➡ 液体中の物体は、それが排除している液体の重さに等しい大きさの力を受ける。

□浮力 ➡ F＝**$\rho Vg$**

（F：浮力　$\rho$：液体の密度　V：物体の液体に浸っている部分の体積　g：重力加速度）

□てこ

物体の大きさを考えたとき、その物体を回転させるモーメントは、

M＝**F×ℓ**（M：モーメント　F：力　ℓ：支点から作用点までの長さ）で与えられる。

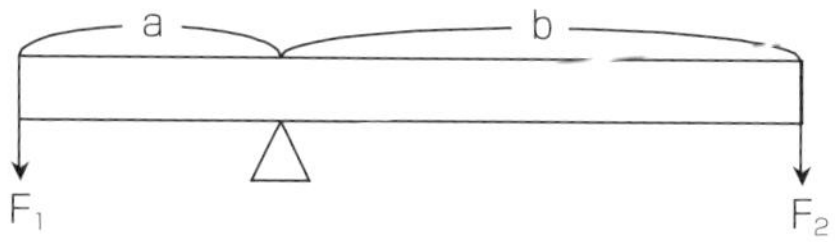


上図のときモーメントのつりあいは **$F_1a$** ＝ **$F_2b$** となる。

□摩擦力 ➡ 摩擦力は、摩擦を受けている物体が静止しているか、動いているかで変わってくる。

□静止摩擦力 ➡ **$\mu_0$×N**（$\mu_0$：静止摩擦係数　N：垂直抗力）

□動摩擦力 ➡ **$\mu$×N**（$\mu$：動摩擦係数　N：垂直抗力）

□静止摩擦力は、**Fが大きくなるにつれて大きくなる**。動摩擦力は、**Fにかかわらず一定となる**。

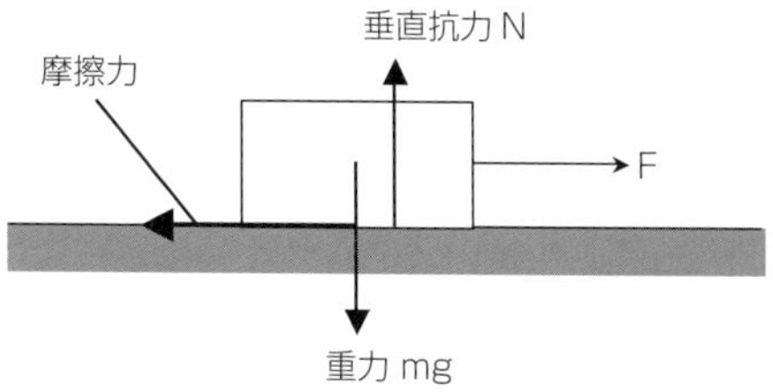

物理

# 02 力②

日付 ／

頻出度 A

●滑車では動滑車の性質をおさえよう。
●等加速度運動には公式がある。運動方向に気をつけて覚えよう。

## 1 滑車

出題 和歌山　重要度 ★★★

### 定滑車と動滑車　重要!

□定滑車

天井などに固定された円盤を通して荷物などを引き上げることができる。このとき引き上げる力Fはおもりにはたらく重力W(重さ)と等しい。滑車の役割は力の向きを変えることである。

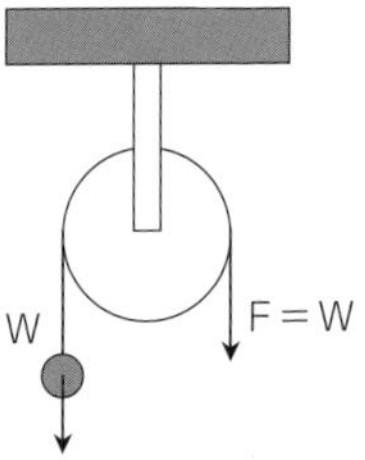


□動滑車

円盤に固定された(つるされた)荷物などをひもで持ち上げるものである。このとき片方のひもを天井などに固定すると引き上げる力Fはおもりにはたらく重力Wの**半分**ですむが、巻き取るひもの長さは**倍**になる。

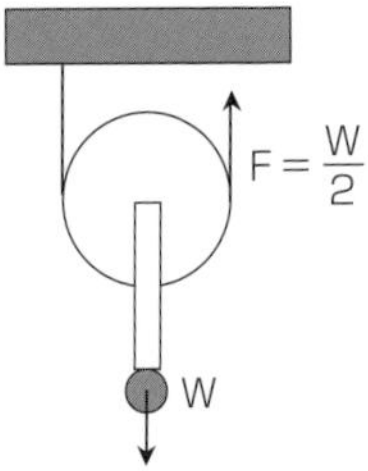


| 名称 | 力 | 巻き取るひもの長さ |
|---|---|---|
| 定滑車 | おもりの重さ | ―――― |
| 動滑車 | **おもりの半分** | **定滑車の倍** |

## 2 物体の運動

出題 和歌山　重要度 ★★★

### 等速直線運動と等加速度直線運動

□等速直線運動 ➡ 物体が常に等しい速さで一直線上を運動するとき、その物体は等速直線運動をするという。移動距離 x、速さ v、時間 t とすると、

$v = \frac{x}{t}$ で表される。

□加速度 ➡ 速度の変化の割合（増えていく、減っていく割合）を加速度という。初速度 $v_0$［m／s］、時間 t［s］における速度を v［m／s］とすると、加速度 a は $a = \frac{v - v_0}{t}$［m／s²］となる。

□等加速度運動 ➡ 直線上を運動する物体の加速度が一定の場合の運動を等加速度直線運動という。

初速度 $v_0$、加速度 a、移動にかかった時間を t とし、t 秒後の移動距離を x、速度を v とすると、次の式が成り立つ。

速度：$v = v_0 + at$

変位：$x = v_0 t + \frac{1}{2}at^2$

## 重力による運動

□自由落下 ➡ 物体は重力加速度 g を受けるので、落下するときは加速度運動となる。関係式は次のとおりである。

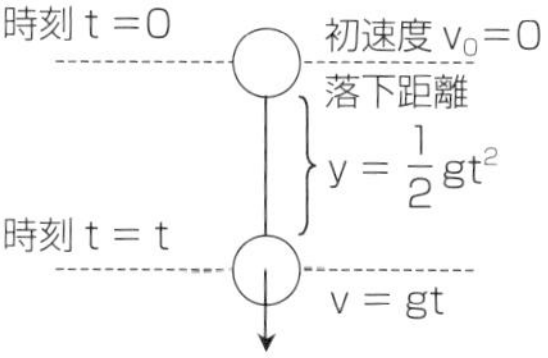


速度：$v = gt$

変位：$y = \frac{1}{2}gt^2$

□鉛直投げ上げ ➡ 上向きに物体を投げ上げる運動である。

上向きを正として初速度を $v_0$、t 秒後の位置を y、速度を v とすると、進行方向に対し、重力加速度（下向き）は逆方向になるので、g は－g になる。

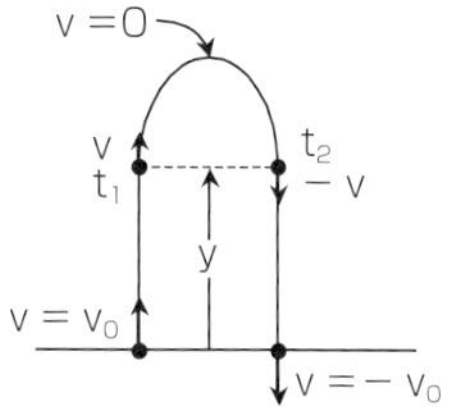


速度：$v = v_0 - gt$

変位：$y = v_0 t - \frac{1}{2}gt^2$

なお、最高点では、速度 v は**ゼロ**になる。

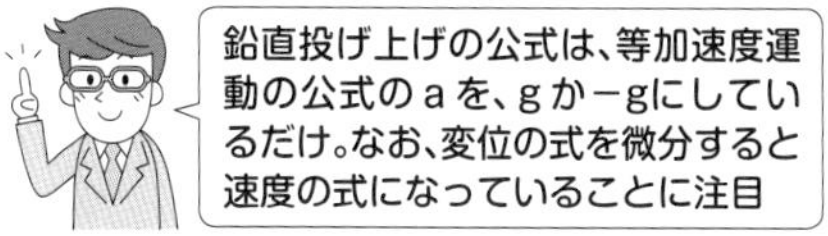

物理

# 03 エネルギー

日付 ／

頻出度 A

●力学的エネルギー保存則では、物体の速さ、高さを求めさせる問題が出る。
●熱のやり取りに関する問題にも注意。

## 1 力学的エネルギー

重要度 ★★★

### 仕事とエネルギー

□仕事 ➡ 物体に一定の力Fを加え続け、物体が力の向きに距離sだけ移動したとき、この力Fは物体に仕事をしたという。仕事Wは、W＝**Fs**であらわされる。物体が仕事をする能力をもっているとき、その物体はエネルギーをもっているという。

### 力学的エネルギー 重要!

□運動エネルギー ➡ 運動している物体がもっているエネルギーのこと。

$K=\frac{1}{2}mv^2$（m：質量　v：速さ）で表される。

□位置エネルギー ➡ 物体は高い所にあったり、縮んだばねにつながっているだけで仕事をする能力がある。

□重力による位置エネルギー ➡ $U=mgh$（m：質量　g：重力加速度　h：高さ）

□弾性力による位置エネルギー ➡ $U=\frac{1}{2}kx^2$（k：ばね定数　x：ばねの縮み）

### エネルギー保存則 重要!

□物体は外的な力を受けなければ、**エネルギーの総和は保存される。**

(例)物体を初速度9.8m/sで打ち上げたとき、重力加速度$g=9.8\ m/s^2$とすると、最高点の高さはエネルギー保存則より、

$$\frac{1}{2}mv^2=mgh$$

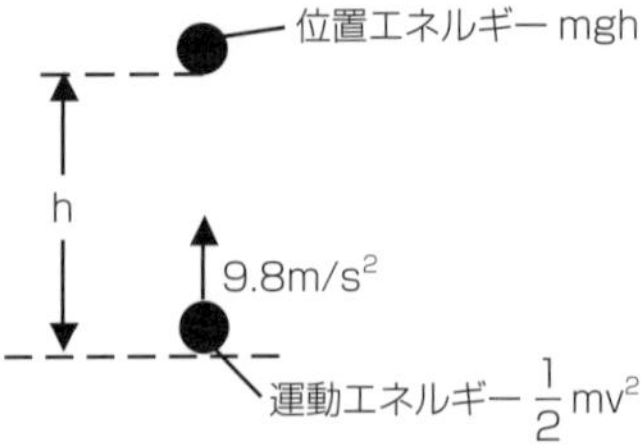

$$h = \frac{v^2}{2g} = 4.9[\mathrm{m}]$$

## 2 熱エネルギー　重要度 ★★

### 熱と温度

□セルシウス温度 ➡ 1気圧の下で水の凝固点を0℃、沸点を100℃として100等分したもの。

□絶対温度 ➡ セルシウス温度の下限−273.15℃の基準を0K（K＝ケルビン）として定義。
関係式**T＝t＋273.15**（T：絶対温度　t：セルシウス温度）

□熱量 ➡ 物体がもつ熱の量。

□熱容量 ➡ 物体の温度を1K上げるのに必要な熱量（単位J／K）。

□比熱 ➡ 1gの物体の温度を1K上げるのに必要な熱量（単位J/g·K）。
関係式**C＝mc**（C：熱容量　m：質量　c：比熱）

□比熱c、質量mの物体の温度を⊿Tだけ上昇させるのに必要な熱量Qは、Q＝**mc⊿T**となる。

□熱量保存則 ➡ 温度の異なる2つの物質が接すると、片方の温度は下がり、片方の温度は上がり、やがてその温度は等しくなる（熱平衡）。このとき、**2つの物体のもつ熱量の総和は変化しない**。

（例）質量150g、温度95℃の金属を、質量180g、比熱4.2J／(g・K)、温度20℃の水に入れると、やがて温度25℃になった。
金属の比熱をcとすると、
水が得た熱量＝180×4.2×(25−20)
金属が失った熱量＝150×c×(95−25)
水が得た熱量＝金属が失った熱量
より、これを解いて、c＝0.36J／(g・K)となる。

## 3 さまざまなエネルギー　重要度 ★★

### エネルギーの変換

□エネルギーは、ほかにも化学エネルギー、光エネルギー、電気エネルギーなどさまざまな形態があり、これらは互いに移り変わることができる。

□水力発電 ➡ **力学的**エネルギー→**電気**エネルギー

□電池 ➡ **化学**エネルギー→**電気**エネルギー

**ポイント** 水力発電は水がもつ位置エネルギーが電気に変わる

物理

# 04 波動

日付 ／

頻出度 A

●波動の計算も出題されるので、式をしっかり覚えよう。
●波動の問題では計算だけでなく、知識も問われることがあるので、計算が苦手な人もあきらめずに取り組もう。

## 1 波

重要度 ★★

### 波

□縦波と横波 ➡ 波には、進行方向と振動方向が**垂直**な横波と、**平行**な縦波がある。

| 名称 | 進行方向と振動方向 | 具体例 |
|---|---|---|
| 横波 | **垂直** | **光波、S波** |
| 縦波 | **平行** | **音波、P波** |

□波の要素

**波の波長**：$\lambda$（ラムダ）[m]

**波の振動数**：f [Hz]（ヘルツ）

**波の速さ**：v [m / s]

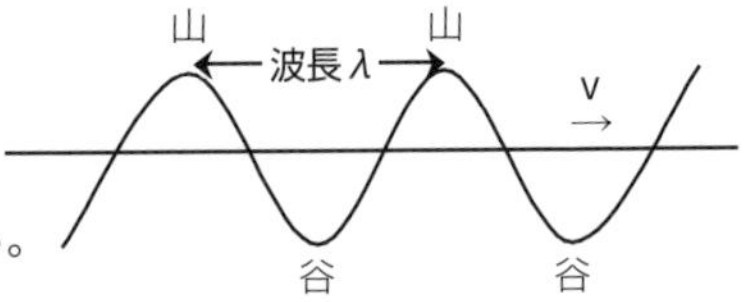


以上３つの要素には次の関係がある。

$v = f\lambda$

振動数（周波数）とは「１秒間に振動する波の回数」である。また、「波が１回振動するのに要する時間」を周期Tといい、$f = \frac{1}{T}$ の関係がある。

## 2 波の性質

重要度 ★★

### 波の性質

□反射（音, 光） ➡ 波には直進性があり、常にまっすぐ進もうとする。しかし、媒質が異なる境界面に達すると波の一部は反射する。入射角と反射角は**等しく**なる（反射の法則）。

□屈折（音、光） ➡ ２つの媒質の境界面で波は一部反射し、一部は透過する。透過する波は直進せずに、境界面で一度曲がる。なお、屈折率の**大きい**媒質から**小さい**媒質へ通過するときは全反射を起こすことがある。具体例として**光ファイバー**がある。

□回折（音、光）➡ 障害物の後ろまで波が回りこむこと。直接見えない塀の向こう側から聞こえてくる音は音波の回折によるものである。また、ビルの陰ではワンセグテレビは見づらいが、ラジオが聞けるのは、ラジオのほうが波長が長く、回折しやすいからである。

□干渉（音、光）➡ 2つ以上の波が重なって強め合ったり弱め合ったりすることをいう。**シャボン玉の膜に見える虹色の模様**は干渉によって見える。

□散乱（光）➡ 空が青いのは、**長波長の赤色よりも短波長の青色**の方が大気中の粒子と衝突しやすいので、目に入る光は青色が多くなる。このような現象を光の散乱という。

## 3 ドップラー効果　重要度 ★★

### ドップラー効果

□音を出す物体（たとえば救急車）が動いたり、観測者が動くことにより音が高く聞こえたり低く聞こえたりする現象。音波だけでなく光波でも生じる。

□音源が出す振動数を $f_0$［Hz］、音速を V［m／s］とする。音源が v［m／s］で近づき、観測者が u［m／s］で遠ざかるとき、観測者が聞く振動数 f［Hz］は、

$$f = \frac{V-u}{V-v} \times f_0$$ となる。

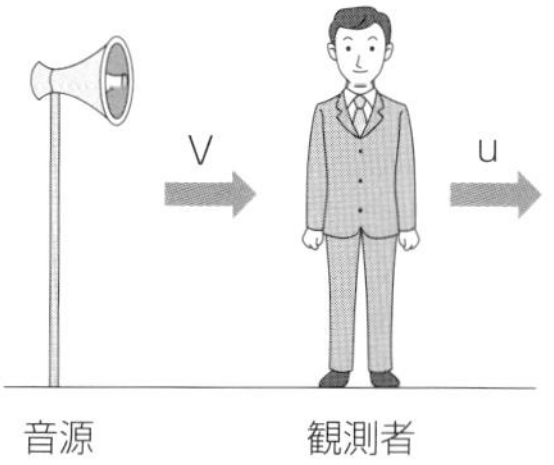


## 4 凸レンズ　重要度 ★★

□焦点距離が f の凸レンズの中心 O から物体までの距離が a で、中心 O から b の距離に実像ができたとき、

$$\frac{1}{a} + \frac{1}{b} = \frac{1}{f}$$ が成り立つ。

□a ＜ f のときは**虚像**ができるが、そのときは、$\frac{1}{a} - \frac{1}{b} = \frac{1}{f}$ が成り立つ。

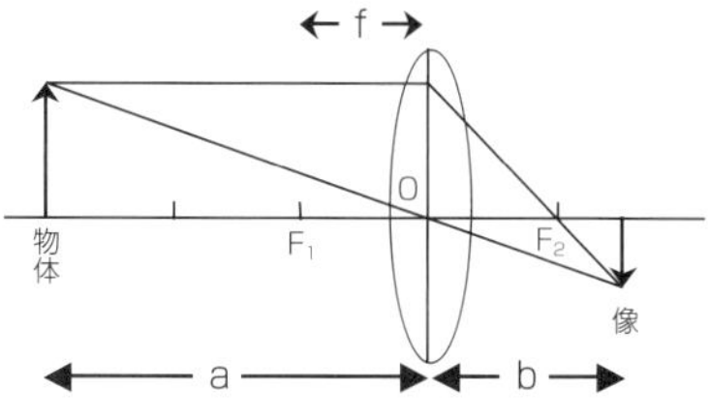

物理

# 05 電磁気

日付 ／

頻出度 A

●電気回路の計算問題はオームの法則だけでは解けない。回路の性質を把握しよう。
●電流と磁界の関係の問題もよく出題されているので、原理をしっかりおさえておこう。

## 1 電気回路

出題 長野・和歌山　重要度 ★★★

### 電流・電圧・抵抗の関係

□オームの法則 ➡ 導線において、電流 I 、電圧V、抵抗Rには次の関係が成り立つ。$V = \underline{RI}$

□抵抗 ➡ 導線にかかる抵抗は、導線の長さに**比例**し、断面積に**反比例**する。

$R = \underline{\rho \frac{L}{S}}$（$\rho$：抵抗率　L：長さ　S：断面積）

□抵抗の合成 ➡ 2つの抵抗は1つにみなすことができる。つなぎ方によってその関係は変わってくる。

直列接続：$\underline{R = R_1 + R_2}$

並列接続：$\underline{\frac{1}{R} = \frac{1}{R_1} + \frac{1}{R_2}}$

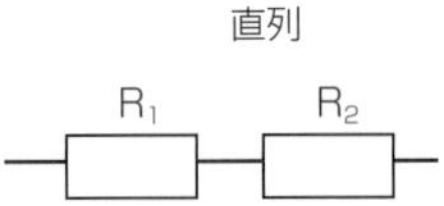


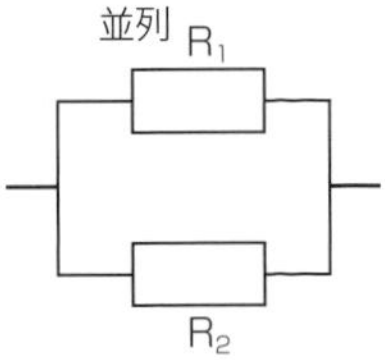


（例）図のような回路に10Vの電圧をかけたとき、回路全体に流れる電流を求める。

並列回路の抵抗の合成値を$R_1$とすると、

$\frac{1}{R_1} = \frac{1}{6} + \frac{1}{3} = \frac{3}{6} = \frac{1}{2}$

したがって、$R_1 = 2$

これが3［Ω］の抵抗と直列に接続されているから、全体の合成抵抗Rは、

$R = R_1 + 3 = 2 + 3 = 5$［Ω］

となる。

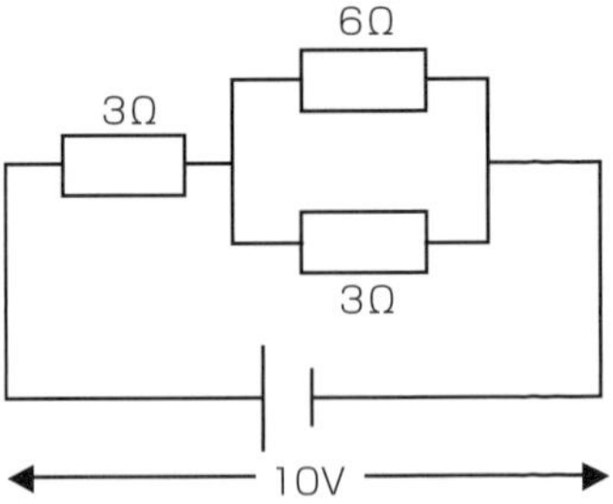

したがって、オームの法則より回路全体に流れる電流は、$I=\frac{10}{5}=2$ [ A ] となる。

### 電力量と電力

□抵抗から発生するジュール熱は、抵抗に流れた電流がする仕事に等しい。

□電力量 ➡ 電流がした仕事W＝ **IVt**（ I ：電流　V：電圧　t ：時間）

□電力 ➡ 単位時間あたりの電力量P＝W÷ t ＝ **IV**

## 2 電流と磁場　出題 長野・和歌山　重要度 ★★★

### 電流が作る磁場

□直流電流が作る磁場 ➡ **右ねじ**の進む向きに電流が流れるとき、**右ねじ**の回る向きとなる。

□ソレノイドの電流が作る磁場 ➡ **右ねじ**の回る向きに電流が流れるとき、**右ねじ**が進む向きに磁場ができる。

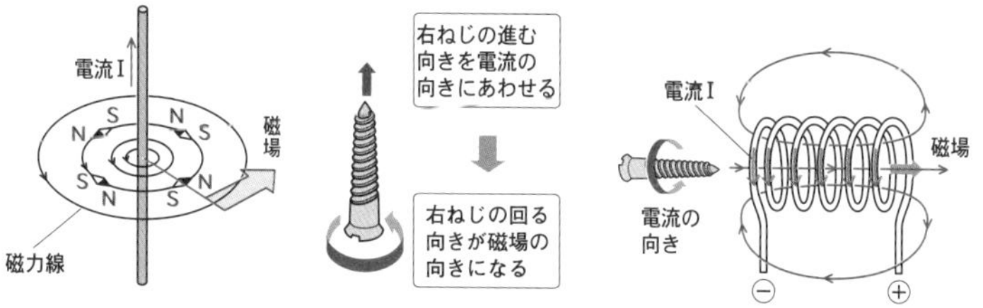


### 電磁誘導

□電磁誘導 ➡ 回路を貫く磁束が変化すると、回路に電圧が生じる。生じた電圧を誘導起電力といい、誘導起電力によって発生した電流を誘導電流という。誘導電流の向きは**レンツの法則**によって求めることができる。

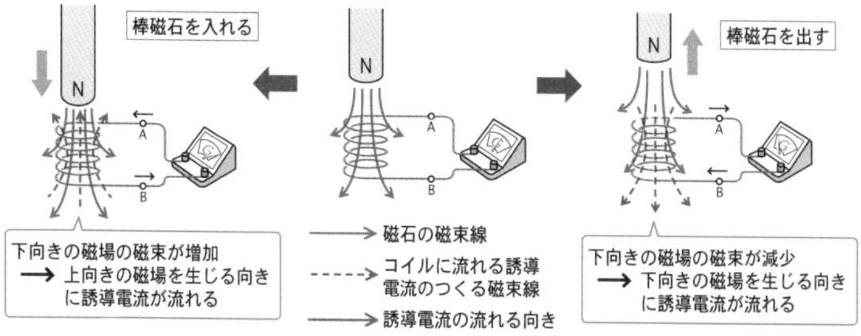

化学

# 01 物質の構造

日付 ／

頻出度 B

●化学結合は具体例まで出題されるので、しっかりと覚えよう。
●物質の分類もよく出題されるので、具体例も含めて理解しよう。

## 1 物質の分類

出題 富山・福井　重要度 ★★

### 物質の分類

| | | | |
|---|---|---|---|
| 純物質 | 単体 | 1種類の元素で構成されている。 | **水素**($H_2$)、**酸素**($O_2$) **鉄**($Fe$)、**金**($Au$) |
| | 化合物 | 2種類以上の元素が化学結合により結合している。 | **水**($H_2O$)、**二酸化炭素**($CO_2$)、**酸化鉄(Ⅲ)**($Fe_2O_3$) |
| 混合物 | 2種類以上の純物質が混ざっている。 | | **空気**(主に**酸素**、**窒素**)、石油、**海水** |

### 混合物の分離

□**ろ過** ➡ 液体に混合している固体を分離する。(例)**酸化銅**と**水**

□**蒸留** ➡ 加熱することによって、蒸発しやすい成分だけを気体にして分離した後に、冷却して再び液体にする。(例)**硫酸銅(Ⅱ)水溶液**

□**分留** ➡ 沸点の違いを利用する。沸点の低い物質から順に蒸発させて分離する。(例)**原油**

□**再結晶** ➡ 温度によって溶解度が異なることを利用して、一種類の固体を析出する。(例)**硫酸銅(Ⅱ)五水和物**を含む**硝酸カリウム**

□**昇華法** ➡ 混合物の中から昇華しやすい物質を気体に変え、これを冷却して純物質の固体を得る。(例)**ヨウ素**と**砂**の混合物

## 2 原子の構造

出題 富山・福井　重要度 ★★

### 原子の構造

□**原子核** ➡ 原子の中心にある。**陽子**と**中性子**を含む。陽子は**正**の電気を帯びている。

□**電子** ➡ 原子核の周囲を運動している。**負**の電気を帯びている。

□原子番号 ➡ 各元素の**陽子**の数。元素によって固有のもの。

□質量数 ➡ **陽子**と**中性子**の数の和で表される。同一元素の中でも中性子の数が異なり、質量数が異なるものがある。このような原子どうしを**同位体**という。　[例]　ヘリウム($^{4}_{2}He$)

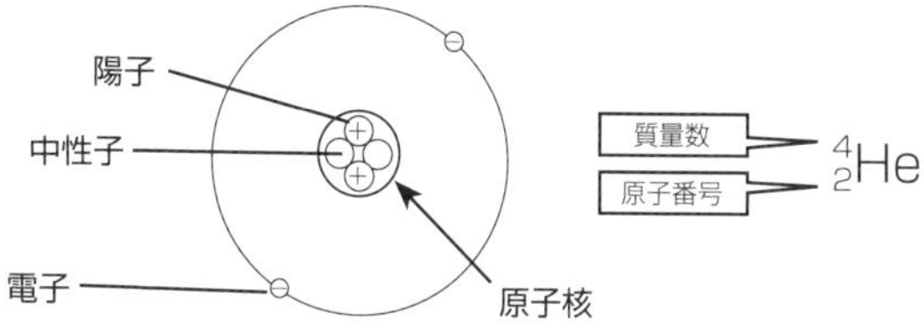


□電子殻 ➡ 原子中で電子はいくつかの層に分かれて存在している。この層を電子殻といい、内側からK殻、L殻、M殻……とよぶ。

□イオン ➡ 原子が電子を放出したり受け取ったりして電気を帯びるようになった粒子をイオンという。

## 3 化学結合

出題 富山・福井　重要度 ★★

### イオン結合

□イオン結合 ➡ 陽イオンと陰イオンが**静電気力**(**クーロン力**)によって引き合ってできる結合。(例)**塩化ナトリウム**(**NaCl**)

□イオン結合の性質 ➡ 融点が高い。硬くてもろい。固体は電気を通さないが、液体中または溶解している状態であれば電気を通す。

### 共有結合

□共有結合 ➡ 原子同士が互いに電子を出し合って共有することにより、安定な電子配置になる結合。(例)二酸化炭素分子

□共有結合の結晶 ➡ 炭素(ダイヤモンド、グラファイト)は自身どうしで共有結合させると、次々とつながっていき、共有結合だけで大きな結晶になる。共有結合の結晶は電気を通さないが**グラファイト**(**黒鉛**)は電気を通す。

□分子結晶 ➡ 二酸化炭素分子のように、共有結合によりすでに安定した電子配置の分子どうしが結合して結晶を作るときには、**分子間力**(**ファンデルワールス力**)という極めて弱い力で結合している。

### 金属結合

□金属結合 ➡ 金属は原子が規則正しく配列し、その間を電子が動き回っている(**自由電子**)。金属結合は**展性**と**延性**がある。

化学

# 02 物質の状態

日付 ／

頻出度 **B**

●計算問題では気体の状態方程式を中心とした問題が出される。
●コロイドは知識の問題。がんばって暗記しよう。

## 1 物質の三態

重要度 ★★

### 状態変化

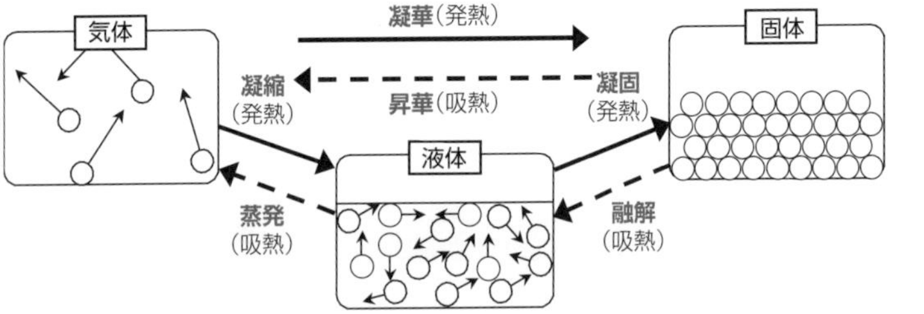


□**昇華** ➡ 固体が液体にならずに気体になること。（例）ドライアイス（二酸化炭素へ）

□**凝華** ➡ 気体から液体を経ずに固体になること。（例）樹氷（水蒸気から氷へ）

### 水の状態変化

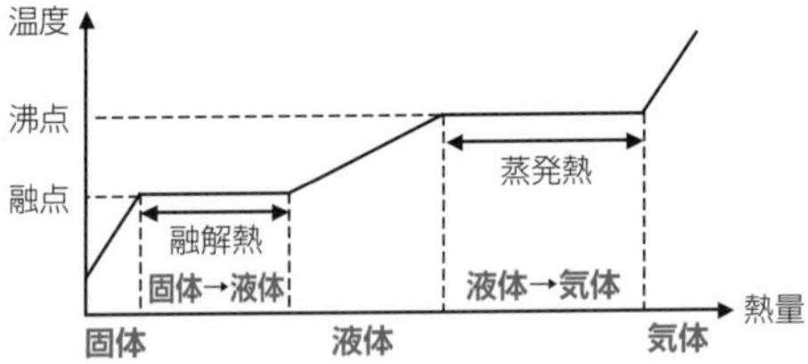


□水の状態変化 ➡ 固体から液体、液体から気体へ状態が変化しているときは、温度は一定に保たれる。

## 2 ボイル・シャルルの法則

重要度 ★

### ボイル・シャルルの法則

□ボイルの法則 ➡ 温度一定の下で、一定量の気体の占める体積 V [L] は、気体に加わる圧力P [Pa]に反比例する。「**PV＝一定**」が成り立つ。

□シャルルの法則 ➡ 圧力一定の下で、一定量の気体の占める体積V [L]は絶対温度T [K]に比例する。「$\frac{V}{T}$**＝一定**」が成り立つ。

□ボイル・シャルルの法則 ➡ ボイルの法則とシャルルの法則を組み合わせると、一定量の気体の占める体積は、圧力に反比例し、絶対温度に比例する。$\frac{P_1V_1}{T_1}=\frac{P_2V_2}{T_2}$が成り立つ。

### 状態方程式

□気体の状態方程式 ➡ n [mol]の気体について、体積V [L]、絶対温度T [K]、圧力P [Pa]とすると、**PV＝nRT**（Rは気体定数）の関係が成り立つ。

## 3 コロイド

出題 長野 重要度 ★

### コロイド

□コロイド粒子 ➡ 直径が$10^{-7}$cm ～$10^{-5}$cm 程度の粒子。ろ紙は通過するが、セロハン膜などの半透膜は通過できない。(例)雲、ゼラチン、石鹸水

□コロイドの状態 ➡ 流動性をもつコロイド溶液を**ゾル**、ゾルが流動性を失って固まったものを**ゲル**、ゲルを乾燥させたものを**キセロゲル**という。

### コロイドの性質

□**透析** ➡ セロハンなどの半透膜でコロイド溶液からコロイド粒子を分離し、コロイドを精製する方法。

□**チンダル現象** ➡ コロイド溶液に光を当てると、コロイド粒子が光を散乱するため、光路が明るく見える現象。

□**ブラウン運動** ➡ 限外顕微鏡でコロイド粒子を観察すると、絶えず不規則に運動をしている。

□**電気泳動** ➡ コロイドは正もしくは負に帯電しているので、コロイド溶液に電気を通すと正極もしくは陰極に移動する。

□**凝析** ➡ **疎水**コロイドに**少量**の電解質を加えると、**疎水**コロイドは沈殿する。

□**塩析** ➡ **親水**コロイドに**多量**の電解質を加えると、**親水**コロイドは沈殿する。

□**保護コロイド** ➡ 疎水コロイドに親水コロイドを加えると、凝析が起こりにくくなる。



ポイント コロイドは知識の暗記

化学 03

# 物質の変化①

頻出度 A

●まずは物質量（mol）の概念を理解しよう。
●最終的には、反応式を自在に書けるようになっておこう。

## 1 物質量　重要度 ★★★

### 原子量・分子量

□原子量 ➡ 天然に存在する単体や化合物を構成する元素の同位体の相対質量にそれぞれの存在比を掛けたもの。

□分子量 ➡ 1つの分子を構成している原子量の総和を分子量という（イオンの場合は式量という）。

（例）水素、炭素、酸素の原子量をそれぞれ1、12、16とする。

- 水（$H_2O$）の分子量＝1×2＋16×1＝18
- 二酸化炭素（$CO_2$）の分子量＝12×1＋16×2＝44

### 物質量

□物質量 ➡ 原子、分子、イオンなどの粒子を**$6.02 \times 10^{23}$**個集めたとき、その数を1 molという。

□分子量とmolの関係 ➡ 各物質の1 molの質量は、その物質の原子量、分子量、式量にg（グラム）をつけたものと一致する。したがって、分子量Mの物質がw [g] あったとき、その物質量nは、$\mathbf{n = \frac{w}{M}}$ [mol] となる。

□各物質の1 molの質量は、その種類に関係なく、標準状態（0℃、1 atm）で22.4Lを占める。

## 2 化学反応式と量的関係　出題 鹿児島　重要度 ★★★

### 化学反応式

□化学反応式 ➡ 化学変化は、物質の前後でその前後の原子の数は必ず等しくなる。それをあらわすために、化学式に係数をつける。

（例）水が生成する反応 ➡ $2H_2 + O_2 \rightarrow 2H_2O$

（例）メタンが燃焼する反応 ➡ $CH_4 + 2O_2 \rightarrow CO_2 + 2H_2O$

### 化学反応式の量的関係

□化学反応式の係数は、各物質の物質量および体積の比をあらわしている。

**【例　窒素と水素からアンモニアができる反応】**

| 化学反応式 | $N_2$ | ＋ | $3H_2$ | → | $2NH_3$ |
|---|---|---|---|---|---|
| 物質量関係 | **1 mol** | : | **3 mol** | : | **2 mol** |
| 体積関係 | 1 | : | 3 | : | 2 |

## 3 酸・塩基

重要度 ★★

### 酸・塩基の定義

□アレニウスの定義 ➡ 水に溶けたとき$H^+$を生じる物質を酸、$OH^-$を生じる物質を塩基という。

(例)塩酸($HCl$)は酸、水酸化ナトリウム($NaOH$)は塩基

□ブレンステッドの定義 ➡ 水に溶けたとき$H^+$を与える物質を酸、$H^+$を受け取る物質を塩基という。この定義により、アンモニア($NH_3$)は塩基となる。

□pH ➡ 水素イオン濃度が$1\times10^{-n}$ mol/L のときのnの値。**7が中性で、7より小さいと酸性、7より大きいと塩基性**となる。

### 価数・電離度

□価数 ➡ 1分子の酸・塩基が出すことのできる水素イオン($H^+$)、水酸化物イオン($OH^-$)の数。

□電離度 ➡ 電解質が水溶液中で電離する割合。電離度が大きい物質を強酸、強塩基、小さい物質を弱酸、弱塩基という。

| 価数 | 酸 | 塩　基 |
|---|---|---|
| 1価 | ◎ $HCl$(塩酸)<br>◎ $HNO_3$(硝酸)<br>$CH_3COOH$(酢酸) | ◎ $NaOH$(水酸化ナトリウム)<br>◎ $KOH$(水酸化カリウム)<br>$NH_3$(アンモニア) |
| 2価 | ◎ $H_2SO_4$(硫酸)<br>$H_2CO_3$(炭酸) | ◎ $Ca(OH)_2$(水酸化カルシウム)<br>◎ $Ba(OH)_2$(水酸化バリウム) |

◎は強酸・強塩基をあらわす。

□リトマス試験紙

| 物性 | 色の変化 |
|---|---|
| 酸性 | **青色**リトマス紙が**赤**になる。 |
| 塩基性 | **赤色**リトマス紙が**青**になる。 |

**ポイント** 原子量が必要なときは問題文に載るので、覚えてなくて大丈夫

化学

# 04 物質の変化②

日付 /

頻出度 A

●中和反応では、適切な指示薬などが問われる。
●酸化還元反応では、金属のイオン化傾向を暗記しよう。

## 1 酸・塩基の中和反応

重要度 ★★

### 中和

□中和 ➡ 酸と塩基を混合すると、酸から生じた水素イオン$H^+$と、塩基から生じた水酸化物イオン$OH^-$が反応して、水$H_2O$が生成する。また、塩《えん》という化合物を生じる。

(例)$HCl$(酸)＋$NaOH$(塩基)→$NaCl$(塩)＋$H_2O$(水)

### 中和滴定

□中和滴定の量的関係 ➡ 濃度c［mol/L］のn価の酸v［mL］と、濃度C［mol/L］のN価の塩基V［mL］が完全に中和したとき、

$nc\frac{v}{1000} = NC\frac{V}{1000}$が成り立っている。

□中和滴定曲線 ➡ 中和滴定では用いた物質によって、中和点は酸性・中性・塩基性となる。

| 物性 | 中和点 | 指示薬 |
|---|---|---|
| 強酸・弱塩基 | **酸性** | **メチルオレンジ・メチルレッド** |
| 強酸・強塩基 | **中性** | どちらでもよい |
| 弱酸・強塩基 | **塩基性** | **フェノールフタレイン** |

## 2 酸化還元

重要度 ★★

### 酸化還元の定義

| | 酸素原子 | 水素原子 | 電子 | 酸化数 |
|---|---|---|---|---|
| 酸化される | **受け取る** | **失う** | **失う** | **増加する** |
| 還元される | **失う** | **受け取る** | **受け取る** | **減少する** |

## 金属のイオン化傾向　重要!

金属には酸化(イオン化)しやすいものと、しづらいものがある。水溶液中での陽イオンへのなりやすさを**イオン化傾向**という。

<table>
<tr><td>イオン化傾向</td><td colspan="9">大きい(酸化されやすい)</td><td colspan="8">小さい(酸化されにくい)</td></tr>
<tr><td>金属</td><td>Li</td><td>K</td><td>Ca</td><td>Na</td><td>Mg</td><td>Al</td><td>Zn</td><td>Fe</td><td>Ni</td><td>Sn</td><td>Pb</td><td>($H_2$)</td><td>Cu</td><td>Hg</td><td>Ag</td><td>Pt</td><td>Au</td></tr>
<tr><td>乾燥空気との反応</td><td colspan="4">酸化される</td><td colspan="10">徐々に酸化される</td><td colspan="3">酸化されにくい</td></tr>
<tr><td>水との反応</td><td colspan="4">常温で反応</td><td colspan="4">高温で反応</td><td colspan="9">反応しない</td></tr>
<tr><td>希硫酸・希塩酸との反応</td><td colspan="11">反応する</td><td></td><td colspan="5">反応しない</td></tr>
<tr><td>硝酸・熱濃硫酸との反応</td><td colspan="15">反応する</td><td colspan="2">反応しない</td></tr>
<tr><td>王水との反応</td><td colspan="17">反応する</td></tr>
</table>

## 電池

□電池 ➡ 酸化還元反応に伴って放出されるエネルギーを電気エネルギーに変換する装置。

●ボルタ電池のしくみ

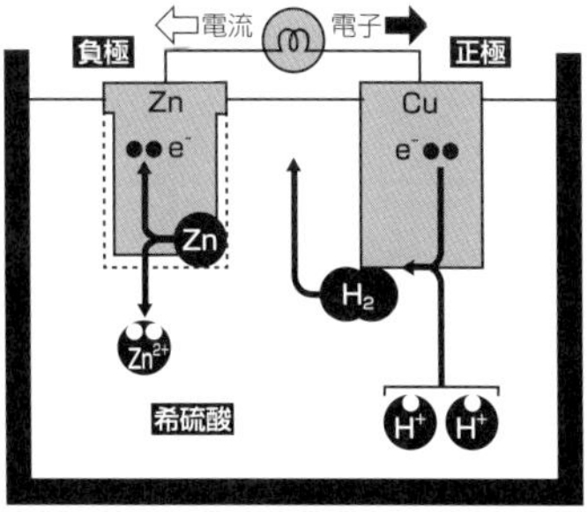


<table>
<tr><td rowspan="2">負極<br>(酸化)</td><td>電流の流れ<br>←</td><td rowspan="2">正極<br>(還元)</td></tr>
<tr><td>→<br>電子の流れ</td></tr>
</table>

| 名称 | 負極 | 正極 |
|---|---|---|
| ボルタ電池 | 亜鉛 | 銅 |
| ダニエル電池 | 亜鉛 | 銅 |
| 乾電池 | 亜鉛 | 酸化マンガン(IV) |
| 鉛蓄電池 | 鉛 | 酸化鉛(IV) |

□**分極** ➡ ボルタ電池において、銅板で発生した水素が電子の流れを妨げることにより、起電力が急激に低下する現象。

□**二次電池** ➡ 充電が可能な電池のこと。外部電源の正極を電池の正極に、外部電源の負極を電池の負極に接続し、電流を逆に流すことにより充電する。

化学
# 05 物質の性質

頻出度 **A**

- 周期表では、それぞれの族に一定の特徴が見られる。それをしっかりおさえておこう。
- 無機化合物がよく出題されている。実験なども踏まえて知識を暗記しよう。

## 1 周期表　重要度 ★★★

### 周期表

| 周期＼族 | 1 | 2 | 3 | 4 | 5 | 6 | 7 | 8 | 9 | 10 | 11 | 12 | 13 | 14 | 15 | 16 | 17 | 18 |
|---|---|---|---|---|---|---|---|---|---|---|---|---|---|---|---|---|---|---|
| 1 | ${}_{1}H$ | | | | | | 非金属元素 | | | | | | | | | | | ${}_{2}He$ |
| 2 | ${}_{3}Li$ | ${}_{4}Be$ | | | | 金属元素 | | | | | | | ${}_{5}B$ | ${}_{6}C$ | ${}_{7}N$ | ${}_{8}O$ | ${}_{9}F$ | ${}_{10}Ne$ |
| 3 | ${}_{11}Na$ | ${}_{12}Mg$ | | ■は遷移元素，他は典型元素 | | | | | | | | | ${}_{13}Al$ | ${}_{14}Si$ | ${}_{15}P$ | ${}_{16}S$ | ${}_{17}Cl$ | ${}_{18}Ar$ |
| 4 | ${}_{19}K$ | ${}_{20}Ca$ | ${}_{21}Sc$ | ${}_{22}Ti$ | ${}_{23}V$ | ${}_{24}Cr$ | ${}_{25}Mn$ | ${}_{26}Fe$ | ${}_{27}Co$ | ${}_{28}Ni$ | ${}_{29}Cu$ | ${}_{30}Zn$ | ${}_{31}Ga$ | ${}_{32}Ge$ | ${}_{33}As$ | ${}_{34}Se$ | ${}_{35}Br$ | ${}_{36}Kr$ |
| 5 | ${}_{37}Rb$ | ${}_{38}Sr$ | ${}_{39}Y$ | ${}_{40}Zr$ | ${}_{41}Nb$ | ${}_{42}Mo$ | ${}_{43}Tc$ | ${}_{44}Ru$ | ${}_{45}Rh$ | ${}_{46}Pd$ | ${}_{47}Ag$ | ${}_{48}Cd$ | ${}_{49}In$ | ${}_{50}Sn$ | ${}_{51}Sb$ | ${}_{52}Te$ | ${}_{53}I$ | ${}_{54}Xe$ |
| 6 | ${}_{55}Cs$ | ${}_{56}Ba$ | ランタノイド | ${}_{72}Hf$ | ${}_{73}Ta$ | ${}_{74}W$ | ${}_{75}Re$ | ${}_{76}Os$ | ${}_{77}Ir$ | ${}_{78}Pt$ | ${}_{79}Au$ | ${}_{80}Hg$ | ${}_{81}Tl$ | ${}_{82}Pb$ | ${}_{83}Bi$ | ${}_{84}Po$ | ${}_{85}At$ | ${}_{86}Rn$ |
| 7 | ${}_{87}Fr$ | ${}_{88}Ra$ | アクチノイド | ${}_{104}Rf$ | ${}_{105}Db$ | ${}_{106}Sg$ | ${}_{107}Bh$ | ${}_{108}Hs$ | ${}_{109}Mt$ | ${}_{110}Ds$ | ${}_{111}Rg$ | ${}_{112}Cn$ | ${}_{113}Nh$ | ${}_{114}Fl$ | ${}_{115}Mc$ | ${}_{116}Lv$ | ${}_{117}Ts$ | ${}_{118}Og$ |

□**遷移元素** ➡ 12族元素は、遷移元素に含める場合と含めない場合がある。

□**アルカリ金属** ➡ Hを除く1族の金属元素

□**アルカリ土類金属** ➡ 2族の金属元素

□**ハロゲン** ➡ 17族の非金属元素

□**貴ガス（希ガス）** ➡ 18族の非金属元素

## 2 非金属元素の性質　重要度 ★★★

### 水素

□水素 ➡ 亜鉛に希硫酸を加えると発生する。水上置換法で捕集する。無色無臭の気体で水に溶けにくい。**1番**軽い気体。可燃性がある。

### 貴ガス（希ガス）

□**ヘリウム** ➡ **ヘリウム**は、不燃性で水素について軽いので、気球や飛行船などの浮揚ガスに使われている。単体で最も沸点が低いので、極低温の実験室や、リニアモーターカーの超伝導磁石の冷却材として用いられる。

### ハロゲン

□ハロゲン ➡ フッ素、塩素、臭素、ヨウ素、アスタチン

□塩素 ➡ **黄緑**色の気体。

### その他

□酸素 ➡ 酸素$O_2$は空気の約**20**%を占める。酸化マンガン(Ⅳ)を触媒として、過酸化水素を分解することによって得られる。

□アンモニア ➡ 無色で刺激臭がある空気より**軽い**気体で、水に溶けやすい。水溶液は弱**塩基**性を示す。工業的には**ハーバー・ボッシュ**法により製造する。

□炭素 ➡ 単体には、ダイヤモンド、黒鉛(グラファイト)、フラーレンなどの同素体がある。ダイヤモンドの融点は約3600℃で、単体の中では最も高く、黒鉛は電気伝導性がある。

□ケイ素 ➡ ケイ素はゲルマニウム(Ge)と同様に、**半導体**の材料として重要である。ケイ素の地殻中の存在率は**酸素に次いで第2位**である。

□一酸化炭素 ➡ 有毒な気体で、水にはほとんど溶けない。血液中の**ヘモグロビン**と酸素との結合を阻害する(一酸化炭素中毒)。他の物質の酸素を奪う**還元性**がある。そのため、**製鉄**に利用されている。

□二酸化炭素 ➡ 水にわずかに溶けて炭酸水となり、弱酸性を示す。**石灰水**に通ずると**石灰水**が白濁する。

## 3 金属元素の性質 重要度 ★★★

### 1族、2族の金属

| 名称 | 性質・用途 |
|---|---|
| 水酸化ナトリウム($NaOH$) | 水蒸気を吸収して溶ける(潮解) |
| 炭酸水素ナトリウム($NaHCO_3$) | 重曹、ベーキングパウダー、入浴剤 |
| 炭酸カルシウム($CaCO_3$) | 石灰石、大理石などの成分 |
| 塩化カルシウム($CaCl_2$) | 乾燥剤、凍結防止剤 |
| 硫酸カルシウム($CaSO_4$) | セッコウ(建築材料、ギプス) |

□炎色反応 ➡ (例)Li(**赤**)、Na(**黄**)、K(**赤紫**)、Ca(**橙赤**)、Sr(**紅**)、Ba(**黄緑**)

### その他の金属

□銅 ➡ 錆びると**緑青**(**ろくしょう**)という**青さび**を生じる。電気伝導性は2番目に高い(1番高いのは銀)。

□アルミニウム ➡ 鉱石の**ボーキサイト**に含まれる。

生物 01

# 細胞の構造①

日付 ／

頻出度 A

●細胞小器官のはたらきが問われる。
●動物と植物の違いについて、しっかり覚えよう。

## 1 細胞の構造

重要度 ★★★

### 細胞の構造

□細胞 ➡ 生物体の構造上の基本最小単位。ヒトは約60兆個、220種類の細胞で成り立っている。

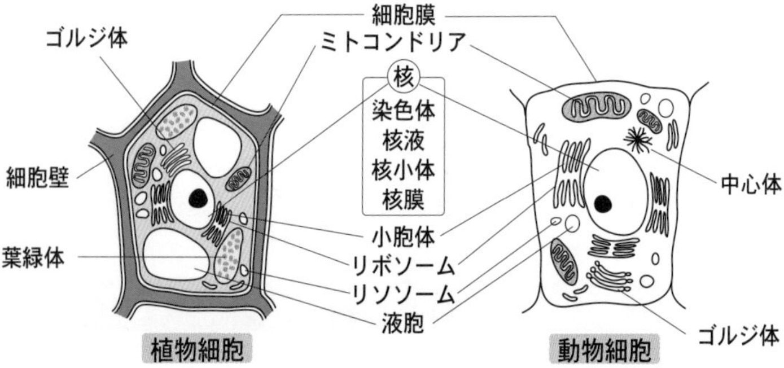


□主な細胞小器官の働き

| | | 細胞小器官 | 主な機能 |
|---|---|---|---|
| 原形質 | 核 | | 遺伝情報をもつ染色体（**DNA**とタンパク質の複合体）がある |
| | 細胞質 | 細胞膜 | 選択的透過性により、物質の出入りを調節 |
| | | ミトコンドリア | **呼吸**の場。ATPを作り出す |
| | | リボソーム | **タンパク質**合成の場 |
| | | 色素体 | 中でも葉緑体は**光合成**の場となっている |
| 後形質 | | 液胞 | 糖や無機塩類が含まれる |
| | | 細胞壁 | 細胞を保護、支持する |

**動植物の違い**　重要!

| 名称 | 葉緑体 | 細胞壁 | 液胞 | 中心体 | ゴルジ体 |
|---|---|---|---|---|---|
| 動物 | **ない** | **ない** | **未発達** | ある | 発達 |
| 植物 | **ある** | **ある** | **発達** | ない | 未発達 |

**原核細胞と真核細胞**

□真核細胞 ➡ 多くの生物がもつ細胞。膜で包まれた核をもつ。

□原核細胞 ➡ 細菌類やラン藻などがもつ細胞。原核細胞には**細胞膜**、**細胞壁**、**DNA**、**リボソーム**しかない。

## 2 細胞膜と浸透圧　重要度 ★

**細胞膜**

□細胞膜 ➡ 物質が出入りする。**選択的透過性**をもつ。

□**能動輸送** ➡ ATP(エネルギー)を使い、物質を濃度差に逆らって運ぶ。

**浸透圧と細胞の変化**

| 名称 | 高張液 | 等張液 | 低張液 |
|---|---|---|---|
| 動物細胞 | 縮　む | 変化なし | 膨張・破裂 |
| 植物細胞 | 原形質分離 | 変化なし | 緊張状態 |

□**原形質分離** ➡ 植物細胞を高張液に浸すと、細胞膜は縮むが、細胞壁は変化しないので、細胞膜(原形質)が細胞壁(後形質)から分離する。キュウリなどの漬物は、この原理を利用したものである。

□**溶血** ➡ 動物細胞の赤血球が破裂すること。

□浸透圧 ➡ 濃度に差のある溶液を半透膜で仕切ったとき、水の分子が濃度の低いほうから高いほうへ移動しようとする圧力。

□膨圧 ➡ 植物細胞を低張液に浸すと膨張するが、細胞壁があるため破裂はしない。内側から押し返す力を膨圧という。吸水力=浸透圧−膨圧が成り立つ。

## 3 単細胞生物と多細胞生物　重要度 ★

**単細胞生物と多細胞生物**

□単細胞生物 ➡ 1個の細胞でできている生物。大部分の原核生物と一部の真核生物がこれにあたる。(例)**ゾウリムシ**、**アメーバ**、**ミドリムシ**、**酵母菌**など(いずれも真核生物)

□多細胞生物 ➡ からだが多数の細胞でできている生物。(例)ヒドラ

# 生物 02 細胞の構造②

日付 ／

頻出度 A

●細胞分裂は、模式図から分裂の順序関係を覚えよう。
●植物の器官と組織は名称と機能を暗記しよう。

## 1 細胞分裂

重要度 ★★★

### 細胞分裂

□細胞分裂 ➡ 細胞分裂は体細胞分裂と減数分裂に大別できる。体細胞分裂は分裂後も染色体の数は変わらないが、減数分裂は染色体の数が半減する。

| 細胞分裂 | 細胞 | 染色体の数 |
|---|---|---|
| 体細胞分裂 | 体を構成する細胞 | **変わらない** |
| 減数分裂 | 動物：精子、卵<br>植物：胞子 | **半減する** |

### 体細胞分裂

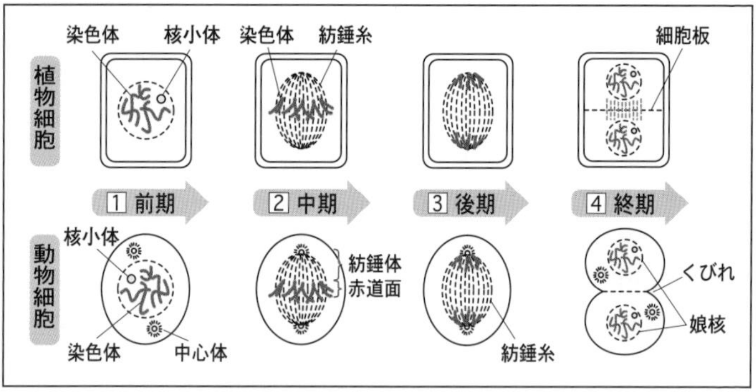


①前期 ➡ 核内の染色糸が染色体となり、核膜は消失する。

②中期 ➡ 染色体が細胞の中央（赤道面）に集まり、細胞の両極から伸びてきた紡錘《ぼうすい》糸《し》がこれと接続し、**紡錘体**が完成する。

③後期 ➡ 染色体は紡錘糸に引かれて、両極へ移動する。

④終期 ➡ 両極に移動した染色体は、それぞれ核膜に包まれる。動物細胞では中央部分が外からくびれて、植物細胞では細胞板という仕切りができて、2

つの細胞となる。

※終期から前期のあいだは間期と呼ばれ、ＤＮＡ量が倍加する。

**減数分裂**

□減数分裂の過程 ➡ 娘核の染色体の数が半減する第一分裂と、引き続いて分裂が起こり１個の母細胞から４個の娘細胞が形成される第二分裂がある。

## 2 植物の器官・組織 重要度 ★★★

**植物の器官**

□栄養器官 ➡ 根・茎・葉

□生殖器官 ➡ 花

**植物の組織（分裂組織）**

□分裂組織 ➡ 細胞分裂を行い、伸長、肥大を行う。

□根端分裂組織・茎頂分裂組織 ➡ 細胞分裂による伸長成長を行う。

□形成層 ➡ 細胞分裂による肥大成長を行う。

**植物の組織（表皮系）**

□表皮系 ➡ 体の表面を覆い、保護する。

**植物の組織（維管束系）**

□**師部** ➡ グルコースなどの同化産物を輸送する**師管**がある。

□**木部** ➡ 水や無機塩類を輸送する**道管**がある。

**植物の組織（基本組織系）**

□基本組織系 ➡ 皮層、葉肉がある。葉肉では光合成、窒素同化が行われている。

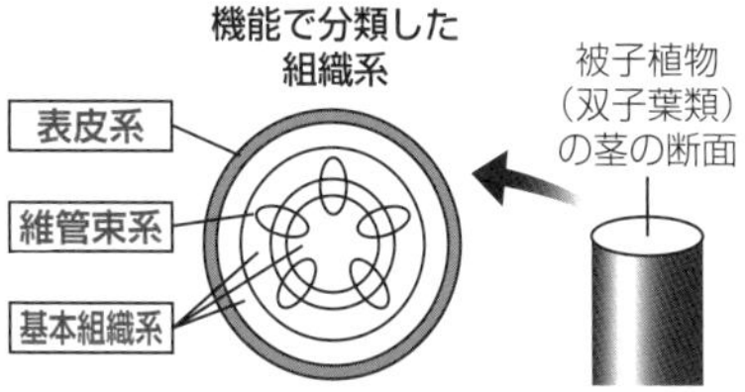


**確認テスト** **細胞分裂に関する記述で正しいものをすべて選べ。（解答 P.228）**

1 体細胞分裂は分裂後に染色体の数が半減する。

2 体細胞分裂の中期で紡錘体が形成される。

3 体細胞分裂の終期において、植物細胞ではくびれができる。

生物 03

# 代謝

日付 ／

頻出度 A

●光合成は反応やグラフなどの出題形式が多い。
●呼吸は反応経路および、生成物が問われる。

## 1 光合成

重要度 ★★★

### 光合成の反応過程

□光合成の反応式 ➡ $\underline{\mathbf{6}}CO_2+\underline{\mathbf{12}}H_2O \rightarrow C_6H_{12}O_6+\underline{\mathbf{6}}O_2+\underline{\mathbf{6}}H_2O$

①光エネルギーの吸収 ➡ 光合成色素**クロロフィル**が光エネルギーを吸収して活性化される(青紫と赤色の光を吸収)。

②水の分解 ➡ クロロフィルが水($H_2O$)を$O_2$とHに分解する。このとき不要になった$O_2$は大気に放出される。

③ATPの合成 ➡ ②の反応と同時に起こる。

④グルコースの合成 ➡ ATPのエネルギーを使って、②で得たHと気孔から取り込んだ二酸化炭素($CO_2$)を**カルビン・ベンソン回路**の反応により、還元し、グルコースと水を生じる。

### 光合成速度と限定要因

□光合成速度 ➡ 単位時間あたりの二酸化炭素の吸収量。光を強くしていくと、はじめは光合成速度は上がっていくが、あるときを過ぎると速度は一定になる。

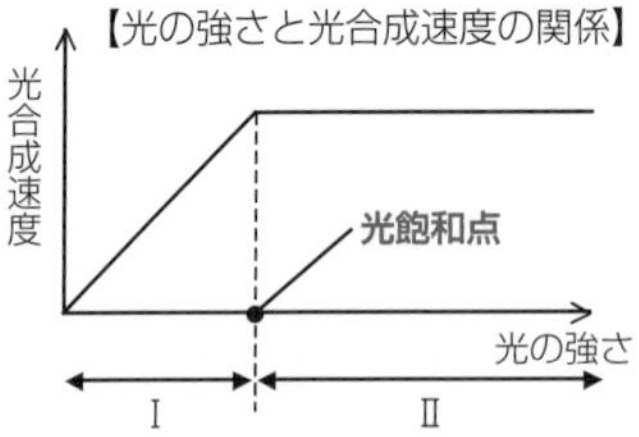


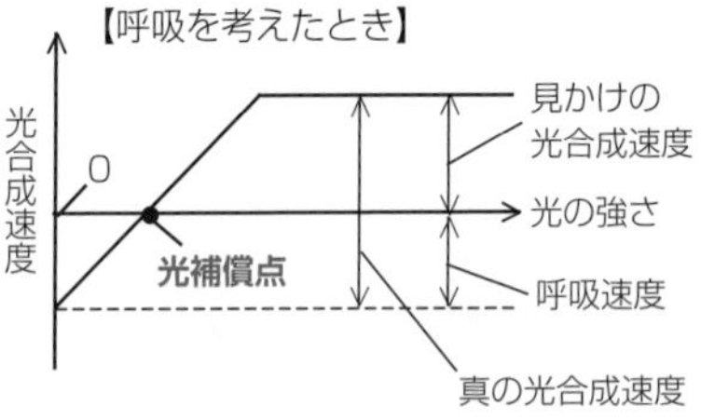


□限定要因 ➡ 光合成の反応速度は、光合成に関係する外的要因の中で最も不足した要因によって、速度が決まる。この最も不足した要因を**限定要因**という。

Ⅰの範囲…**光**が限定要因。Ⅱの範囲…**温度**と**二酸化炭素濃度**が限定要因。

 P.227の確認テストの解答　2(1は減数分裂、3は動物細胞に関する記述)

□**光飽和点** ➡ 光合成速度が一定になったときの光の強さを光飽和点という。

□見かけの光合成 ➡ 植物は呼吸をしているので二酸化炭素を吐き出している。つまり、二酸化炭素の吸収量を測る光合成速度を測定しようとしたとき、呼吸速度を差し引かなくてはいけない。この測定値を見かけの光合成といい、**見かけの光合成速度＝真の光合成速度－呼吸速度**が成り立つ。

□陽生植物と陰生植物 ➡ 植物は日向でないと育たない**陽生植物**と、日陰でも育つ陰生植物に大別できる。陽生植物のほうが細胞数が多いため、光が十分あるときは光合成速度、呼吸量ともに陰生植物より**大きくなる**。

## 2 呼吸

重要度 ★★

### 発酵

□発酵 ➡ 細胞内の**細胞質基質**で、グルコースをピルビン酸に酸化分解し、その過程でＡＴＰを**2**分子生産する。さらにこのとき発生したピルビン酸と水素Ｈを合成して放出するのだが、その合成された物質は生物によって異なる。

□**アルコール**発酵 ➡ 酵母菌が行う。ピルビン酸と水素Ｈを**二酸化炭素**と**エタノール**にして放出する。なお、酵母菌は酸素があれば呼吸を行う。

□**乳酸**発酵 ➡ 乳酸菌が行う。ピルビン酸と水素Ｈを**乳酸**にして放出する。なお、ヒトの筋肉も酸素が足りない状況では乳酸菌と同様の反応を行う。これを解糖という。

### 呼吸

□呼吸 ➡ 酸素を用いる呼吸。次の３つの反応から成り立っている。

①**解糖系** ➡ 細胞質基質で行われる。ピルビン酸に酸化分解し、その過程でＡＴＰを**2分子**生産する。

②**クエン酸回路** ➡ **ミトコンドリア**で行われる。ピルビン酸が分解され、ＡＴＰが**2分子**生産される。なお、このとき$CO_2$が生じ、体外へ放出される。

③**電子伝達系** ➡ **ミトコンドリア**で行われる。①、②で生じた水素Ｈを外部から取り込んだ酸素$O_2$と結合させ、水を生じる。このときＡＴＰが**34分子**生産される。

**確認テスト** **次の文章の空所を埋めよ。（解答P.230）**

**呼吸の反応のうち、解糖系は（　ア　）で行われ、クエン酸回路と電子伝達系は、（　イ　）で行われる。**

生物
頻出度 A
代謝

マメ パンがふくらむのはアルコール発酵が原因

生物

# 04 ヒトの体①

日付 ／

頻出度 A

●血液は循環に関しての問題が多く問われる。心臓の部位とともに覚えよう。
●心臓以外の他の臓器もよく出題されるので、しっかりと学習しよう。

## 1 血液

出題 長野　重要度 ★★★

### 血液の循環　重要!

□ほ乳類の心臓 ➡ **2**心房**2**心室

□心室・心房 ➡ **心室**は血液が流れ出る。**心房**は血液が流れ込む。

□動脈・静脈 ➡ 動脈は心臓から血液を送り出す血管。静脈は心臓へ向かう血管。

□動脈血・静脈血 ➡ 動脈血は酸素を多く含んだ血液。静脈血は酸素が少ない血液。

□血液の循環経路

①肺で酸素を受け取った血液は左心房に流れ、左心室へ向かう。
②大動脈、毛細血管を流れ酸素、栄養分を渡し、老廃物を受け取る。
③大静脈から右心房に流れ込む。
④右心房から右心室へ向かう。
⑤右心室から肺へ向かう。

**【血液の循環】**

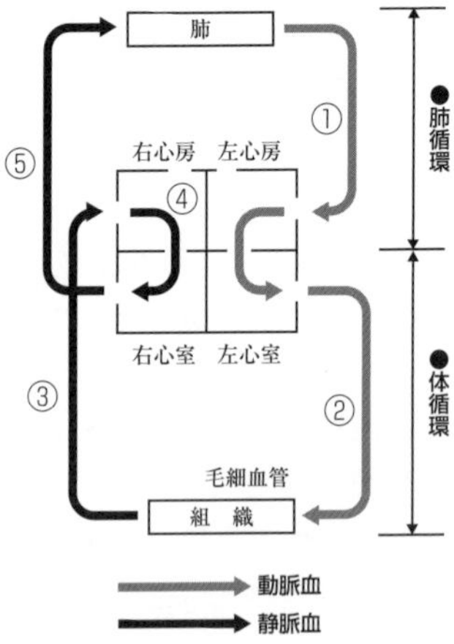


□体循環 ➡ 心臓と全身の循環。動脈には動脈血が、静脈には静脈血が流れる。

□肺循環 ➡ 肺と心臓の間の循環。肺静脈には**動**脈血が、肺動脈には**静**脈血が流れる。

 P.229の確認テストの解答　(ア) 細胞質基質　(イ) ミトコンドリア

### 血液

- 血液
  - 液体成分……**血しょう**
  - 有形成分
    - ・**赤血球**
    - ・**白血球**
    - ・**血小板**

□血しょう ➡ **90**%の水が含まれている。赤血球、白血球といった血液成分や、二酸化炭素、代謝物質、栄養素、ホルモン、抗体を運ぶ。

□赤血球 ➡ **ヘモグロビン**を含み、**酸素**を運搬する。核がない。

□白血球 ➡ 生体防御にかかわる。

| 名称 | 働き |
|---|---|
| マクロファージ | **食作用** |
| B細胞 | **体液性免疫**。抗体生産細胞 |
| キラーT細胞 | **細胞性免疫**。異物を直接攻撃 |
| ヘルパーT細胞 | B細胞やキラーT細胞を活性化 |

□血小板 ➡ 血液の凝固に関係。

## 2 ヒトの臓器

重要度 ★★★

### 肝臓の主な働き

① 物質代謝と体温の保持……グリコーゲン、タンパク質、脂肪の合成・貯蔵・分解。物質代謝で発生する熱で体温保持。

② 胆汁《たんじゅう》の生成

③ 血液成分の生成

④ 解毒作用

⑤ 血液の貯蔵

⑥ 尿素の合成……物質代謝の結果できる**アンモニア**を、**オルニチン**回路で無害な**尿素**にする。

### 腎臓のはたらき

□腎臓のはたらき ➡ 腎動脈から送られてきた血液は、糸球体を流れるとき、血球やタンパク質・脂肪以外のグルコースや尿素、無機塩類などが血管壁を通してボーマンのうにこし出される。ボーマンのうにこし出された原尿が腎細管(細尿管)を流れる間に、水、無機塩類, グルコースなどが周りの毛細血管内に再吸収される。こうして原尿は濃縮された状態で尿となる。

生物

# 05 ヒトの体②・遺伝

日付 ／

頻出度 **B**

●ヒトの体は暗記で対応できるものが多いのでがんばって覚えよう。
●遺伝については出現比も出題されるので、計算できるようにしておこう。

## 1 視覚器

重要度 ★★

### 視神経

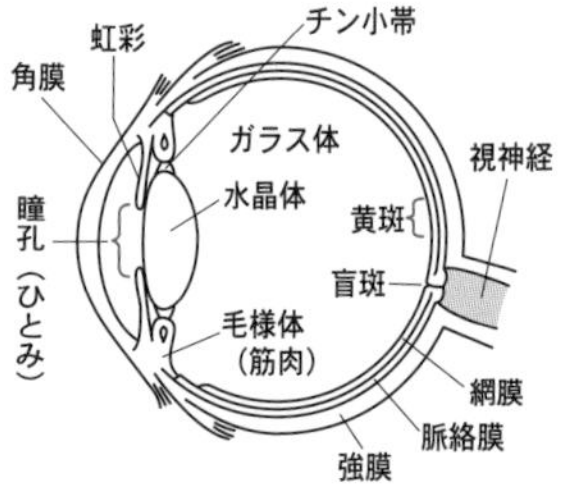


□**かん体**細胞 ➡ 明暗を区別。色彩を識別できない。

□**錐体**《すいたい》細胞 ➡ 明るいところではたらく。色彩を識別できる。

### 遠近調節

| | 毛様体 | チン小帯 | 水晶体 |
|---|---|---|---|
| **近く**を見る | 収縮する | 緩む | 厚くなる |
| **遠く**を見る | 弛緩する | 引っ張られる | 薄くなる |

## 2 神経系

出題 長野　重要度 ★

### 脳の働き

| 脳の区分 | 構造・働き |
|---|---|
| 大脳 | 新皮質は**随意運動**、感覚、記憶など高度な精神活動の中枢。古い皮質は本能行動、欲求などの中枢。 |
| 間脳 | 視床と**視床下部**からなる。**視床下部**は、内分泌系と自律神経系の中枢。これにより体温などを調節している。 |
| 中脳 | **姿勢の保持**、眼球運動、**瞳孔反射**の中枢。 |
| 小脳 | 運動の調節、**平衡感覚**の中枢。 |
| 延髄 | **呼吸運動**、**心臓の拍動**、消化管の運動、**涙・だ液の分泌**などの調整を行う中枢。 |

### 自律神経系

□交感神経と副交感神経 ➡ 自律神経系は交感神経と副交感神経からなり、交感神経は緊張や興奮したときにはたらき、副交感神経は気持ちが落ち着いたときにはたらく。このように交感神経と副交感神経は互いに拮抗的にはたらく。

| 自律神経系 | 呼吸 | 心臓の拍動 | 消化器 |
|---|---|---|---|
| 交感神経 | 促進 | **促進** | **抑制** |
| 副交感神経 | 抑制 | **抑制** | **促進** |

## 3 内分泌系

出題 長野　重要度 ★

### 分泌腺とホルモン

| 分泌腺 | ホルモン |
|---|---|
| 甲状腺 | **チロキシン** |
| 副腎髄質 | **アドレナリン** |
| 副腎皮質 | **糖質コルチコイド** |
| すい臓ランゲルハンス島Ａ細胞 | **グルカゴン** |
| すい臓ランゲルハンス島Ｂ細胞 | **インスリン** |

## 4 遺伝

重要度 ★★

□形質 ➡ 同じ種でも異なっている部分。（例）足の大きさ、耳の大きさ

□**対立形質** ➡ エンドウには「種子の形」という形質があるが、この形質にはＡ「丸」とａ「しわ」の２種類がある。このように形質の中の具体的な違いを対立形質という。

□通常、細胞にはその形質の遺伝子が２つ入っている。たとえば、「種子の形」の遺伝子は、「ＡＡ」「Ａａ」「ａａ」という遺伝子の型が考えられる。

□**顕性の法則** ➡ たとえば、エンドウがＡ「丸」とａ「しわ」の２種類の遺伝子を１つずつもっているとき（「Ａａ」という遺伝子型）、エンドウの種子は「丸」になる。これをメンデルの顕性の法則といい、使われた遺伝子を顕性遺伝子、使われなかったほうを潜性遺伝子という。

□丸「ＡＡ」としわ「ａａ」を掛け合わせてできる子ども（雑種第一代）は必ず丸（Ａａ）となる。雑種第一代同士を掛け合わせてできる雑種第二代の遺伝子型の比は、丸ＡＡ：丸Ａａ：しわａａ＝１：２：１となる。また、外見ではＡＡとＡａの区別はわからないので、出現型の比は、丸【Ａ】：しわ【ａ】＝３：１となる。

ポイント ヒトの体の器官についてはひたすら暗記

地学 01

# 地球の内部構造・地震

日付 ／

頻出度 B

●地球の内部構造に関する名称などが出題される。
●地震に関しては、P波、S波の違いに気をつけよう。

## 1 地震

重要度 ★★

### 地震波

□P波 ➡ 圧縮と膨張が伝わる縦波であり、固体、液体、気体とも伝わる。速さはS波より速いが振幅は小さく、**コトコト揺れる**。**初期微動**に関与。

□S波 ➡ S波はゆがみが伝わる横波であり、固体しか伝わらない。速さはP波より遅いが振幅は大きく、**ユラユラ揺れる**。**主要動**に関与。

| 名称 | 伝播場所・媒体 | 速度 | 種類 |
|---|---|---|---|
| P波 | 地球内部(**固体・液体・気体**) | 5〜7km/s | 縦波 |
| S波 | 地球内部(**固体**) | 3〜4km/s | 横波 |

### 震源地の測定

□震源の距離 ➡ 震源までの距離をd、初期微動継続時間をt、P波の速度を$V_p$、S波の速度を$V_s$とすると、$t = \frac{d}{V_s} - \frac{d}{V_p}$という関係が成り立つ。

(例) P波の速度が5km/s、S波の速度が3km/sの地震波に対し、初期微動継続時間が4秒のとき、震源地までの距離は$4 = \frac{d}{3} - \frac{d}{5}$より、d＝30[km]となる。

### 震度・マグニチュード

□震度 ➡ 各観測地点での揺れの大きさをあらわす尺度。1996年度から震度は**10**階級に分かれている(**0**、**1**、**2**、**3**、**4**、**5弱**、**5強**、**6弱**、**6強**、**7**)。

□マグニチュード ➡ 地震の規模をあらわす尺度。マグニチュードが1大きくなると地震のエネルギーは約**32**倍になり、マグニチュードが2大きくなるとエネルギーは**1000**倍になる。

## 2 地球の内部構造　重要度 ★

### 地球の内部構造

| 名称 | | 深さ・温度 | 状態 | 構成物質 |
|---|---|---|---|---|
| 地殻 | 大陸地殻 | 0〜約50km | 固体 | **花こう岩** |
| | 海洋地殻 | 15〜800℃ | | **玄武岩** |
| マントル | | 2900km<br>800〜4500℃ | | **かんらん岩** |
| 核 | 外核 | 5100km<br>4500〜6000℃ | 液体 | **鉄・ニッケル** |
| | 内核 | 6350km<br>6000〜6100℃ | 固体 | |

### 境界面

□**モホロビチッチ不連続面** ➡ 地殻とマントルの境目。

□**グーテンベルク不連続面** ➡ マントルと外核の境目。

□**レーマン不連続面** ➡ 外核と内核の境目。

モホロビチッチ不連続面はモホ面と略されることもあります

### アイソスタシー

□**アイソスタシー** ➡ 水の上に浮かぶ氷のように地殻とマントルも平衡状態を保っているという考え方を**アイソスタシー**という。山脈(花こう岩質で密度が小さい)が高いほど地下では密度の小さい地殻がマントルに張り出すことになる。

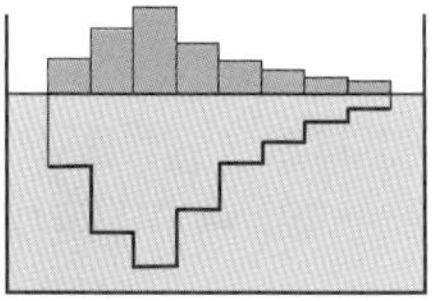

## 3 プレートテクトニクス　重要度 ★

### プレートテクトニクス

□プレートテクトニクス ➡ 地球の表層部(**リソスフェア**)がいくつかの硬い板(プレート)に分かれていて、それが水平方向に移動するという考え。

□**海嶺**《かいれい》 ➡ プレートが形成されるところ。

□**海溝** ➡ プレートが沈み込むところ。

### プレートテクトニクスが引き起こす現象

□地震 ➡ 海のプレートが陸のプレートに沈み込むことで接合面にひずみが生じ、地震が発生する。発生場所によって**浅発地震**と**深発地震**に分類することができる。



ポイント「約32倍」は$\sqrt{1000}$倍ということ

地学 02

# 岩石・火山

日付 ／

頻出度 B

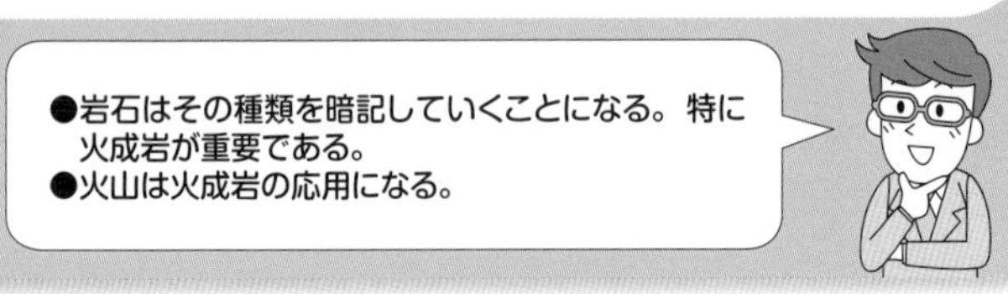


## 1 岩石

重要度 ★★

### 堆積岩

□堆積岩 ➡ 風化した岩石、化学物質、生物の死骸などが堆積し、二酸化ケイ素の続成作用によって固結する。

| 岩石分類 | 主な岩石名 | 構成物質 |
|---|---|---|
| 砕せつ岩 | 泥岩、砂岩、れき岩 | 岩石の破片 |
| 火山砕せつ岩 | 凝灰岩、凝灰角れき岩 | 火山噴出物 |
| 化学岩 | 岩塩、石灰岩、チャート | 海水などの溶解物 |
| 生物岩 | 石灰岩、チャート | 生物の死骸 |

### 火成岩

重要!

□火成岩 ➡ マグマが冷えて固まった岩石。地表に噴出して急速に固まった火山岩、地下でゆっくり固まった深成岩に分けられる。さらに二酸化ケイ素の含有量で分類することができる。

| | 塩基性岩（苦鉄質岩） | 中性岩（中間質岩） | 酸性岩(ケイ長質岩) |
|---|---|---|---|
| 火山岩 | **玄武岩** | **安山岩** | **流紋岩** |
| 深成岩 | **斑れい岩** | **閃緑《せんりょく》岩** | **花こう岩** |

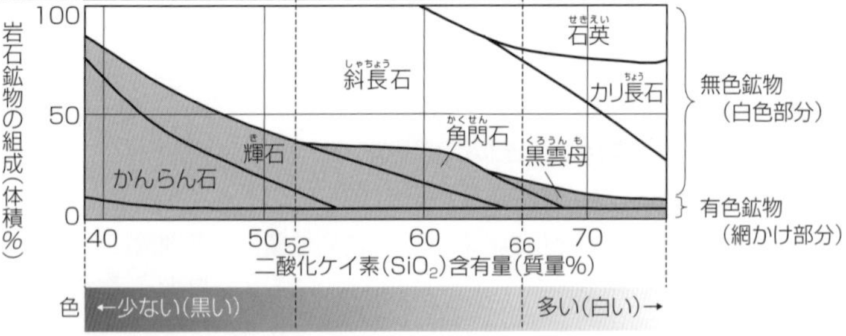

### 変成岩

□変成岩 ➡ 堆積岩や火成岩が、たとえば、地中の深いところでマグマと接触したり、造山活動で高い圧力や熱に触れて、固体のまま岩石中の鉱物が変化することによりできる岩石。

（例）石灰岩→結晶質石灰岩（**大理石**）

## 2 火山　重要度 ★★

### 火山の種類

□火山の分類 ➡ 火山は噴出するマグマの性質によって大きく異なる。二酸化ケイ素が多く含まれる、つまり粘性が大きく、流動性が小さい岩石の場合は大爆発を起こすことが多い。また、二酸化ケイ素が少ない、つまり粘性が小さく、流動性がある岩石の場合は穏やかに噴火する。

| マグマの種類 | 玄武岩質 | 安山岩質 | 流紋岩質 |
|---|---|---|---|
| 粘　性 | ←**低い**（**さらさら**している） | | （**ねばねば**している）**高い**→ |
| 温　度 | ←高い | | 低い→ |
| 噴火の仕方 | ←穏やかな噴火が多い<br>←溶岩が流れる | | 激しい爆発的噴火をしやすい→<br>火砕流などが起きる→ |
| 火山の形 | 溶岩台地（ペジオニーテ）<br>デカン高原（インド）<br><br>盾状火山（アスピーテ）<br>マウナロア（ハワイ）<br> | 成層火山（コニーデ）<br>富士山<br>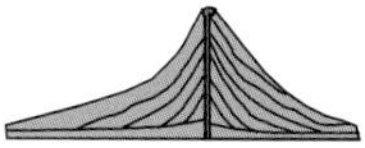 | 溶岩円頂丘（トロイデ）<br>昭和新山・有珠山《うすざん》<br> |

□**カルデラ** ➡ 火山性の凹地形で、大規模な爆発や陥没によって起こる。日本では阿蘇山などが有名。

**確認テスト** **火山、岩石に関する記述において妥当でないのはどれか。（解答P.238）**

1　石灰岩は堆積岩の一種である。
2　斑れい岩は二酸化ケイ素を多く含んでおり、黒みがかっている。
3　石灰岩が熱変成作用を受けると大理石に変わる。
4　富士山は成層火山に分類される。
5　二酸化ケイ素を多く含んでいる火山は大爆発を起こしやすい。また火砕流も起こる。

地学 03

# 地球の歴史

日付 ／

頻出度 **B**

●地球の歴史では、どの時代にどの動物、植物が繁栄していたかを問う問題が多い。
●地球の歴史では、計算問題はないので、ひたすら暗記で理解できる。理科や数学が不得意な人にとっては得点源にできる分野である。

## 1 地層　重要度 ★

### 地層の種類

□**地層累重の法則** ➡ 堆積物は下から上に重なり地層を形成する。地層が見られる場合は下の単層が古く上の単層が新しい。

□整合・不整合 ➡ 1枚1枚の単層が大きな地殻変動もなく、連続して堆積したものを整合という。この場合、層理面は平行となる。一度水中で堆積した地層が、隆起や海面低下により陸化し、風化・侵食を受け、再び沈降した上に地層が堆積する場合を不整合という。不整合面は凸凹している。

□断層 ➡ 地層が圧力や張力を受けて割れ目に沿ってずれた構造を断層という。張力によって断層面に対して上盤がずり下がるものを**正断層**といい、圧力によって断層面に対して上盤がずり上がるものを**逆断層**という。

〈整　合〉　〈不整合〉　〈正断層〉　〈逆断層〉

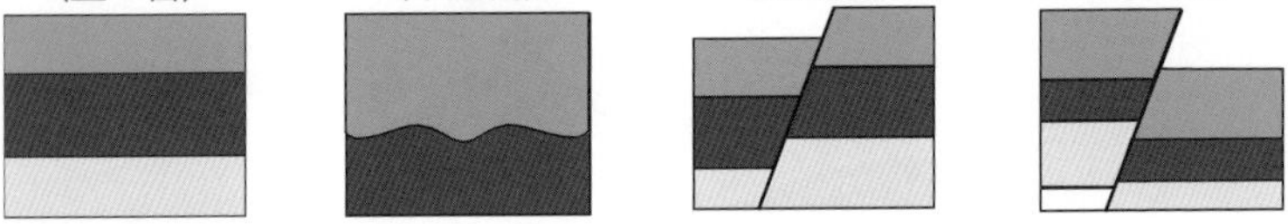

### 日本の地質

□**中央構造線** ➡ 中部地方から西の主な地層は、東西に長く帯状構造をしており、その中央に大きな断層があり西南日本を二分している。これを**中央構造線**という。

□**フォッサマグナ** ➡ 糸魚川市と静岡市を結ぶように中部日本を横断する断層を糸魚川－静岡構造線という。これより東側では西南日本のような帯状構造が見られなくなり、代わって新生代後期の地層と火山噴出物が分布する層が横断している。これを**フォッサマグナ**という。

## 2 化石　重要度 ★

### 化石の種類

□**示準化石** ➡ 地層の新旧を決定するのに役立つ化石。

□**示相化石** ➡ 化石が含まれる地層の当時の自然環境を知る手がかりになる化石。

| | |
|---|---|
| 示準化石 | 古生代：**三葉虫**(前期)・フズリナ(後期)<br>中生代：**アンモナイト・恐竜**<br>新生代：ほ乳類(デスモスチルス(第三紀)、マンモス(第四紀))、貨幣石(第三紀) |
| 示相化石 | サンゴ：温かい浅い海<br>シジミ：淡水と海水の混じる河口 |

## 3 地球の歴史　重要度 ★

### 地球の歴史

| 先カンブリア時代 | 古生代 | | | | | | 中生代 | | | 新生代 | | |
|---|---|---|---|---|---|---|---|---|---|---|---|---|
| | カンブリア紀 | オルドビス紀 | シルル紀 | デボン紀 | 石炭紀 | ペルム(二畳)紀 | 三畳(トリアス)紀 | ジュラ紀 | 白亜紀 | 第三紀 | | 第四紀 |
| | | | | | | | | | | 古第三紀 | 新第三紀 | |

△4600 △542 △251 △66 △2.6 (×100万年前)

### 繁栄した生物

| 時代区分 | キーワード |
|---|---|
| 先カンブリア時代 | 46億年前に地球誕生<br>多細胞生物が出現 |
| 古生代 | 前期……**三葉虫**(三葉虫は中～後期にも生息)<br>中～後期……**フズリナ**、**シダ**植物が栄えた |
| 中生代 | **アンモナイト**、**裸子**植物が栄えた<br>ジュラ紀……**始祖鳥**、**大型恐竜**が出現 |
| 新生代 | ほ乳類、鳥類、**被子**植物が栄えた<br>第四紀……**マンモス**、**人類**が出現 |

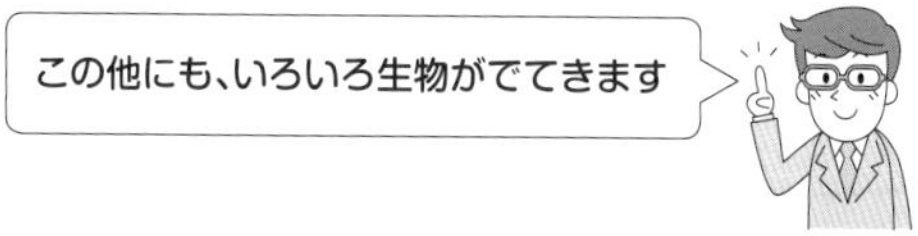

地学
# 04 大気

日付 ／

頻出度 **A**

●日本の気象、前線に関する問題が多く出題されている。
●大気の問題も暗記がメインとなる。これらの知識は地理でも使えるので、しっかりと覚えよう。

## 1 大気圏の区分

出題 長野・和歌山　重要度 ★

### 大気圏の区分

□**対流圏** ➡ 大気が対流（鉛直方向の空気の移動）し、さまざまな気象現象が起こる。100m上昇するごとに約0.65℃気温が下がる。

□**成層圏** ➡ 紫外線を吸収する**オゾン層**がある。このときの発熱反応で成層圏の気温は上昇するにつれて高くなる。

□**中間圏** ➡ 高度が上昇するほど気温が下がる。

□**熱圏**（**電離圏**） ➡ 高度が上昇するほど気温が上がる。電離層が存在し、ラジオの短波放送などに使われている。また、**オーロラ**が発生する。

□**外気圏** ➡ ドーナツ状をした２本の強放射線帯（高エネルギーの電子や陽子）が存在しており、**バン・アレン帯**という。

## 2 大気の運動

出題 長野・和歌山　重要度 ★★

### 風

□風の成因 ➡ 高気圧から低気圧へ空気が流れ込む気圧傾度力と、地球の自転による**転向力**（**コリオリの力**）という見かけの力。

□上空の風 ➡ 地表から１km以上上空で吹く風は、風と地表の間で摩擦力がはたらかないので、気圧傾度力と転向力がつり合い、等圧線と平行に風が吹く。この風を**地衡風**《ちこうふう》という。なお、地表付近では摩擦力がはたらくので等圧線と平行にはならない。

□海陸風 ➡ 海は暖まりにくく冷めにくい（これを比熱が大きいという）。逆に、陸は暖まりやすく冷めやすい（これを比熱が小さいという）。これが原因で、日中は海から風が**吹き**、夜間は陸地から風が**吹き出す**。海風と陸風の入れ替わるときには風が止む。これをなぎ（凪）という。なぎは朝と夕の２回起こり、それぞれ朝なぎ、夕なぎとよぶ。

## 高気圧と低気圧

□高気圧 ➡ 周囲より気圧の高い区域を高気圧という。高気圧の場合、北半球の地表付近では**時計回り**に風が吹き出している。高気圧では、上空で空気が収束し、下降気流が生じて地表で周囲に流れ出す。そのため、一般に天気はよくなる。

□低気圧 ➡ 周囲より気圧の低い区域を低気圧という。低気圧の場合、北半球の地表付近では、**反時計回り**に風が吹き込んでいる。低気圧では、地表に空気が収束し、上昇気流が生じるので、雲が発生し、天気は悪くなる。熱帯地方で発生する低気圧を**熱帯低気圧**といい、その他の地方で発生する低気圧を温帯低気圧という。

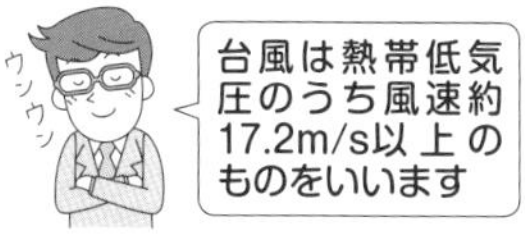


## 前線

□**温暖前線** ➡ 暖かい空気が冷たい空気の上にはい上がり、冷たい空気を押す。広い範囲で穏やかな雨を降らせる。

□**寒冷前線** ➡ 冷たい空気が暖かい空気の下に入りながら、暖かい空気を押す。狭い範囲で強い雨を降らせる。

□閉塞前線 ➡ **寒冷**前線が**温暖**前線に追いついたときにできる。

□停滞前線 ➡ 暖かい空気と冷たい空気の勢力がほぼ同じときにできる。**梅雨**前線はこれに相当する。

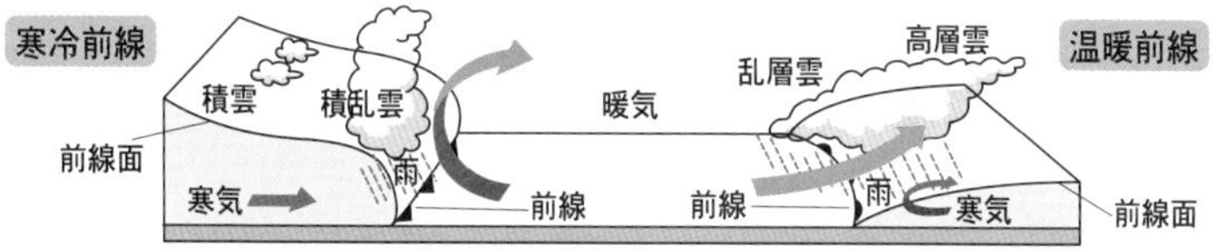


## 3 日本の天気

出題 長野・和歌山　重要度 ★★

□冬 ➡ **シベリア気団**が発達し、**西高東低**の気圧配置になる。北西の季節風が吹く。

□春 ➡ 中心が移動していく高気圧を**移動性高気圧**といい、西から低気圧と交互に日本にやってくる。

□梅雨 ➡ 北の寒冷な**オホーツク海高気圧**と、南の温暖な**小笠原高気圧**の勢力が均衡し、**停滞**前線を発生させる。これを梅雨前線という。

□夏 ➡ **小笠原高気圧**が日本全体を覆うようになると、梅雨が明け夏となる。このころは南に高気圧、北に低気圧ができる**南高北低**の気圧配置となる。

□秋 ➡ 春と同様に**移動性高気圧**と低気圧が交互に日本にやってくる。

ポイント 季節ごとに気団を覚えよう

地学

# 05 地球と宇宙

日付 ／

頻出度 A

●天体は頻出問題である。教科書の内容だけでなく、時事的なものも出題される。
●太陽系については、探査船の打ち上げなど、時事的な内容もおさえておくこと。

## 1 地球の自転・公転 （出題 富山・長野・和歌山・愛媛） 重要度 ★★★

### 地球の自転・公転の証拠

□**フーコーの振り子** ➡ 地球の自転の証拠。地球は、北極の上から見て反時計回りに回転しているために、北半球では振り子の振動面が時計回りに回転しているように見える。

□**年周視差** ➡ 公転の証拠。地球に近い恒星は、遠い恒星を背景にして1年周期で円運動または楕円運動をするように見える。

□**年周光行差** ➡ 公転の証拠。地球から恒星を観測すると、恒星からの光は実際の方向よりも前方から来るように見える。

## 2 太陽系の惑星 （出題 富山・長野・和歌山・愛媛） 重要度 ★★★

### 地球型惑星・木星型惑星

□地球型惑星 ➡ **水星**、**金星**、**地球**、**火星**のこと。主に**岩石**からできており、二酸化炭素や窒素などの薄い大気層を形成している（水星には大気はない）。密度は**大きい**が、木星型惑星に比べて半径が小さいため、質量は**小さい**。

□木星型惑星 ➡ **木星**、**土星**、**天王星**、**海王星**のこと。固体の核の周りを液状の水素や金属水素が囲み、**水素**や**ヘリウム**などの気体の厚い大気が存在する。

### 惑星の特徴

□**水星** ➡ **大気をもたず、昼と夜の温度差が非常に大きい。**

□**金星** ➡ 二酸化炭素による**温室効果**のため、表面温度は**460℃**に達する。自転方向は他の惑星の**逆**である。

□**火星** ➡ 大気は金星と同様に二酸化炭素を主成分としているが、金星に比べて非常に薄い。極地方は低温のため、二酸化炭素が固体となった**極冠**が見られる。

□**木星** ➡ 太陽系の惑星の中で**最大の大きさ**をもつ。大気の表面には、乱流、縞模様、巨大な渦である大赤斑《だいせきはん》が見られる。イオ（火山活動がある）、エウロパなど95個（2024年5月現在）の衛星が発見されている。

□**土星** ➡ 太陽系で最小の密度。大きなリング（環）が存在する（環は木星や天王星、海王星にもある）。タイタンなど146個 (2024年５月現在 ) の衛星が確認されている。

### 地球からの見え方

□内惑星 ➡ 水星と金星は**夜中**に見ることはできない。太陽から最も東側に離れたときを東方最大離角、太陽から最も西側に離れたときを西方最大離角という（東方最大離角の金星を**宵の明星**、西方最大離角の金星を**明けの明星**という）。

□外惑星 ➡ 火星などの外惑星が太陽の反対方向にあるときを**衝**、太陽と同じ方向にあるときを**合**という。衝のときに地球からは夕方から明け方にかけて（特に夜中に）見ることができる。

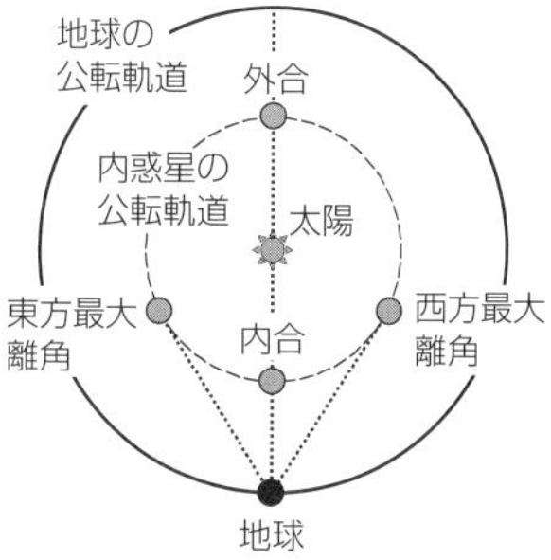


## 3 太陽

出題 富山・長野・和歌山・愛媛　重要度 ★★★

### 太陽の組成

□太陽は、太陽系の中で唯一**核融合**反応により、自分で光を放出している恒星である。

□光球 ➡ 太陽の円盤状に見える部分で、気体で構成され厚さは300～500㎞、表面温度は約**5800**Ｋである。

□黒点 ➡ 光球面に現れる黒い斑点で、温度は約**4000**Ｋで、周りより温度が低いので黒く見える。平均すると約**11**年周期でその数が増減する。これを黒点周期という。黒点数が多いときは太陽の活動が**活発**なときである。なお、黒点の移動が太陽の自転の証拠になっている。

### 太陽の大気

□**彩層** ➡ 光球に接し、淡紅色に輝いている部分。厚さ約3000㎞の層。

□**紅炎（プロミネンス）** ➡ 彩層からコロナ領域に達する、突出した赤い炎状の気体。

□**コロナ** ➡ 太陽大気の最外殻部で、温度は約200万Ｋ以上にも達する。

## 自然科学

# 一問一答 チェック!

次の（　　）にあてはまる語を答えなさい。

### 環境

**Q1** 現在、開発されている燃料電池は（　①　）と（　②　）を用いるものである。参照▶P.184

**A1** ①酸素
②水素
（順不同）

**Q2** パソコンや携帯電話機器に用いる半導体製造に欠かせない希少金属を（　①　）という。参照▶P.186

**A2** ①レアメタル

**Q3** 京都大学の山中伸弥教授が作り出した人工多能性幹細胞を（　①　）細胞という。参照▶P.186

**A3** ①ｉＰＳ

### 数学

**Q4** 6、15、35の最小公倍数を求めよ。参照▶P.188

**A4** 210

**Q5** $x+y=3$、$xy=2$のとき、$x^2+y^2$の値を求めよ。参照▶P.189

**A5** 5

**Q6** $\dfrac{2}{\sqrt{5}+\sqrt{3}}$を有理化せよ。参照▶P.189

**A6** $\sqrt{5}-\sqrt{3}$

**Q7** $x^2+x-3=0$の解を$\alpha$、$\beta$とするとき、$\alpha+\beta$の値を求めよ。参照▶P.190

**A7** $-1$

**Q8** A、Bの2人が同じ地点から同じ方向に同時に出発したところ、1時間後に2人の差は5kmになっていた。2人の速さの差はいくらか。参照▶P.192

**A8** 5km/h

**Q9** 濃度5%の食塩水300gに対して、100g分の水分を蒸発させると濃度は何%になるか。参照▶P.193

**A9** 7.5%

**Q10** $y = x^2$と$y = x + 2$の交点の距離を求めよ。 参照▶P.194

**A10** $3\sqrt{2}$

**Q11** 立方体を底面に平行に切ったとき、できる切断面を答えよ。 参照▶P.199

**A11** 正方形

**Q12** 0、1、2、3、4、5から3種類選んで3桁の整数を作ると、何通りの並べ方があるか。 参照▶P.200・201

**A12** 100通り

**Q13** 5人が円卓に並ぶとき、何通りの並び方ができるか。 参照▶P.201

**A13** 24通り

## 物理

**Q14** ばね定数が20 N／mのばねを2本並列につないだときの合成ばね定数はいくらか。 参照▶P.204

**A14** 40N/m

**Q15** 物体を押したとき、その物体が静止しているならば、摩擦力は（　①　）。 参照▶P.205

**A15** ①増加する

**Q16** 動滑車で物体を持ち上げると、加える力は（　①　）、引っ張るひもの長さは（　②　）になる。 参照▶P.206

**A16** ①半分
②倍

**Q17** 物体を自由落下させたとき、3秒後の物体の速さはいくらか。（重力加速度を$9.8\text{m}/\text{s}^2$とする） 参照▶P.207

**A17** 29.4m/s

**Q18** 小球を地上5mの高さから自由落下させたとき、地表に着く直前の小球の速さはいくらか。（重力加速度を$10\text{m}/\text{s}^2$とする） 参照▶P.207

**A18** 10m/s

**Q19** 1気圧の下で水の凝固点を0℃、沸点を100℃として100等分した温度の測り方を（　①　）温度という。 参照▶P.209

**A19** ①セルシウス

**Q20** 光波は（　①　）波、音波は（　②　）波である。 参照▶P.210

**A20** ①横
②縦

**Q21** 光が屈折率の（　①　）媒質から（　②　）媒質に入射するときは全反射を起こすことがある。参照▶P.210

**A21** ①大きい
②小さい

**Q22** 導線の抵抗は、導線の長さに（　①　）し、断面積に（　②　）する。参照▶P.212

**A22** ①比例
②反比例

**Q23** 電力が 40 Wの電球に 100 Vの電圧をかけたとき、流れる電流はいくらか。参照▶P.213

**A23** 0.4A
P=IV

## 化学

**Q24** 水は（　①　）、金は（　②　）に分類される。参照▶P.214

**A24** ①化合物
②単体

**Q25** イオン結合は（　①　）という力で結合している。参照▶P.215

**A25** ①静電気力
クーロン力でも可

**Q26** 気体から液体にならずに固体になることを（　①　）という。参照▶P.216

**A26** ①凝華

**Q27** （　①　）コロイドに（　②　）量の電解質を加えると、（　①　）コロイドは沈殿する。これを塩析という。参照▶P.217

**A27** ①親水
②多

**Q28** 酢酸は（　①　）価の（　②　）酸である。参照▶P.219

**A28** ①1
②弱

**Q29** 酸性の物質はリトマス試験紙を（　①　）色から（　②　）色に変える。参照▶P.219

**A29** ①青
②赤

**Q30** 物質から電子が放出されると、その物質は（　①　）したことになる。参照▶P.220

**A30** ①酸化

**Q31** 鉄のイオン化傾向は金より（　①　）、カルシウムより（　②　）。参照▶P.221

**A31** ①大きく
②小さい

**Q32** 1番軽い気体は（　①　）で、2番目は（　②　）である。 参照▶ P.222

**A32** ①水素
②ヘリウム

**Q33** 石灰水に（　①　）を通ずると石灰水が白濁する。 参照▶ P.223

**A33** ①二酸化炭素

## 生物

**Q34** （　①　）でタンパク質の合成を行う。 参照▶ P.224

**A34** ①リボソーム

**Q35** 細胞壁は（　①　）細胞にあって（　②　）細胞にない。 参照▶ P.225

**A35** ①植物
②動物

**Q36** 減数分裂を行うと、染色体の数は（　①　）。 参照▶ P.226

**A36** ①半減する

**Q37** 紡錘体が形成されるのは、分裂期の（　①　）期である。参照▶ P.226

**A37** ①中

**Q38** 植物は葉緑体の（　①　）で光を吸収する。 参照▶ P.228

**A38** ①クロロフィル

**Q39** 酸素がないとき、酵母菌はアルコール発酵を行い、（　①　）と（　②　）を放出する。 参照▶ P.229

**A39** ①エタノール
②二酸化炭素
（順不同）

**Q40** 肺静脈に含まれる酸素の量は（　①　）。 参照▶ P.230

**A40** ①多い

**Q41** B細胞は（　①　）性免疫、キラーT細胞は（　②　）性免疫に関わる。 参照▶ P.231

**A41** ①体液
②細胞

**Q42** かん体細胞、錐体細胞のうち、色彩を認識できるのは（　①　）細胞である。 参照▶ P.232

**A42** ①錐体

**Q43** 視床下部があるのは（　①　）脳である。参照▶P.232

**A43** ①間

## 地学

**Q44** P波、S波のうち、初期微動を引き起こすのは（　①　）波で、横波なのは（　②　）波である。参照▶P.234

**A44** ①P
②S

**Q45** マグニチュードが1大きくなるとエネルギーは約（　①　）倍になる。参照▶P.234

**A45** ①32

**Q46** 玄武岩、花こう岩のうち、二酸化ケイ素を多く含むのは（　①　）岩で、地表で急速に固まったのは（　②　）岩である。参照▶P.236

**A46** ①花こう
②玄武

**Q47** 大爆発や陥没によってできる火山の窪地を（　①　）という。参照▶P.237

**A47** ①カルデラ

**Q48** 時代を特定するのに役立つ化石を（　①　）化石という。参照▶P.239

**A48** ①示準

**Q49** アンモナイトは（　①　）、三葉虫は（　②　）に生息した。参照▶P.239

**A49** ①中生代
②古生代

**Q50** 大気圏の中で、オゾン層があるのは（　①　）で、気象現象が発生するのは（　②　）である。参照▶P.240

**A50** ①成層圏
②対流圏

**Q51** 温暖前線、寒冷前線のうち、広範囲にわたって穏やかな雨を降らせるのは（　①　）前線である。参照▶P.241

**A51** ①温暖

**Q52** フーコーの振り子は地球の（　①　）の証拠になる。参照▶P.242

**A52** ①自転

**Q53** 火星は（　①　）型惑星に分類できる。火星を夜中に見ることは（　②　）。参照▶P.242

**A53** ①地球
②できる

# 本試験対策

## 実力チェック問題

- 自然科学
- 社会科学
- 人文科学

「実力チェック問題」は、各自治体で出題される本試験の対策用に作られています。

※各自治体によって出題形式や出題傾向は異なります。

# 人文科学

※解答 P.277

## 《国　語》

**1** **次の①〜⑩の下線について、漢字はひらがなに、カタカナは漢字に改めよ。**

①嚆矢　②奥義　③猛者　④拘泥　⑤読経

⑥体力をショウモウする。

⑦イサギヨい態度をとる。

⑧現実とカイリした理想を抱く。

⑨その分野にツウギョウした人に聞く。

⑩物語のコウガイを調べる。

**2** **次の四字熟語の空欄に適切な漢字１字を入れ、その意味を答えよ。**

①羊□狗□　②□越同□　③傍若□□　④付□□同　⑤五里□□

**3** **次の単語の品詞と、活用のあるものはその活用の種類を答えよ。**

①読む　②静かだ　③そして　④来る　⑤早い

**4** **次の語の尊敬語と謙譲語を答えよ。**

①言ふ　②聞く　③与ふ　④行く

**5** **次の文章の空欄に入る適語を答えよ。**

『古事記』は、( ① )が暗唱していた帝紀や旧辞を( ② )が筆録したもので、ヤマト政権の( ③ )を明らかにする目的をもって作成された。一方、( ④ )らが編纂した『日本書紀』は、純粋な漢文体で書かれており、中国等に対する日本の( ⑤ )を目的としたものであった。

**6** **『万葉集』についての解説のうち、正しいものは次の①〜⑤のうちのどれか答えよ。**

① 『万葉集』は日本で最古の勅撰和歌集である。

② 『万葉集』には長歌と短歌のみが収録されている。

③ 『万葉集』の歌は「たをやめ」と呼ばれる男性的なものが多い。

④ 『万葉集』には約4500首の和歌が収録されている。

⑤ 『万葉集』は七五調の歌が多い。

## 7 平安時代の物語について、誤っているのは次の①～⑤のうちのどれか答えよ。

① 『竹取物語』は現存する最古の作り物語とされている。

② 『伊勢物語』は在原業平が著した最古の歌物語である。

③ 『栄華物語』は摂関時代を懐古した歴史物語の最初の作品である。

④ 『源氏物語』は紫式部の手による帝４代70余年に及ぶ物語である。

⑤ 『今昔物語集』はインド・中国・日本の説話を収めた説話集である。

## 8 『源氏物語』についての次の解説文の空欄に適語を入れよ。

『源氏物語』は（ ① ）天皇の中宮（ ② ）に使えた女房・紫式部が、（ ③ ）世紀初頭に著した完成された作品としては世界最古ということもできる長編物語で、全（ ④ ）帖に及ぶ全巻は、主人公（ ⑤ ）の誕生からその栄華を描いた第１部、晩年から死までを描いた第２部、主人公の子（ ⑥ ）の失望と憂慮を描く第３部とに区分され、特に第３部はその舞台となった地名を冠して「（ ⑦ ）」とも称されるが、その全体を貫いているのは（ ⑧ ）の理念である。

## 9 次の各文はそれぞれ誤りを含んでいる。その誤りを指摘し、正しく改めよ。

① 『土佐日記』は紀貫之が女性に仮託した日本で最初の日記である。

② 『更級日記』は藤原道綱の母による女流日記文学作品である。

③ 『枕草子』は清少納言による物語で全編を「をかし」の理念が流れる。

④ 『古今和歌集』には紀貫之による「真名序」が収載されている。

⑤ 軍記物語は武将の活躍を描くもので鎌倉時代初期に成立した。

⑥ 個人の歌集を私家集といい、西行の『曽丹集』などが有名である。

## 10 『平家物語』についての解説文のうち、正しいのは次の①～⑤のうちのどれか答えよ。

① 『平家物語』は14世紀初めに成立した軍記物語である。

② 『平家物語』は平清盛の一代記となっている。

③ 『平家物語』は琵琶法師が謡曲として謡ったものである。

④ 『平家物語』の作者は藤原定家とされてきたが、疑問視されている。

⑤ 『平家物語』を貫いているのは仏教的無常観である。

### 11 『徒然草』についての正しい解説となっているものを、次のA～Iからすべて挙げよ。

A　作者は吉田兼好である。　B　鎌倉時代初期に成立した。

C　日本で最古の随筆である。　D　作者は鴨長明である。

E　『枕草子』などとともに三大随筆の一つとされる。

F　仏教的無常観が流れる。　G　教訓話が多く含まれる。

H　鎌倉時代末期の成立である。　I　全5巻から成る。

### 12 江戸時代の戯作について、次の空欄に適語を入れよ。

江戸時代初期には室町時代の(　①　)の流れをくむ(　②　)が誕生したが、元禄期に入ると本格的な戯作が作られるようになった。その第一人者となったのが(　③　)であり、彼は好色物と呼ばれる『好色一代男』や、(　④　)と呼ばれる『日本永代蔵』『(　⑤　)』のほか、武家物と呼ばれる『武家(　⑥　)』などを著したが、こうした作品を総称して(　⑦　)という。それから100年ほど後には、上方を中心として本格的なストーリー展開を見せる(　⑧　)が流行し、(　⑨　)の「白峰」などの怪奇物語9編から成る『(　⑩　)』などが作られた。その後(　⑧　)の流行は江戸に移り、(　⑪　)が28年かけて完成させた全106冊から成る『(　⑫　)』などが残された。戯作にはこの他に通俗的な絵入り物語で、(　⑬　)の『金々先生栄花夢』を代表とする(　⑭　)や、寛政の改革で弾圧を受けた(　⑮　)の『通言総籬』などの(　⑯　)、会話をいかした笑いを主眼とする(　⑰　)などのジャンルがある。

### 13 松尾芭蕉に関する次の文章の空欄に適語を入れよ。

松尾芭蕉は、初め松永貞徳の(　①　)に属していたが、後、(　②　)の談林派に移り、ここからも程なく離れ、本格的に独自の俳諧の道を歩むようになった。その句風はやがて(　③　)と呼ばれ、風雅を極め芸術性の高いものであったが、そこには閑寂な風致である「(　④　)」「さび」などが盛り込まれていた。芭蕉の俳諧集をまとめて『(　⑤　)』というが、それには最高の円熟期の句集である『(　⑥　)』が含まれている。また、芭蕉はよく旅をし、最高の紀行文としての『(　⑦　)』が名高い。芭蕉の後、『新花摘』の(　⑧　)や、信濃で郷土色豊かな生活句を多く詠み、代表句集に『(　⑨　)』がある(　⑩　)もいる。

### 14 明治期の文学についての記述のうち、正しいものは、次の①～⑤のうちのどれか答えよ。

①　近代文学の始まりは坪内逍遥の『小説神髄』によるともいえるが、その評

論で逍遙が紹介したのは浪漫主義であった。

② 紅露時代といわれるひと時代を築いた尾崎紅葉と幸田露伴であるが、紅葉は理想に燃える男性を描くことに優れ、『金色夜叉』を残した。

③ フランスのエミール＝ゾラの影響を受けた自然主義は、日本では島崎藤村『破戒』や田山花袋『蒲団』によって大きく変質したものとなった。

④ 日本風の自然主義に反発したのが夏目漱石達であるが、漱石には初期三部作といわれる『それから』『門』『こゝろ』がある。

⑤ 森鷗外は軍医としてのドイツ留学によって日本に写実主義を紹介したが、『舞姫』などを書いた帰国直後以降は小説を書くことはなかった。

**15** **次の大正期の文学に関する文章の空欄に適語を入れよ。**

大正期には、明治末期に創刊された雑誌に拠ったことから「（ ① ）派」と呼ばれ、温泉での療養中の見聞などを描いた『（ ② ）』の（ ③ ）などがいたが、なんといっても大きな足跡を残したのは芥川龍之介であった。彼は学生時代に、処女作ともいえる暇を出された一人の下人を主人公にした『（ ④ ）』の後、同じく中古の説話に題材を採った『（ ⑤ ）』が夏目漱石に激賞されるという幸運に恵まれ、一躍、文壇に躍り出た。その後、優れた短編小説を多く書いたが、健康を害したことから精神も病み、精神病患者を主人公にして当時の日本社会、あるいは人間社会そのものを風刺したといえる『（ ⑥ ）』などを残して自殺した。芥川達は、芥川の友人で、『文藝春秋』を創刊し、後に芥川賞などを創設した（ ⑦ ）などを含めて、彼らが復刊した雑誌の名に因んで「（ ⑧ ）派」とも、あるいはその現実の捉え方の特質によって「（ ⑨ ）主義」とも呼ばれる。

**16** **次の説明文に該当する文芸思潮をそれぞれ答えよ。**

A 社会主義革命のための意識改革を図ることを目的とする文学で、「種蒔く人」の創刊によって本格的な活動が始まった。

B モダニズム文学の一派で、『文芸時代』を拠点として文学の革命を志したが、運動そのものは２年余りで終焉した。

**17** **次のA群・作家、B群・作品、C群・キーワードを適切に組み合わせよ。**

A群：①太宰治　②野間宏　③三島由紀夫　④遠藤周作

B群：**ア**「沈黙」　**イ**「豊饒の海」　**ウ**「斜陽」　**エ**「真空地帯」

C群：**a** 第２次戦後派　**b** 第三の新人　**c** 第１次戦後派　**d** 無頼派

**18** 次の19世紀以降の外国文学について、作者－作品－国、という組み合わせを作る時、それぞれの空欄に入る適語を答えよ。なお、作品は後の語群から選ぶものとする。

1　（　①　）－『罪と罰』－（　②　）

2　フローベール－（　③　）－（　④　）

3　（　⑤　）－『女の一生』－フランス

4　ディケンズ－（　⑥　）－（　⑦　）

5　サルトル－（　⑧　）－フランス

| | | | | |
|---|---|---|---|---|
| 赤と黒 | 二都物語 | 戦争と平和 | 白痴 | ボヴァリー夫人 |
| 人形の家 | 嘔吐 | 嵐が丘 | ルーゴン＝マッカール叢書 | |

# 《英　語》

**19** ①～④の（　　）内から適切な語を選び、記号で答えよ。

① His pronunciation is far (ア with イ from ウ of エ out) perfect.

② Young ( ア as イ when ウ if エ what) he is, he is a very reliable man.

③ To know is one thing, and to teach is ( ア another イ either ウ other エ the other).

④ Sorry, I overslept. My clock didn' t go ( ア out イ with ウ off エ for) this morning.

**20** ①～④の英文の返答として最も適切な文を解答群からそれぞれ選べ。

① Shall we go out for a walk?

② Sorry I am late, but I got caught in a traffic jam.

③ Could you show me how to use this computer?

④ Would you mind my opening the window?

【解答群】ア Yes, let' s. イ With pleasure. ウ You' re welcome.
エ Yes, please. オ That' s all right. カ Of course not.

**21** ①～④の（　　）内の語を適切な形に直せ。

① All of us were (excite) with the result of the experiment.

② Jane considered (major) in French literature, but decided on linguistics.

③ She kept waiting with her eyes (close).

④ New experiences make life more (interest).

**22** **①～③のことわざの意味をあらわす最も適切な英語のことわざを、次のア～オから選べ。**

① 好機逸すべからず
② 去る者は日々に疎し
③ 三つ子の魂百まで

**ア** Out of sight, out of mind.
**イ** Strike the iron while it is hot.
**ウ** Make haste slowly.
**エ** Two heads are better than one.
**オ** A leopard cannot change his spots.

**23** **①～③の各組の(　　)内に、意味が通るように共通の単語を入れよ。**

① What he said didn' t (　　　) sense.
It doesn' t (　　　) any difference.

② (　　　) this medicine and you will get well soon.
(　　　) your time. We' re not in a hurry.

③ She will (　　　) a company at the city center.
I didn' t want Tom to (　　　) a risk.

**24** **次の日本文に合う英文になるように(　　)内の語を並べ替えよ。**

① その計画については別に反対はないでしょう。
There will be (said, nothing, be, to) against the plan.

② はたで見るほど決して楽ではありません。
It is (no, means, by) so easy as it seems.

③ 少し考えればおわかりでしょうが、その試みは危険です。
(little, a, tell, will, consideration, you) that the attempt is dangerous.

# 《日本史》

**25** **次の大和時代に関する記述について、空欄に適切な語句を入れよ。**

推古天皇が擁立されると、甥の( ① )は摂政となり、門閥によらない人材登用制度である( ② )を採用し、役人の心構えを示した( ③ )を制定した。さらに小野妹子らを( ④ )として派遣し、大陸の政治や文化の摂取に努力した。

## 26 わが国の土地制度の記述について、最も妥当なものは、次の①～⑤のうちのどれか答えよ。

① 班田収授法に対する不満から農民一揆が続発したので、聖武天皇は墾田永年私財法を発布した。

② 国司による不当な課税に対し、開発領主は有力な貴族や寺社に土地を寄進して保護を求めた。その結果、寄進地系荘園が生まれた。

③ 6歳以上の男子のみに口分田を貸し与えていたが、三世一身法が発布され、女子にも貸し与えられるようになった。

④ 豊臣秀吉による太閤検地によって、諸大名が地方の荘園を管理するようになった。

⑤ 明治政府は地租改正を行い、小作農にも土地を与え、封建的な寄生地主制を廃止した。

## 27 執権政治に関する記述について、空欄に入る語句を下から記号で選べ。

執権（ ① ）は承久の乱後、朝廷の監視を強化するため（ ② ）をおいた。執権（ ③ ）は執権の補佐役として連署と（ ④ ）を設置し、武士の成文法である（ ⑤ ）を制定した。執権（ ⑥ ）の治世に2度にわたる（ ⑦ ）が起きたが、その結果、（ ⑧ ）の生活が窮乏し、執権（ ⑨ ）は（ ⑩ ）を発布したが、うまくいかなかった。

**ア** 蒙古襲来　**イ** 武家諸法度　**ウ** 北条時宗　**エ** 北条泰時
**オ** 倭寇　**カ** 京都守護　**キ** 北条義時　**ク** 六波羅探題
**ケ** 御成敗式目　**コ** 北条貞時　**サ** 評定衆　**シ** 引付衆
**ス** 御家人　**セ** 旗本　**ソ** 永仁の徳政令　**タ** 棄捐令

## 28 2つの歌について、次の問いに答えよ。

**ア** 天の原　ふりさけみれば　春日なる　三笠の山に　いでし月かも
**イ** この世をば　わが世とぞ思ふ　望月の　欠けたることも　なしと思へば

**1** アとイの歌の作者を答えよ。

**2** アの歌の作者が活躍していた時代の文化として正しいものを選べ。

① 千利休が茶道を大成した。　② 慈照寺銀閣が建立された。
③ 東大寺に大仏が造られた。　④ 仏教と儒教が伝来した。
⑤ 薬師寺東塔が建立された。

**3** イの歌は何を象徴しているのか。政治面から説明せよ。

### 29 参勤交代について、次の問いに答えよ。

① 参勤交代を制度化した人物名を答えよ。

② この制度の目的を簡単に述べよ。

### 30 近代の政治・外交について、空欄に適切な語句を入れよ。

1 板垣退助は（ ① ）を、大隈重信は（ ② ）を結成して自由民権運動を推進した。

2 （ ③ ）を契機に、朝鮮にとって不平等な（ ④ ）が締結された。

3 条約改正交渉の結果、1894年に（ ⑤ ）の撤廃と（ ⑥ ）の一部回復に成功した。

4 寺内正毅内閣は（ ⑦ ）が原因で総辞職し、初めての本格的な政党内閣である（ ⑧ ）内閣が発足した。

5 1910年、日本は、韓国を併合し、国名を（ ⑨ ）と改称し、統監府に代わり（ ⑩ ）を設置した。

### 31 次の事件や出来事に関連ある事項を選べ。

① 満州事変

**ア** 張作霖爆殺事件　**イ** 盧溝橋事件　**ウ** 柳条湖事件

② 日本の国際連合加盟

**ア** 日ソ共同宣言　**イ** 日米共同声明　**ウ** 日中共同声明

## 《世界史》

### 32 古代ローマについて、空欄に適切な語句を入れよ。

貴族の共和政を経て、貴族と平民の平等が達成された。平民の権利を守る役人である（ ① ）、平民の権利を守る議会である（ ② ）、平民の権利を守るための成文法である（ ③ ）などが創設された。（ ④ ）戦争後、社会は混乱したが、やがて2回にわたる（ ⑤ ）政治が行われた。（ ⑥ ）は、アントニウスを倒し、元首政を始めた。（ ⑦ ）帝の時代にローマ帝国の領域は最大となった。

### 33 次の中国の王朝について、関連ある語句を次のア～ウから選べ。

① 周（**ア** 封建制　**イ** 郡県制　**ウ** 郡国制）

② 後漢(**ア** 紅巾の乱 **イ** 安史の乱 **ウ** 黄巾の乱)
③ 隋(**ア** 科挙 **イ** 焚書坑儒 **ウ** 殿試)
④ 唐(**ア** 駅伝制 **イ** 府兵制 **ウ** 里甲制)
⑤ 清(**ア** ウイグル族 **イ** モンゴル族 **ウ** 満州族)

### 34 十字軍の遠征について、次の問いに答えよ。

① 遠征を決定した教皇の名と宗教会議の名称を述べよ。
② 遠征は失敗に終わったが、その結果、中世ヨーロッパ社会はどのように変容したか。「ローマ教皇」「東方貿易」という語句を使って説明せよ。
③ 遠征後、14世紀に北イタリアを中心に起こった文化運動は何か述べよ。

### 35 絶対王政について、空欄に適切な語句を入れよ。

スペインの( ① )は( ② )を併合して「太陽が沈まない帝国」を樹立。オスマン帝国を( ③ )の海戦で破り、制海権を掌握した。しかし、( ④ )の独立を支援したイギリスがスペインを打ち破り、制海権を握った。イギリスは( ⑤ )の治世が全盛期で、( ⑥ )会社に特許状を与え、海外進出を展開した。一方、フランスの( ⑦ )は( ⑧ )を財務長官に採用し、絶対王政を行ったが、( ⑨ )の造営や侵略戦争を行ったため、財政難に陥っていった。

### 36 アメリカ独立革命について、次の問いに答えよ。

**1** 「代表なくして課税なし」というスローガンで反対され、撤回となった法令は何か述べよ。
**2** 独立宣言の起草文を書いたのは誰か。また、それは誰の思想の影響を受けているのか述べよ。
**3** なぜアメリカは独立を達成できたのか。独立革命当時の国際情勢から考えて述べよ。

### 37 19世紀の世界の情勢について、空欄に適切な語句を入れよ。

**1** ドイツの宰相( ① )の外交政策は、イタリア、オーストリアと( ② )を結ぶなど、( ③ )を封じ込める目的であった。
**2** インドでは、( ④ )が植民地化を進めていたが、傭兵の反乱である( ⑤ )が起き、これを鎮圧して( ⑥ )を滅ぼし、インドを直轄地とした。
**3** ( ⑦ )からバグダード鉄道敷設権を得た( ⑧ )は、バグダードなど、3つの都市を結ぶ( ⑨ )政策を推進した。これに対し、( ⑩ )はカイロなどの3つの都市を結ぶ( ⑪ )政策を行った。

## 38 2つの世界大戦について、次の問いに答えよ。

① 第1次世界大戦勃発の契機となった事件は何か述べよ。
② 当初、中立を守っていたが、1917年に参戦した国はどこか述べよ。
③ なぜヒトラーが独裁政権を確立できたのか、簡単に述べよ。
④ 世界恐慌前にファシズム政権を確立したのはどの国か述べよ。
⑤ 第2次世界大戦勃発の契機となった事件は何か述べよ。

## 39 戦後の世界について、空欄に適切な語句を入れよ。

冷戦体制が生まれたきっかけは、( ① )＝ドクトリンと( ② )＝プランである。1950年、東アジアでは( ③ )が勃発し、緊張が高まったが、ソ連の( ④ )の逝去を契機に、一旦、冷戦体制は緩和された。( ⑤ )危機後、緊張緩和となったが、ソ連と( ⑥ )が対立し、フランスが欧米で初めて( ⑥ )を承認した。80年代に入ると、社会主義国で( ⑦ )運動が多発し、1989年12月には、( ⑧ )が行われ、ついに冷戦体制は終結した。

# 《地　理》

## 40 地球について述べたもので誤っているものを、次の①～④から1つ選べ。

① 地球の海と陸の比はおよそ7：3である。
② 地表の水の約6割は海で、その他は氷河や湖や河川などにある。
③ 北極圏や南極圏では白夜や極夜が見られる。
④ 地球で最も高いエベレスト頂上と最も深いチャレンジャー海淵の差は約2万ｍである。

## 41 世界の主な気候について述べた内容にあてはまる気候を、ケッペンの気候区分であらわせ。

① 地中海沿岸やカリフォルニア州に分布し、夏乾燥し、冬は湿潤で比較的温暖な気候。柑橘類やブドウなどの栽培に特徴がある。
② 最寒月平均気温が18℃より下がらない気候で、雨季と乾季がはっきりした気候。雨林は育たない。
③ ユーラシア大陸や北アメリカ大陸北部に広く分布する気候で、タイガが

育ち、林業が発達している。

④　砂漠の周辺に発達する気候で、短い雨季には短草草原が広がり、遊牧や小麦栽培などが行われることもある。

⑤　南極大陸の大半、グリーンランド内陸部に広がる気候で、最暖月の平均気温が0℃を上回ることはない。

### 42 それぞれの地形が見られる地名で①～⑤の中にあてはまるものがないのはどれか。

1　三角州

2　扇状地

3　エスチュアリー(三角江)

4　カルスト地形

5　フィヨルド海岸

(選択肢)

①　チリ南部　　②　甲府盆地　　③　ナイル川河口

④　イベリア半島西部　　⑤　テムズ川河口

### 43 それぞれの農業はどこの国で行われているか、国名を書け。

①　首都周辺のパンパでの小麦栽培や畜産業が発達。

②　首都を中心に広がるケスタ地形を利用して、西ヨーロッパを代表する穀物輸出国に発展。

③　大農場ファゼンダを利用してのコーヒー栽培から、大豆やトウモロコシなどの栽培へと発展。

④　ドイモイ政策で輸出農作物栽培に力を入れた結果、コーヒーや米の栽培がさかんになった。

⑤　国全体が西岸海洋性気候で、牧羊のほか、混合農業やキウイフルーツなどの果物栽培もさかん。

### 44 発電に関するそれぞれの文の下線部の正誤を判断せよ。

①　中国はアジア最大の発電量で、石炭による発電がさかんである。

②　アメリカ合衆国の発電量の約半分は原子力発電である。

③　フランスは発電量の7割近くが原子力発電による。

④　日本は発電量の約３割が水力発電による。

⑤　カナダは発電量の８割が火力発電による。

## 45 世界の宗教について述べた文の(　)に適切な言葉を入れよ。

世界にはさまざまな宗教が存在するが、現在、信者の数が急速に増えているのがイスラム教である。多数派はスンニ派であるが、イランやイラクに多くの信者をもつのが(　A　)派である。

インドは仏教の聖地ブッダガヤが存在するが、現在では人口の８割が(　B　)教信者で、この宗教は牛を神聖なものとする。また、職業と結びついた(　C　)と呼ばれる身分制度が社会的に存在してきたが、急速な近代化で都市部では次第に薄れつつある。

2500年の歴史をもつ仏教は、東南アジアを中心にさかんな上座部仏教、日本など東アジアに信者の多い(　D　)仏教に分類することが多いが、チベットを中心に信者の多いラマ教も仏教の一部をなす。

世界の中で宗教指導者が国家元首を務める国が(　E　)で、イタリアの首都ローマに存在する。元首は世界に住む10億人を超えるカトリック教徒の最高指導者である。

## 46 国境に関する記述で、正しいものは次の１～５のうちのどれか答えよ。

1　アメリカ合衆国本土とカナダとの国境線には北緯50度の直線が用いられているところがある。

2　アルゼンチンとブラジルの国境線にはアンデス山脈の稜線が利用されている。

3　ドナウ川はドイツとポーランドの国境に利用されている。

4　北朝鮮と中国の国境には北緯38度の直線が利用されている。

5　ヴィクトリア湖は、ケニア、タンザニア、ウガンダの国境に利用されている。

## 47 それぞれの国際機関を例にならって書け。

例：国際連合　⇒　ＵＮ

①　東南アジア諸国連合

②　国連児童基金

③　国際原子力機関

④　北大西洋条約機構

⑤　石油輸出国機構

## 48 地形図について述べた文①～⑤の正誤をそれぞれ答えよ。

① 国土地理院が発行する5万分の1と2万5千分の1の地形図は実測図である。

② 地形図はユニバーサル横メルカトル図法により作成されている。

③ 2万5千分の1の地形図では等高線で、5万分の1の地形図では等高線とボカシを併用して土地の高低や地形状況があらわされている。

④ 計曲線は2万5千分の1の地形図でも、5万分の1の地形図でも100mごとに引かれる閉曲線である。

⑤ 地形図では窪地や陥没地をあらわすことはできない。

## 49 それぞれの言葉を30字程度で説明せよ。

① ナショナルトラスト

② ヒートアイランド現象

③ バイオマス発電

④ エルニーニョ現象

## 50 東南アジアの地図を見て、それぞれの国の特徴について述べた文で正しいものを、次の①～⑤から選べ。

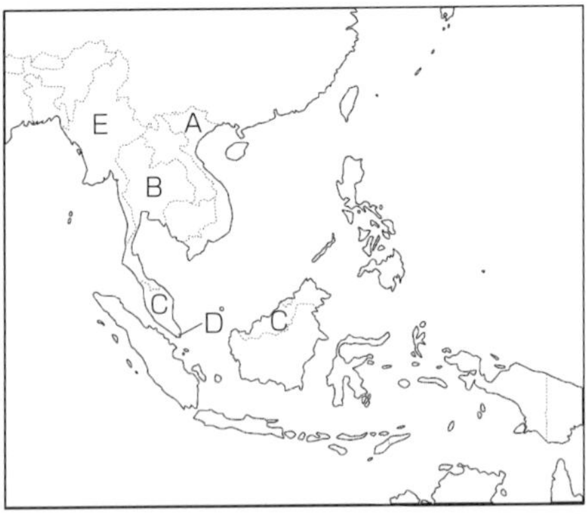


① A国は旧フランス植民地で、農業や軽工業のほかに観光もさかんである。

② B国は旧イギリス植民地で、鉱物資源に恵まれている。

③ C国は第2次世界大戦中も独立を維持し、仏教がさかんである。

④ D国は旧フランス植民地で、工業と観光が経済を支えている。

⑤ E国は旧オランダ植民地で、世界的な米輸出国である。

## 51 それぞれの説明文に当てはまる国名を例にならって答えよ。

例　首都カイロ　⇒　エジプト

① ギニア湾に面したアフリカ最大の人口を有する産油国。

② ギニア湾入口に位置するアメリカ解放奴隷によるアフリカ最古の黒人共和国。

③ インド洋上の島国で面積は日本の1.5倍以上。バニラ栽培は世界的。

④ 2011年に生まれたアフリカの新しい国で首都はジュバ。

⑤ 高原の国で首都ナイロビ。コーヒー栽培などがさかん。

## 52 それぞれの文があらわす都市名を答えよ。

① スイス西端の国際都市で、国際赤十字本部など重要な国際機関の本部が多数ある。

② ドナウ川中流にあるオーストリアの首都で、世界遺産のシェーンブルグ宮殿がある。

③ かつてレニングラードと呼ばれたロシアの港湾都市で、帝政時代の首都がおかれていた。

④ スペインのカタルーニャ地方を代表する都市で、ガウディーによる世界遺産のグエル邸がある。

## 53 次の都道府県の中で世界遺産がないところはどこか、次の①～⑤のうちのどれか答えよ。

① 島根県

② 富山県

③ 宮城県

④ 秋田県

⑤ 北海道

## 54 日本の自然や地形について述べた文①～⑤の正誤をそれぞれ答えよ。

① 国土面積の約7割が山地や丘陵で、耕地率は12%弱と少ない。

② 日本のほぼ中央部にあるフォッサマグナ（大断層帯）は、太平洋プレートとユーラシアプレートが接するところにある。

③ 国土の東端と西端では約2時間の時差がある。

④ 国土の全体が温帯気候に属し、比較的温暖である。

⑤　北海道や東北地方は太平洋側は夏高温になるが、日本海側は夏に低温で、「やませ」の影響も大きい。

## 《思　想》

**55** **西洋思想に関する記述のうち、最も妥当なものを次の①～⑤のうちどれか答えよ。**

①　プラトンは世界をイデア界と現象界に二分する二元論を唱えたが、アリストテレスはそれを批判して、それにエイドスを加えた本質論を唱えた。

②　カントはイギリス経験論とドイツ観念論とをコペルニクス的転回によって統合して大陸合理論を成立させた。

③　「実存は本質に先立つ」と唱えたハイデガーは無神論的実存主義者の代表格で、主著に『存在と無』がある。

④　ルソーは社会契約の方法として、直接民主制によって一般意志を実現し、政府はその一般意志の執行機関であるとした。

⑤　イギリス経験論の開祖とされるベーコンは、４つのイドラの排除によって人間は正しい認識を得るとし、その方法として演繹法を唱えた。

**56** **中国の思想家に関する次の文章の空欄に適語を入れよ。**

「仁」とその「仁」が外にあらわれて規範化した「（ ① ）」とに重きをおき、有徳の君子が国を治める（ ② ）を理想として唱えた（ ③ ）や、人の本性について（ ④ ）を唱え、「仁」「（ ⑤ ）」の道を説いた（ ⑥ ）などを総称して（ ⑦ ）という。これに対して、諸物をあるがままに受け入れる（ ⑧ ）の道を唱えた（ ⑨ ）を始祖として、荘子などを含めて（ ⑩ ）という。

**57** **日本の仏教および思想に関連する次の各組の組み合わせのうち、誤った組み合わせを含んでいるものを指摘せよ。**

1　①栄西－臨済宗　②本居宣長－国学　③内村鑑三－２つのＪ
2　①法然－専修念仏　②林羅山－朱子学　③西田幾多郎－純粋経験
3　①親鸞－浄土宗　②伊藤仁斎－古義学　③福沢諭吉－天賦人権論
4　①最澄－天台宗　②二宮尊徳－報徳思想　③和辻哲郎－間柄的存在
5　①道元－曹洞宗　②石田梅岩－石門心学　③中江兆民－恢復的民権

# 《芸　術》

## 58 次のルネサンス絵画と画家を正しく組み合わせよ。

1　ヴィーナスの誕生
2　最後の審判
3　雪中の狩人
4　アテネの学堂
5　最後の晩餐

①　ミケランジェロ　　②　ボッティチェリ　　③　ダ゠ヴィンチ
④　ラファエロ　　⑤　ブリューゲル

## 59 近代西洋美術について、空欄に適切な語句を入れよ。

19世紀のフランスでは、光と色彩を重視した（ ① ）主義絵画が生まれた。『睡蓮』のモネ、『笛を吹く少年』の（ ② ）などが代表的な画家である。彼らは日本の（ ③ ）の影響も受けている。一方、『水浴』の作者（ ④ ）や「炎の画家」と称された（ ⑤ ）は強烈な個性を発揮した。彼らは（ ⑥ ）主義の画家と呼ばれている。

## 60 バロック美術について、次の問いに答えよ。

①　「光の画家」と呼ばれ、明暗法に優れた画家は誰か。
②　オランダの風俗画家で、『牛乳を注ぐ女』を描いたのは誰か。
③　「鏡の間」などで知られるフランスのバロック建築物は何か。

## 61 近代日本美術について、空欄に適切な語句を入れよ。

洋画では、バルビゾン派の（ ① ）の影響を受けた（ ② ）が明治美術会を創設した。その暗い色調から脂派とも呼ばれた。『読書』や『湖畔』で有名な（ ③ ）は（ ④ ）を創設した。その明るい色調から外光派とも呼ばれた。

（ ② ）の弟子には『桜島』や『紫禁城』の作者（ ⑤ ）と、『金蓉』の作者である（ ⑥ ）がいる。また彫刻では、『老猿』の作者（ ⑦ ）と、その息子の（ ⑧ ）が有名である。（ ⑧ ）と同じくロダンの影響を受けた（ ⑨ ）は『女』という作品で知られている。

**62** **西洋音楽について、組み合わせの正しいものは、次の①～⑤のうちのどれか選べ。**

| | | | |
|---|---|---|---|
| ① | 国民楽派 | ワーグナー | 『わが祖国』 |
| ② | ロマン派 | シューマン | 『小犬のワルツ』 |
| ③ | バロック音楽 | ハイドン | 『G線上のアリア』 |
| ④ | 古典派 | モーツァルト | 『魔笛』 |
| ⑤ | 印象主義 | ロッシーニ | 『メサイア』 |

**63** **次の音楽用語に関して、正しいものは、次の①～⑤のうちのどれか選べ。**

① ソナタとは、中世の教会音楽で、声楽曲のことである。

② オラトリオとは、3種類の楽器で演奏する合奏曲である。

③ オペラは、フランスで生まれた歌劇である。

④ 国民楽派音楽は、シャンソンなど、大衆的な音楽のことである。

⑤ ロマン派音楽は、個性や感性を重視した19世紀の音楽である。

# 社会科学

※解答 P.280



## 《政治》

### 1 次の文中の空欄にあてはまる語句を入れよ。

ピューリタン革命期の哲学者（　A　）は、著書『リヴァイアサン』において、自然状態において人間は、（　B　）という状態が生じると主張した。（　B　）を脱してだれもが安心して自己保存権をまっとうするために、人間は理性を働かせて自然法を発見して、それにしたがって契約を結び、ここに主権を有する国家が設立されるとした。

一方、名誉革命期に活躍した（　C　）は、著書『統治論』において、自然状態を一応は平和な状態であるが不安定な状態であるとし、この不安定な状態から脱却して自然権の享受を確実なものとするために、人々は契約によって共同社会を形成し、統治機関を設立してその権力を信託するものとした。統治機関がその設立目的に反する活動をした場合、人民には（　D　）があるとした。

### 2 選挙の基本原則とその内容の組み合わせとして、正しいのは次の①～④のうちのどれか答えよ。

**【選挙の基本原則】**

**A**：普通選挙　**B**：直接選挙　**C**：平等選挙　**D**：秘密選挙

**【内容】**

**ア**：有権者が直接候補者に投票して、公職者を選出する制度。
**イ**：有権者がだれに投票したかを秘密にするよう工夫された制度。
**ウ**：選挙権の価値は皆に平等、すなわち１人１票を原則とし、1票の価値的平等も要請される制度。
**エ**：財産、納税額、信仰、人種、性別などを選挙権の要件としない制度。

① A - イ
② B - エ
③ C - ウ
④ D - ア

### 3 わが国の衆議院議員選挙と参議院議員選挙に関する次の文中の空欄にあてはまる語句を入れよ。

衆議院議員選挙で採用されている（　A　）は、小選挙区制と比例代表制を組み合わせたものである。衆議院議員定数465のうち、(　B　)議席を小選挙区から選出し、残りの(　C　)議席は全国を11のブロックに分割して比例代表制により選出される。また、小選挙区の候補者は同時に各ブロックの比例代表選挙の名簿に名を連ねることが認められており、これを(　D　)という。

参議院議員選挙で採用されている(　E　)は、全国を45の選挙区に分割した選挙区選挙と(　F　)とする比例代表選挙を組み合わせたものである。参議院議員定数248のうち、選挙区選出は(　G　)議席、比例代表選出が(　H　)議席となっており、(　I　)ごとに半数ずつ改選される。また、参議院議員選挙では、選挙区の候補者が同時に比例代表選挙の名簿に名を連ねる(　D　)は認められていない。

**4**　**基本的人権に関する文のうち、誤っているものは、次の①～⑤のうちのどれか選べ。**

① 信教の自由には、信仰の自由、宗教的行為の自由、宗教的結社の自由がある。

② 憲法21条2項では、検閲を禁止している。

③ 学問の自由では、学問研究の自由とその成果の発表の自由は認めているが、教授の自由はまったく認めていない。

④ 職業選択の自由は、自分の希望する職業を選択する自由とともに、選択した職業を遂行する自由も含まれる。

⑤ 憲法28条で規定している労働基本権として、労働者と使用者の立場を対等にするため、労働者に対して団結権、団体交渉権、団体行動権の労働三権を認めている。

**5**　**国会の議決のうち、衆議院の優越が認められていないものは、次の①～⑤のうちのどれか選べ。**

① 内閣総理大臣の指名

② 予算案の承認

③ 条約の承認

④ 憲法改正の発議

⑤ 法律案の議決

**6**　**国際連合(国連)に関する文のうち、誤っているものは、次の①～⑤のうちのどれか選べ。**

① 国連総会決議は国連加盟国に対して拘束力をもたないが、国連安全保障理事会決議は国連加盟国を拘束する。

② 国連安全保障理事会は、アメリカ、イギリス、ドイツ、ロシア、中国の常任理事国と非常任理事国10カ国の計15カ国で構成される。

③ 国連信託統治理事会は、国連の信託統治制度の下にある地域の施政に関して、監督的権限を有する機関であるが、現在は活動を停止している。

④ オランダのハーグにおかれている国際司法裁判所は、国際紛争を平和的(司法的)に解決することを目的とする機関である。

⑤ 国連事務総長は、安全保障理事会の勧告により総会が任命することによって決定され、その任期は5年となっている。

## 《経 済》

**7** **寡占市場に関する次の文中の空欄にあてはまる語句の組み合わせとして正しいものを選べ。**

寡占市場は、少数の企業が市場を支配している状態をいい、寡占市場の特徴として、管理価格の形成や価格が需給関係では決定されず、供給超過やコストダウンが生じても価格が下がりにくくなるという( ア )などがある。

また、寡占の態様としては、同種の製品を生産する企業が価格や生産量、販売地域などについて協定を結び、高い利潤を確保しようとする( イ )。また、巨大企業が複数の企業の株式を保有することによってそれらを支配下において、支配企業を水平的・垂直的に結合させる( ウ )。さらに、同種の生産部門における競争を排除するため、合同や株式買収による支配権の獲得などによって各企業が独立性を失って1つの企業として行動する( エ )などがある。

| | ア | イ | ウ | エ |
|---|---|---|---|---|
| ① | 非価格競争 | トラスト | カルテル | コンツェルン |
| ② | 非価格競争 | トラスト | コンツェルン | カルテル |
| ③ | 価格の下方硬直性 | カルテル | トラスト | コングロマリット |
| ④ | 価格の下方硬直性 | カルテル | コンツェルン | トラスト |
| ⑤ | 価格の下方硬直性 | トラスト | カルテル | コングロマリット |

### 8 景気循環（景気変動）を周期分類した次の図の空欄にあてはまる語句を入れよ。

| 景気循環の名称 | 周　期 | 景気循環が引き起こされる要因 |
|---|---|---|
| （　A　） | 約40カ月 | 在庫投資の増減が原因となって発生するといわれている。 |
| ジュグラー循環 | （　B　） | 設備投資の循環が原因となって発生するといわれている。 |
| クズネッツ循環 | 約20年 | （　C　）の増減が影響を与えて発生するといわれている。 |
| （　D　） | 約50年 | 技術革新、大規模な戦争などの要因が挙げられる。 |

### 9 財政に関する文のうち、誤っているものは、次の①～⑤のうちのどれか選べ。

①　財政の役割として、資源配分の調整、所得の再分配、経済の安定化という３つの機能を挙げることができる。

②　政府がその時々の経済状況に応じて、裁量的に財政政策を実施することをビルト・イン・スタビライザーという。

③　租税原則のうち、簡素の原則は、課税システムや納税手続きが簡単で、また費用も最小となるような課税が望ましいとする原則である。

④　財政法４条では、公共事業費、出資金および貸付金の財源に充てる場合にのみ国債を発行できると規定している。

⑤　納税義務者と税負担者が同一の税を直接税といい、具体的には、所得税、法人税、相続税・贈与税などがある。

### 10 日本銀行の代表的な金融政策のうち、一般的に不況期に行うものとして正しいもののみを挙げているものは、次の①～⑤のうちのどれか選べ。

①　公定歩合の引き上げ、買いオペレーション、支払準備率の引き下げ

②　公定歩合の引き上げ、売りオペレーション、支払準備率の引き上げ

③　公定歩合の引き上げ、売りオペレーション、支払準備率の引き下げ

④　公定歩合の引き下げ、買いオペレーション、支払準備率の引き上げ

⑤　公定歩合の引き下げ、買いオペレーション、支払準備率の引き下げ

# 《時　事》

**11** **わが国の労働に関する次の文のうち、誤っているものは、次の①〜⑤のうちのどれか選べ。**

① 一般的に、「終身雇用制」「年功序列賃金」「企業別組合」の３つをさして日本的雇用慣行という。

② 完全失業率とは、非労働力人口数を労働可能人口で割った比率であり、わが国における2023年平均の完全失業率は、2.6%であった。

③ 一般的に、自己の意思で失業している状態を自発的失業といい、現行賃金水準での就職を希望しているが、職がない状態を非自発的失業という。

④ 日本の女性の年齢階級別労働力率を見ると、20 代と40 代をピークとし、30 代を底とするカーブを描いている。このカーブのことをＭ字カーブという。

⑤ 産業別組合は、１つの産業に従事する全労働者を熟練や職種の違いを問わず、１つの組合に組織するもので、欧米の労働組合の主流となっている。

**12** **わが国の社会保障制度の基本とその内容の組み合わせとして、正しいのは、次の①〜④のうちのどれか答えよ。**

**【社会保障の基本】**

**A**：社会福祉　**B**：社会保険　**C**：公衆衛生・医療　**D**：公的扶助

**【内容】**

**ア**：社会的・経済的に何らかの保護を必要としている人々に無償または軽い負担で施設・設備などの各種サービスを提供すること。

**イ**：国民の健康の維持・増進を図るため、生活環境の整備や予防衛生を促進させること、および各種の疾病（成人病・感染症など）への対策などを行う。

**ウ**：国が最低限度の生活水準を定めて、申請者の資力の不足分に応じて租税により補足する制度。

**エ**：何らかの社会的事故により所得を得ることが中断、または不可能になったときに保険制度に基づきその所得を保障していく制度。

① A - ア

② B - ウ

③ C - エ

④ D - イ

# 自然科学

※解答 P.280

## 《環　境》

### 1　次の記述の空欄①～⑥に入る語句として妥当なものを次の語群から選べ。

・燃料電池は酸素と(　①　)が化学反応を起こす際に生じるエネルギーを電気エネルギーに変換する装置である。

・人工多能性幹細胞のことを(　②　)細胞といい、京都大学の山中伸弥教授らのグループによって作られた。

・携帯電話などに欠かせない、特定地域のみに偏在し極端に埋蔵量が少ない金属を(　③　)という。

・オゾン層が破壊されると、紫外線が増大し、皮膚がんなどが増えると危惧されている。(　④　)がオゾン層を破壊する。

・現在、(　⑤　)やメタンガスは温室効果ガスの原因として考えられている。また、酸性雨の原因となっているのは(　⑥　)や二酸化硫黄である。

**【語群】**

水素　　窒素　　フロンガス　　二酸化炭素　　一酸化炭素
二酸化窒素　　ＥＳ　　ｉＰＳ　　レアメタル　　半導体

## 《数　学》

### 2　次の問いに答えよ。

① 9、12、54の最小公倍数を求めなさい。

② $x+y=3$、$xy=1$のとき、$x^2+y^2$の値を求めなさい。

③ $\frac{2}{\sqrt{5}-\sqrt{3}}$ を有理化しなさい。

④ x、yは反比例の関係にあり、x＝2のとき、y＝3となる。x＝12のときのyの値を求めなさい。

⑤ 座標A(1，1)、B(1，3)、C(2，5)から任意に2点を選んだとき、2点間の距離が最も長くなるのはどの2点の組み合わせか。また、その2点間の距離も求めなさい。

**3** 次の２次方程式①～③のうち、異なる実数解を２つもつのはどれか答えよ。

① $x^2+3x+4=0$

② $x^2-100x+2500=0$

③ $x^2+20x-1=0$

**4** あるグラウンドの周りをAは時速８㎞で、Bは時速12㎞で同じ地点から同じ方向に同時に走り始め、15分後にBがAを追い越した。この２人が同じグラウンドの周りを同じ地点から反対方向に同時に走り始めると、何分後に２人は出会うか求めよ。

**5** 直角三角形ＡＢＣにおいて、３辺を直径とするように半円を３つ描く。ＡＢ＝３cm、ＡＣ＝４cmのとき、斜線部の面積を求めよ。

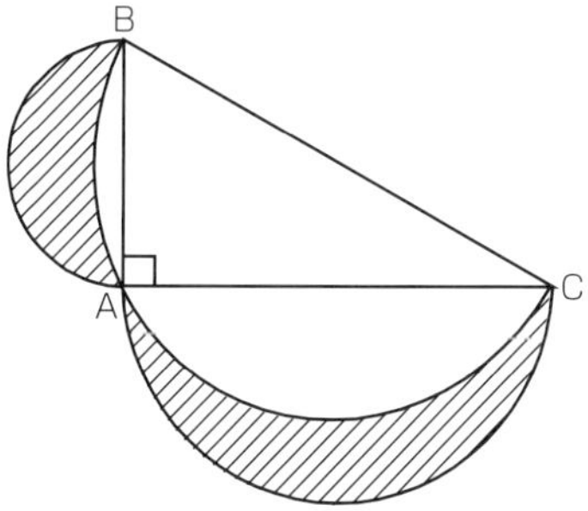


**6** ７枚のカードがあり、１～７の異なる数字が１つずつ書かれている。次の問いに答えよ。

① 数字が見えないように３枚のカードを取ったとき、その数字の和が６である確率。

② 数字が見えないように３枚のカードを取ったとき、２枚以上が奇数である確率。

## 《物　理》

**7** 次の記述において、①～③に適する語句、数値を入れなさい。ただし、重力加速度を10m/s$^2$とする。なお、空気抵抗は無視してよい。

小球を初速度５m/sで真上に打ち上げたとき、最高点に達するまでの時間は① $\left\{\begin{matrix}0.5\\1\\2\end{matrix}\right\}$ 秒である。また、最高点から地上に落ちてくるまでにかかる時間は

② ｛①より短い／①と等しい／①より長い｝。　これは、③ ｛運動量保存／エネルギー保存｝の法則によって説明ができる。

**8** **波動に関する記述のうち、妥当でないものは、次の①～⑤のうちのどれか答えよ。**

① 媒質が異なる境界面に達すると波の一部は反射する。入射角と反射角は等しくなる。

② 波が屈折率の大きい媒質から小さい媒質へ入射するとき、屈折角は入射角より大きい。

③ 昼間の空が青く見えるのは、波長が長い青い光が散乱しやすく、波長が短い赤い光は散乱しづらいからである。

④ 音を出す物体（たとえば救急車）が動いたり、観測者が動くことにより、音が高く聞こえたり低く聞こえたりする現象をドップラー効果というが、これは光でも起こり得る。

⑤ 2つ以上の波が重なって強め合ったり弱め合ったりすることを干渉という。油の膜に見える虹色の模様は干渉によって見える。

**9** **凸レンズから15cm離れたところに光源をおくと、レンズの反対側の10cm離れたところに実像ができた。このレンズの焦点距離を求めよ。**

## 《化　学》

**10** **質量48.0gの$CH_4$（メタン）を完全に燃焼させるとき、必要な$O_2$（酸素）の標準状態における体積を求めよ。ただし、原子量はC＝12、H＝1、O＝16とし、標準状態における1molの気体が占める体積は22.4Lとする。**

**11** **物質に関する記述のうち、最も妥当なものは、次の①～⑤のうちのどれか答えよ。**

① 一酸化炭素は溶鉱炉においてコークスを燃焼させるときに生じる。これを用いて鉄の酸化物を還元する。

② 二酸化硫黄は亜鉛に希硫酸を加えると発生する。水に溶かすと強い酸化作用があり、水道水やプールの水の殺菌に用いられる。

③ 塩化水素は水に溶けやすく、水溶液は弱塩基性を示す。水酸化ナトリウム

に吸収させると漂白剤として用いられるさらし粉ができる。

④　アンモニアは光化学スモッグの原因となる気体で水に溶けると硝酸になり、酸性雨の原因にもなる。そのため日本では大気中への排出に対して規制がなされている。

⑤　メタンは酸素・水素・炭素の化合物で不燃性である。また冷却して液化したものはリニアモーターカーに利用される超電導の冷却材として用いられる。

## 《生　物》

### 12 原核細胞にないものは、次の①〜⑤のうちのどれか答えよ。

① 細胞壁
② リボソーム
③ DNA
④ 細胞膜
⑤ ミトコンドリア

### 13 光合成に関する次の記述の空欄を埋めよ。

植物が単位時間あたりに(　①　)を吸収する光合成速度を観察したところ、光が弱いうちは、光を強めていくと光合成速度は増加したが、やがて光の強さが(　②　)以上になると、光合成速度は一定となった。この一定となったときの限定要因は(　③　)と温度である。

### 14 間脳にある、自律神経や内分泌系の中枢を何というか答えよ。

### 15 次の表の空欄に入る語句を、以下の語群から選べ。

| | 心臓の拍動 | 立毛筋 | 消化器 |
|---|---|---|---|
| 交感神経 | ① | 収縮 | ③ |
| 副交感神経 | ② | 分布しない | ④ |

**【語群】**

増加　　減少　　促進　　抑制　　収縮　　拡大

## 《地　学》

**16** **太陽系の惑星に関する記述のうち、正しいのは、次の①～⑤のうちのどれか答えよ。**

①　水星は、地球と同様に水と大気がある惑星である。昼夜の気温差が激しい特徴がある。

②　金星は二酸化炭素を大気としているため、温室効果が起こる。「宵の明星」「明けの明星」で知られる。

③　火星は地球のすぐ内側を公転している惑星である。火星全体を極冠が覆っている。

④　木星は岩石と金属を主成分とした惑星であり、密度が最も高い。大気の渦が見え、これらは大赤斑とよばれる。

⑤　土星は太陽系で最も大きい惑星であり、水素とヘリウムを主成分としている。

# 本試験対策 実力チェック問題 解答



## 人文科学

《国　語》

**1** ①こうし　②おうぎ　③もさ
④こうでい　⑤どきょう
⑥消耗　⑦潔　⑧乖離
⑨通暁　⑩梗概

**2** ①頭・肉＝見掛けが立派でも内容が伴わないこと
②呉・舟＝仲の悪い者同士が何らかの事情でたまたま一緒にいること
③無・人＝勝手気ままにふるまうこと
④和・雷＝わけもなく他人の説に賛同すること
⑤霧・中＝物事に迷って思案に暮れること

**3** ①動詞・五段活用
②形容動詞・(なし)
③接続詞・(なし)
④動詞・カ行変格活用
⑤形容詞・(なし)

**4** ①のたまふ・きこゆ
②きこす・うけたまはる
③たまふ・たてまつる
④おはす・まゐる
(それぞれ別の言い方もある)

**5** ①稗田阿礼　②太安万侶
③正統性　④舎人親王
⑤国威発揚

**6** ④

**7** ②

**8** ①一条　②彰子　③11　④54
⑤光源氏　⑥薫君(大将)
⑦宇治十帖　⑧もののあはれ

**9** ①最初の日記 → 最初の仮名書き日記(または、日記文学)
②藤原道綱の母 → 菅原孝標女
③物語 → 随筆
④「真名序」→「仮名序」
⑤鎌倉時代初期 → 平安時代末期
⑥『曽丹集』→『山家集』

**10** ⑤

**11** A　E　F　G　H

**12** ①お伽草子　②仮名草子
③井原西鶴　④町人物
⑤世間胸算用　⑥義理物語
⑦浮世草子　⑧読本
⑨上田秋成　⑩雨月物語
⑪滝沢(曲亭)馬琴
⑫南総里見八犬伝　⑬恋川春町
⑭草双紙(黄表紙)　⑮山東京伝
⑯洒落本　⑰滑稽本

**13** ①貞門派　②西山宗因
③正風(蕉風)　④わび
⑤俳諧七部集　⑥猿蓑
⑦おくのほそ道　⑧与謝蕪村
⑨おらが春　⑩小林一茶

**14** ③

**15** ①白樺　②城の崎にて
③志賀直哉　④羅生門　⑤鼻
⑥河童　⑦菊池寛　⑧新思潮
⑨新現実

**16** A　プロレタリア文学(運動)
B　新感覚派

**17** ①ーウーd　②ーエーc
③ーイーa　④ーアーb

**18** ①ドストエフスキー　②ロシア

③ボヴァリー夫人　④フランス
⑤モーパッサン　⑥二都物語
⑦イギリス　⑧嘔吐

## 《英　語》

**19** ①イ　②ア　③ア　④ウ

**20** ①ア　②オ　③イ　④カ

**21** ①excited　②majoring
③closed　④interesting

**22** ①イ　②ア　③オ

**23** ①make　②take　③run

**24** ①nothing to be said
②by no means
③A little consideration will tell you

## 《日本史》

**25** ①厩戸王　②冠位十二階
③憲法十七条　④遣隋使

**26** ②

**27** ①キ　②ク　③エ　④サ　⑤ケ
⑥ウ　⑦ア　⑧ス　⑨コ　⑩ソ

**28** 1　アの作者　阿倍仲麻呂
イの作者　藤原道長
2　③
3　摂関政治による藤原氏の権力が絶大なものになったことを象徴している。

**29** ①徳川家光
②大名の経済力を弱らせるため。

**30** ①自由党　②立憲改進党
③江華島事件　④日朝修好条規
⑤領事裁判権　⑥関税自主権
⑦米騒動　⑧原敬　⑨朝鮮
⑩朝鮮総督府

**31** ①ウ　②ア

## 《世界史》

**32** ①護民官　②平民会
③十二表法　④ポエニ　⑤三頭
⑥オクタヴィアヌス
⑦トラヤヌス

**33** ①ア　②ウ　③ア　④イ　⑤ウ

**34** ①教皇名）ウルバヌス2世
会議名）クレルモン公会議
②遠征の失敗により、ローマ教皇の権威が失墜した。また北イタリアの商人を中心に東方貿易が行われ、貨幣経済が発展した。
③ルネサンス

**35** ①フェリペ2世　②ポルトガル
③レパント　④　オランダ
⑤エリザベス1世　⑥東インド
⑦ルイ14世　⑧コルベール
⑨ヴェルサイユ宮殿

**36** 1　印紙法
2　起草文の作者）トマス＝ジェファソン　思想家）ロック
3　ヨーロッパ諸国が植民地側を支援し、イギリスが孤立したため。

**37** ①ビスマルク　②三国同盟
③フランス　④イギリス
⑤シパーヒーの乱
⑥ムガル帝国
⑦トルコ（オスマン帝国）
⑧ドイツ　⑨3B　⑩イギリス
⑪3C

**38** ①サライェヴォ事件
②アメリカ
③軍部、資本家、労働者などの絶大な支持を得られたため。

④イタリア
⑤ドイツのポーランド侵攻

**39** ①トルーマン　②マーシャル　③朝鮮戦争　④スターリン　⑤キューバ　⑥中国　⑦民主化　⑧マルタ会談

《地　理》

**40** ②（97%が海にある。）

**41** ①Ｃｓ　②Ａｗ　③　Ｄｆ　④ＢＳ　⑤ＥＦ

**42** 4（1は③、2は②、3は⑤、5は①）④はリアス海岸で有名

**43** ①アルゼンチン　②フランス　③ブラジル　④ベトナム　⑤ニュージーランド

**44** ①正　②誤（2割未満）　③正
④誤（1割未満）
⑤誤（6割が水力）

**45** Ａシーア　Ｂヒンドゥー
Ｃカースト　Ｄ大乗
Ｅバチカン（バチカン市国）

**46** 5（1は北緯49度　2はチリとアルゼンチン　3はオーデル川　4は北朝鮮と韓国が38度線だが直線ではない。）

**47** ①ＡＳＥＡＮ　②ＵＮＩＣＥＦ　③ＩＡＥＡ　④ＮＡＴＯ　⑤ＯＰＥＣ

**48** ①誤（5万分の1の地形図は編集図）
②正
③誤（5万分の1も等高線）
④誤（2万5千分の1では計曲線は50mごと）
⑤誤

**49** ①主に市民の寄付で、貴重な自然や歴史的環境などを買い取って保全する活動。
②都心部の気温が、郊外よりも2～3℃上昇する現象。特に冬に顕著である。
③木材、家畜のし尿、農業廃棄物など生物資源を利用して行う発電の総称。
④主に12月ごろからペルー沖の海水温が上昇する現象で、漁業に影響する。

**50** ①

**51** ①ナイジェリア　②リベリア　③マダガスカル　④南スーダン　⑤ケニア

**52** ①ジュネーブ　②ウィーン
③サンクトペテルブルグ
④バルセロナ

**53** ③

**54** ①正　②誤　③正　④誤　⑤誤

《思　想》

**55** ④

**56** ①＝礼　②＝徳治主義
③＝孔子　④＝性善説　⑤＝義
⑥＝孟子　⑦＝儒家
⑧＝無為自然　⑨＝老子
⑩＝道家

**57** 3

《芸　術》

**58** 1②　2①　3⑤　4④　5③

**59** ①印象　②マネ　③浮世絵
④セザンヌ　⑤ゴッホ
⑥後期印象

**60** ①レンブラント
②フェルメール
③ヴェルサイユ宮殿

**61** ①ミレー　②浅井忠
③黒田清輝　④白馬会
⑤梅原龍三郎　⑥安井曽太郎
⑦高村光雲　⑧高村光太郎
⑨荻原守衛（碌山）

**62** ④

**63** ⑤

## 社会科学

### 《政　治》

**1** A：ホッブズ、B：万人の万人に対する闘争、C：ロック、D：抵抗権（革命権）

**2** ③

**3** A：小選挙区比例代表並立制、B：289、C：176、D：重複立候補、E：選挙区比例代表並立制、F：全国一区、G：148、H：100、I：3年

**4** ③

**5** ④

**6** ②

### 《経　済》

**7** ④

**8** A：キチン循環、B：約10年、C：建設需要、D：コンドラチェフ循環

**9** ②

**10** ⑤

### 《時　事》

**11** ②

**12** ①

## 自然科学

### 《環　境》

**1** ①水素　②ｉＰＳ
③レアメタル　④フロンガス
⑤二酸化炭素　⑥二酸化窒素

### 《数　学》

**2** ①108　②7　③$\sqrt{5}+\sqrt{3}$
④$\frac{1}{2}$　⑤ＡＣ　$\sqrt{17}$

**3** ③

**4** 3分後

**5** $6\mathrm{cm}^2$

**6** ①$\frac{1}{35}$　②$\frac{22}{35}$

### 《物　理》

**7** ①0.5　②①と等しい
③エネルギー保存

**8** ③（青い光は波長が短く、赤い光は波長が長い）

**9** 6cm $\left(\frac{1}{f}=\frac{1}{15}+\frac{1}{10}\text{より}\right)$

### 《化　学》

**10** 134.4L

**11** ①

### 《生　物》

**12** ⑤

**13** ①二酸化炭素　②光飽和点
③二酸化炭素濃度

**14** 視床下部

**15** ①促進　②抑制　③抑制
④促進

### 《地　学》

**16** ②

# 索引

## 人文科学

### あ行


アウグスティヌス……117
芥川龍之介……32・38
アジェンダ２１……104
アヘン戦争……83
新井白石……65
有島武郎……38
アリストテレス……116
アルケー……116
安全保障理事会……112・156・157
アンデルセン……43
イギリス経験論……118
泉鏡花……37
伊勢物語……30
市川団十郎……35
伊藤整……40
井原西鶴……34
井伏鱒二……40
イスラム教……114
印象主義……128
院政……59
インダス文明……72・107
ウィーン体制……81
ヴィヴァルディ……132
上田秋成……34
ヴェルサイユ条約……84
浮世絵……130
雨月物語……34
宇治拾遺物語……32
内村鑑三……125
厩戸王……57
栄華(花)物語……31
エジプト文明……72・107
エピクロス……117
エミール＝ゾラ……37・44・45
エリザベス１世……79
黄土……92
応仁の乱……62
大鏡……31
小笠原気団……97
おくのほそ道……35・54
尾崎紅葉……36
織田信長……62・63
オペラ……132
オラトリオ……132


### か行


蜻蛉日記……31
梶井基次郎……40
カフカ……45
鎌倉幕府……60
鴨長明……32・33
カルヴァン……79・118
カルスト……89
川端康成……39
環境アセスメント……115
寛政の改革……65
間接統治……70
カント……120
菊池寛……38
気候変動枠組条約……104・176
紀貫之……31
キュビスム……129
京都議定書……104・176
享保の改革……65
キリスト教……62・63・73・114・117
キルケゴール……121
禁中並公家諸法度……64
空海……59・124

郡県制……74
郡国制……74
ゲーテ……42
源氏物語……30
遣唐使……58
孔子……122
幸田露伴……36
ゴーギャン……129
古今和歌集……31
国際連盟……84
国連環境開発会議……104
国連人間環境会議……104
古事記……30
故事成語……20
ゴシック美術……126
御成敗式目……60
ゴッホ……129
小林一茶……35
コペルニクス的転回……120
今昔物語集……30
コンスタンティヌス帝……117
墾田永年私財法……58

## さ行

サイエンスパーク……99
最澄……59・124
坂口安吾……41
佐久間象山……125
佐藤春夫……39
砂漠化防止条約……104
更級日記……31
サルトル……45・121
３Ｒ……105・187
産業革命……81
参勤交代……64
３Ｃ政策……83
酸性雨……104・176・187
三世一身法……58
サンソン図法……102
３Ｂ政策……83
サンフランシスコ平和条約……71
山家集……31
シェークスピア……42
志賀直哉……38
自然遺産……101
シベリア気団……97
島崎藤村……37
社会契約説……119・142・143
宗教改革……78
十字軍……77
自由民権運動……67
熟字訓……16
儒家……122
循環型社会形成推進基本法……105
聖徳太子……57
縄文時代……56
諸子百家……74・122
ショパン……133
シリコンヴァレー……95
自立語……24
新古今和歌集……33
神聖ローマ帝国……76
親鸞……60・124
スピノザ……118
世阿弥……33・61
征夷大将軍……59・60・61
清少納言……31
西南戦争……67
政令指定都市……100
世界遺産条約……105
世界恐慌……84
世界サミット……104
世間胸算用……34
セザンヌ……129
絶対王政……79
ゼノン……117
ソクラテス……116
ソシュール……121
ソナタ……132

## た行

第１次世界大戦……68・83
タイガ……92
大化の改新……57

対義語………………………………… 20
大政奉還……………………………… 65
第2次世界大戦 ……………69・84・85
太平記………………………………… 32
太平洋戦争…………………………… 69
大宝律令……………………………… 57
大陸棚………………………………… 89
大陸合理論………………………… 118
滝沢馬琴……………………………… 34
竹取物語……………………………… 30
太宰治……………………………40・41
谷崎潤一郎…………………………… 37
ダリ………………………………… 129
タレス……………………………… 116
チェルノーゼム……………………… 92
近松門左衛門………………………… 34
地球温暖化……………………104・176
地形図……………………………… 103
チャイコフスキー………………… 133
中央構造線……………………96・238
中国文明……………………………… 72
坪内逍遥……………………………… 36
徒然草………………………………… 33
テオドシウス帝…………………… 117
デカルト…………………………… 118
デューイ…………………………… 120
テラロッサ…………………………… 92
天保の改革…………………………… 65
ドイツ観念論……………………… 120
ドヴォルザーク…………………… 133
同音異義語…………………………… 18
等角航路…………………………… 102
同訓異義語…………………………… 19
道家…………………………122・123
徳川家光……………………………… 64
徳川家康……………………………… 64
徳川綱吉……………………………… 65
徳川秀忠……………………………… 64
徳川吉宗……………………………… 65
土佐日記……………………………… 31
ドストエフスキー…………………… 44
豊臣秀吉……………………………63・64
ドラクロワ………………………… 128
トルストイ………………………38・44

## な行

永井荷風……………………………… 37
中江兆民…………………………… 125
中島敦………………………………… 40
ナショナルトラスト……………… 105
夏目漱石……………………………… 37
ナノテクノロジー…………………… 99
ナポレオン…………………………… 81
南総里見八犬伝……………………… 34
ニーチェ…………………………… 121
ニケーア宗教会議………………… 117
日蓮…………………………………60・124
日露戦争……………………………… 67
日清戦争……………………………… 67
日本書紀……………………………… 30

## は行

パース……………………………… 120
バイオマス………………………… 115
排出権取引………………………… 105
ハイデガー………………………… 121
ハイドン…………………………… 132
廃藩置県……………………………… 66
白居易………………………………… 29
パスカル…………………………… 119
バッハ……………………………… 132
ハンムラビ法典……………………… 72
ばら戦争……………………………… 77
バロック美術……………………… 127
版籍奉還……………………………… 66
ピカソ……………………………… 129
樋口一葉……………………………… 36
ビザンティン美術………………… 126
ビスマルク…………………………… 82
ピタゴラス………………………… 116
百年戦争……………………………… 77
ピューリタン革命…………………… 80
品詞…………………………………… 24
フーコー…………………………… 121

風姿花伝 33
フォッサマグナ 96・101・238
福沢諭吉 125
武家諸法度 64
付属語 24
二葉亭四迷 36
仏教 114
プラザ合意 99
プラトン 116
フランク王国 76
フランス革命 81
プレートテクトニクス 89・235
フロイト 121
プロタゴラス 116
文化遺産 101
平安京 59
平家物語 32
ヘーゲル 120
ベーコン(フランシス＝ベーコン) 118
ベートーヴェン 132
ヘラクレイトス 116
ベンサム 120
偏西風 91
ヘンデル 132
封建制 74
封建制度 60
方丈記 33
法然 60・124
ボードレール 45
墨家 122・123
発心集 32
ポツダム宣言 69
ホッブズ 119・142・143
ポドゾル 92
ポリス 73
堀辰雄 40

## ま行

マキャベリ 117
枕草子 31
松尾芭蕉 35
松平定信 65
マネ 128
マルクス 121
満州事変 68
万葉集 30
三島由紀夫 41
水野忠邦 65
ミラノ勅令 117
ミル 120
ミレー 128
武者小路実篤 38
紫式部 30
室町幕府 61
名誉革命 80
メソポタミア文明 72・107
メルカトル図法 102
孟子 122
モーツァルト 132
本居宣長 35・125
モネ 128
モノカルチャー 115
森鷗外 36・37
モルワイデ図法 102
モンテーニュ 42・119
モントリオール議定書 104

## や行

ヤスパース 121
やませ 91・97
弥生時代 56
ユグノー戦争 79
ユダヤ教 117
ユング 121
与謝蕪村 35
四字熟語 20
吉田兼好 33

## ら行

ラトソル 92
ラムサール条約 105・177
リアス海岸 89
リヴァイアサン 119・142・143
ルイ１４世 79

ルソー………………… 119・142・143
ルター…………………………78・118
ルネサンス…………… 78・126・127
ルノワール……………………… 128
レアメタル……………………95・186
冷戦体制……………………………85
ローマ帝国…………………… 73・74
ロココ美術………………………127
ロック……… 81・119・142・143・146
ロマネスク美術…………………126
ロマン派…………………………133

## わ行

ワシントン条約…………… 105・177
和漢朗詠集…………………………31

## Ａ～Ｚ

ASEAN(東南アジア諸国連合)…113
ＥＥＺ(排他的経済水域)…………86
ＥＵ(ヨーロッパ連合)…………113
ＦＡＯ(国連食糧農業機関)……113
ＧＮＩ(国民総所得)………101・162
ＩＭＦ(国際通貨基金)…………113
ＮＡＴＯ(北大西洋条約機構)…113
ＯＤＡ(政府開発援助)…………101
ＯＰＥＣ(石油輸出国機構)……113
ＵＮ(国際連合)…………………112
UNESCO(国連教育科学文化機関)…113
ＵＮＩＣＥＦ(国連児童基金)……113
ＷＴＯ(世界貿易機関)…………113

# 社会科学

## あ行

安全保障理事会……… 112・156・157
いざなぎ景気……………………171
岩戸景気…………………………171
インフレーション………………163
オリンピック景気………………171

## か行

介護保険制度……………………175
寡占市場…………………………160
カルテル…………………………160
完全失業率………………………173
議院内閣制………………………147
企業別組合………………………172
気候変動枠組条約………… 104・176
供給曲線…………………… 158・159
行政権……………………… 146・152
京都議定書………………… 104・176
経済的自由権……………………149
公開市場操作……………………167
公債………………………………165
国際連合…………………… 112・156
固定為替相場制…………………169
コンツェルン……………………161

## さ行

財政………………………………164
３Ｒ………………………… 105・187
酸性雨…………………104・176・187
支払準備率操作…………………167
司法権…………………146・152・155
社会契約説………………… 119・143
社会権……………………………150
社会保障…………………………174
終身雇用制………………………172
需要曲線…………………… 158・159
小選挙区比例代表並立制………145
神武景気…………………………170
精神的自由権……………………148
選挙区比例代表並立制…………145
租税………………………………165

## た行

大統領制…………………………147
地球温暖化………………… 104・176
デフレーション…………………163
統治論…………………142・143・146
特需景気…………………………170

ドッジ・ライン…………………… 170
トラスト………………………… 160

## な行

内閣………………………… 152・154
日本国憲法……………………… 148
年功序列賃金…………………… 172

## は行

普通選挙………………………… 144
プラザ合意……………………… 171
フリーター……………………… 173
平成景気………………………… 171
変動為替相場制………………… 169
法の精神………………………… 146
ホッブズ……………… 119・142・143

## ま行

モンテスキュー………………… 146

## ら行

ラムサール条約…………… 105・177
リヴァイアサン……… 119・142・143
立法権……………………… 146・152
ルソー………………… 119・142・143
労働組合………………………… 173
ロック……… 81・119・142・143・146

## わ行

ワシントン条約…………… 105・177

## A～Z

ＧＤＰ(国内総生産)…………… 162
ＧＮＩ(国民総所得)……… 101・162

# 自然科学

## あ行

アイソスタシー………………… 235
ｉＰＳ細胞……………………… 186
アルキメデスの原理…………… 205
アレニウスの定義……………… 219
イオン化傾向…………………… 221
イオン結合……………………… 215
１次関数………………………… 194
１次不等式……………………… 191
遺伝……………………………… 233
因数分解………………………… 189
エネルギー保存則……………… 208
円周角…………………………… 198
オームの法則…………………… 212
温暖前線………………………… 241

## か行

海陸風…………………………… 240
化学反応式……………………… 218
確率………………………… 202・203
火成岩…………………………… 236
化石……………………………… 239
滑車……………………………… 206
カルデラ………………………… 237
寒冷前線………………………… 241
共有結合………………………… 215
金属結合………………………… 215
組合せ…………………………… 201
血液………………………… 230・231
原子………………………… 214・215
顕性の法則……………………… 233
光化学スモッグ………………… 187
呼吸……………………………… 229
光合成…………………………… 228
コロイド………………………… 217

## さ行

最小公倍数……………………… 188
細胞……………………………… 224
細胞分裂………………………… 226
細胞膜…………………………… 225
酸化還元………………………… 220
酸性雨……………… 104・176・187
三平方の定理…………………… 196
視神経…………………………… 232
地震波…………………………… 234

指数法則……188
周期表……222
自由落下……207
重力……204
順列……200・201
自律神経系……233
震度……234
積の法則……200
絶対温度……209
セルシウス温度……209
相似……197


## た行


堆積岩……236
太陽……243
太陽電池……184
多細胞生物……225
単細胞生物……225
力……204
地球温暖化……104・176
中央構造線……96・238
中和……220
電気回路……212
電磁誘導……213
電池……221
等加速度運動……207
等速直線運動……206
ドップラー効果……211
凸レンズ……211


## な行


波……210
2次関数……194
2次不等式……191
2次方程式……190
熱量保存則……209
年周光行差……242
年周視差……242
燃料電池……184
濃度……193


## は行


ハイブリッド自動車……185
発光ダイオード(LED)……185
波動……210
速さ……192
半導体……185
光飽和点……228・229
フーコーの振り子……242
フォッサマグナ……96・101・238
フックの法則……204
物質量……218
プレートテクトニクス……89・235
ブレンステッドの定義……219
平方根……189
変成岩……237
ボイル・シャルルの法則……216・217


## や行


有理化……189


## ら行


力学的エネルギー……208
リチウムイオン電池……184
レアメタル……95・186
レンツの法則……213


## わ行


惑星……242
和の法則……200
割合……192

## 著者：LEC東京リーガルマインド（LEC）

1979年、司法試験の受験指導機関として創立して以来、教員や国家公務員、地方公務員、警察官、消防官などの公務員試験をはじめ、司法書士、弁理士、行政書士、社会保険労務士、土地家屋調査士、不動産鑑定士、中小企業診断士、宅地建物取引士、公認会計士、税理士、日商簿記など各種資格・国家試験の受験指導を行う総合スクール。法人研修事業、雇用支援事業、教育出版事業、大学・大学院運営といった人材育成を中心とする多角的経営を行っている。現在、100資格・試験を取り扱い、全国に直営校30校、提携校19校（2024年7月現在）を展開しており、2019年には創立40周年を迎えた。

【LEC東京リーガルマインド】
〒164-0001東京都中野区中野4-11-10 アーバンネット中野ビル
TEL　0570-064-464　https://www.lec-jp.com/


LEC教員採用講座に関する最新情報は、
LEC公務員サイト　https://www.lec-jp.com/koumuin/　をご覧ください。


【監修】
統括：加藤賓和　傾向と対策・人文科学・社会科学：加藤賓和　自然科学：志村信幸


本書に関する最新情報は、下記のURLをご覧ください。
https://www.seibidoshuppan.co.jp/info/kyouinsaiyo-i 2408

上記アドレスに掲載されていない箇所で、正誤についてお気づきの場合は、書名・発行日・質問事項・氏名・住所・FAX番号を明記の上、**成美堂出版**まで**郵送**またはFAXでお問い合わせください。

※**電話でのお問い合わせはお受けできません。**
※本書の正誤に関する質問以外にはお答えできません。また、受験指導などは行っておりません。
※ご質問の到着確認後10日前後で、回答を普通郵便またはFAXで発送致します。
※ご質問の受付期限は、2025年の7月末日到着分までと致します。ご了承ください。


**これだけ覚える 教員採用試験 一般教養 '26年版**

2024年 9 月20日発行

著　者　LEC《レック》東京《とうきょう》リーガルマインド

発行者　深見公子

発行所　成美堂出版
〒162-8445　東京都新宿区新小川町1-7
電話(03)5206-8151　FAX(03)5206-8159

印　刷　株式会社フクイン




ISBN978-4-415-23879-1
落丁·乱丁などの不良本はお取り替えします
定価はカバーに表示してあります